수리(數理) 수비학(數秘學)

수리 수비학

발 행 | 2024년 02월 14일
저 자 | 이흥신, 장윤영
펴낸이 | 한건희
펴낸곳 | 주식회사 부크크
출판사등록 | 2014.07.15.(제2014-16호)
주 소 | 서울특별시 금천구 가산디지털1로 119 SK트윈타워 A동 305호
전 화 | 1670-8316
이메일 | info@bookk.co.kr

ISBN | 979-11-410-7181-3

www.bookk.co.kr

수리 수비학

수수리수인작법, 수리매화역수

著者 _ 공동저자 : 이홍신

철학박사

경기 광주 이배재로 388 영산선원

공동저자 : 장윤영

경영학 박사

동방문화대학원 대학교 박사수료

경기 광주 이배재로 388 영산선원 원장

1편 _ 수수리수인작법

머리말

목 차

1장. 수리의 개념

2장. 수리 응용

3장. 수인작법

2편 _ 수리역학 매화역수

머리말

맺음말

제1편

수수리수인작법

수리 수비학(數理 數秘學)

머리말

인간은 끊임없는 노력으로 현대 과학을 첨단(尖端)에 이르게 만들었다. 현대의 인간은 과학의 힘에 의지하지 않고서는 존재할 수 없는 처지가 되어 버린 것이다. 그럼에도 불구하고 인간의 궁극적인 근원과 미래에 닥치게 될 운명에 관한 연구는 여전히 미완성의 단계에 머물러 있다. 따라서 인간은 과거와 현재 그리고 미래에 대한 운명을 끊임없이 연구할 수밖에 없으며 그 연구는 인류가 존재하는 동안 계속될 것으로 확신한다. 본 연구를 시작하게 된 이유도 인간의 운명에 대한 궁금증 때문이라는 점을 밝힌다.

인간의 운명을 예측할 수 있는 학문에는 이미 제도권에 진입하여 자리를 잡은 풍수학을 비롯하여 명리학이나 주역 등 다양한 학문이 존재하고 있다.

그리고 학문으로 인정받지 못하고, 재야의 학자들 사이에서 관습(慣習)이나 술수(術數)처럼 취급되고 있는 학문도 다수 존재하고 있다. 결국 인간의 운명은 예, 또는 아니오, 라는 형식처럼 이분법적인 관점에서 접근할 수는 없다. 그뿐만 아니라 수학처럼 답이 확실하게 뚝 떨어지는 것도 아니다.

그래서 인간의 운명에 관한 연구는 다양한 방면에서 진행할 수밖에 없는 것이다. 본 저자는 이러한 뜻을 충분히 인식하고 재야의 학자들이 활용하고 있는 인간의 운명에 관한 두 가지의 술법(術法)을 기록으로 남기고자 한다. 저자가 기록으로 남기고자 하는 술법은 아직 제도권의 학문으로 인정받지 못하고 있는 전형적인 술수에 관한 간명법(看命法)이다. 물론 이 부분에 관련된 책들이 일부 존재하고 있음을 알고 있다. 그러나 부족한 부분이 많아서 이론의 체계적인 정리가 필요하다고 생각하여 필자가 책(冊)을 편찬하기에 이르렀다. 이 책은 필자 개인의 주관성을 철저히 배제하고 실증분석을 통해서 실효성이 입증된 사항을 중심으로 저술하고자 한다.

이 책의 구성은 제1편 수수리수인작법(數修理手印作法), 제2편 수리역학(數理易學) 매화역수(梅花易數)로 구성되어 있다. 제1편의 수수리수인작법은 개인의 특성이나 성향을 논리적으로 분석할 수 있다. 즉 인생의 나아갈 길을 제시하는 학문이다. 제2편의 수리역학 매화역수는 대운(大運)뿐만 아니라 월운(月運)과 일진(日辰)까지 행운(幸運)에 관해서 효율적인 분석이 가능하다. 이들 학문의 공통적인 특징은 숫자를 활용한다는 점이다. 즉 수리학(數理學)을 운명학(運命學)에 접목한 이론이다. 그만큼 인간의 운명은 복잡다단(複雜多端)하여 한가지 학문만으로는 접근하기가 쉽지 않다. 그래서 명리학의 부수적인 학문이 많이 발전할 수 있었던 것으로 생각한다.

명리학에서 행운(幸運)을 분석하는 대표적인 이론은 십이운성론(十二運星論)과 십이신살론(十二神殺論)이다. 십이운성론은 천간의 육친이 처한 상황을 설명하고, 십이신살론은 지지를 중심으로 각각의 육친이 어떻게 반응하는가를 알아보는 간명법이다. 그러나 이들 이론만 가지고 행운을 분석하기에는 많은 아쉬움이 남게 된다. 그래서 필자는 항상 공부의 부족을 탓하면서도 한편으로는 무엇인가 부족함에서 오는 목마름에 시달려 왔다. 그러던 중 재야에서 일부 학자들이 활용하고 있던 수리역학 매화역수라는 간명법을 접하게 되었고, 공부의 범위를 넓혀 나가던 중 수수리수인작법이라는 학문과도 인연을 맺게 되었다.

이들 학문은 두 가지의 논리적인 측면을 가지고 있다. 첫 번째 공부하기 쉽다는 점이다. 그러나 이들 학문이 누구나 그리고 아무나 쉽게 접근할 수 있는 학문은 아니다. 서로 인연이 닿아야 가능하다고 생각한다. 두 번째 적중률이 높고 실용적인 학문이다. 만세력을 어렵게 찾아서 사주를 살펴야 할 필요가 없다. 언제 어디서든지 생년월일만 가지고 충분히 상담을 할 수 있다. 따라서 명리학으로 기초로 다듬고 수리(數理) 수비학(數秘學)을 공부하게 된다면 그 어떤 상담에도 어려움이 없을 것이다. 자신 있게 말하는데 수리 상담은 실전이 급하신 분들에게 큰 도움이 되리라고 확신한다. 수많은 등불이 이 책과 인연이 될 수 있길 희망한다.

Ⅰ장 수리의 개념

1. 운명(運命)과 수(數)의 관계

수(數)의 근원은 하도와 낙서이다. 그리고 모든 인간은 태어나면서부터 수와 인연을 맺게 된다. 바로 생년, 생월, 생일, 생시의 시간이다. 그리고 사는 집과 매일 사용하는 전화번호뿐만 아니라 자동차번호 등 모든 인간의 생활 수단에 수(數)는 깊숙이 개입되어 있다. 주민등록번호나 의료 보험증의 번호도 수로 구성되어 있다.

그만큼 수는 인간의 생활 속에 깊숙이 들어와 있다. 인간은 태어나면서부터 죽는 날까지 심지어 죽음 이후에도 제삿날이라는 이름으로 수를 사용하게 된다. 따라서 인간은 항상 수와 함께할 수밖에 없다. 그러함에도 수가 인간의 운명과 관련이 깊다는 사실을 아는 사람은 그다지 많지 않다. 단지 수학이나 과학에 활용되는 수치(數値) 정도로 인식되어 있을 뿐이다. 아마 숫자를 돈의 가치 정도로 생각하는 사람도 있을 것이다. 그만큼 숫자의 의미가 품고 있는 뜻에 관심을 가지는 사람은 많지 않다.

이제부터 수가 인간의 운명과 어떤 관계가 있는지 살펴보겠다. 그것이 바로 수수리수인작법이다. 하지만 수수리수인작법에 들어가기 전에 선행되어야 할 공부가 있다. 그것은 바로 명리학의 천간과 지지에 대한 의미를 정확히 깨우치는 것이다. 그리고 당사주를 공부한다면 수수리수인작법에 대한 이해가 쉬울 것이다.

그런데 명리학을 전혀 모르는 상태에서 수리 상담학을 접하는 분들이 있다. 물론 명리학을 전혀 모르더라도 수리 상담학에 관한 공부는 가능하다. 그러나 실질적이고 전문적인 상담사가 되기 위해서는 명리학을 학습하는 게 좋다. 명리학을 전혀 모르는 상태에서 수리 상담학만으로 상담하시는 분들은 그만큼 상담의 폭이 좁을 수밖에 없다. 따라서 명리학의 기초 정도라도 학습하시길 바란다.

수수리수인작법의 이론에 의하면 인간은 누구나 태어나면서부터 자신만이 가지는 고유한 숫자가 있다고 한다. 인간뿐만 아니라 세상의 모든 사물은 자신만의 고유한 숫자를 가지고 있는데 이것을 운명수라고 한다. 또한 운명수를 다른 말로 구심점이라고도 한다. 인간의 운명수는 "생월+생일 = 운명수"라는 공식이 성립한다. 그리고 수수리수인작법은 음력을 사용한다. 본 저자는 운명수라는 말을 가능하면 구심점이라는 말로 통칭하고자 하나 중복될 우려가 있으므로 용어 사용에 관한 이해를 바란다.

운명수에 태어난 연도와 태어난 시간이 들어가지 않는 이유는 천지인의 사상과 관련이 있다. 천지인 사상이란 우주 만물은 하늘과 땅 그리고 인간으로 구성되어 있는데 생년은 하늘의 역할을 하고, 생월과 생일은 인간을 뜻하고, 태어난 시간은 땅을 의미한다. 따라서 하늘과 땅의 기운을 제외하고 순수하게 인간의 기운만을 운명수로 채택한 것이다. 물론 천지인 사상이 고정화(固定化)되어 있는 게 아니다. 보편적으로 천(天)의 사상은 시간을 의미하고 지(地)는 공간이며 인(人)은 사람의 관계를 뜻하는 것으로서 궁합을 말한다.

주자의 태극원설(太極圓說)에 의하면 원래 대우주는 무극(無極)의 상태였다고 한다. 그리고 무극을 수로 표시하면 영(0)이 된다. 영(零)은 또한 영(靈)이 된다. 즉 수리 0은 인간의 영역에서 벗어나 신의 영역에서 존재한다. 무극인 영(零)속에는 우주 대자연의 모든 것을 창조(創造)하고 그것을 생성하는 조화력을 지닌 삼라만상의 조물주가 존재하기 때문이다. 이것이 진화하여 유(有)가 된 것이다. 즉 일시(一始) 무시일(無始一)[1]이다. 이것이 일(一)이 시작되는 과정이다.

위와 같이 인간이 흔히 사용하는 수(數)는 진리와 불가분의 관계에 있다. 역학을 비롯하여 모든 운명학은 사실상 수를 기초로 하고 있다. 수의 기본 정수는 일(一)에서 구(九)까지이다. 따라서 수천만 단위의 수일지라도 기본 정수에서 벗어나지 못한다. 수는 눈에 보이는 물체와 달리 눈에 보이지 않는 형상으로서 영혼이 담겨 있다.

결국 모든 인간의 운명은 구심점(운명수)이 무엇이냐에 따라서 자신의 갈 길이 정해지는 것이다. 자신에게 어떤 능력이 있는지, 무슨 직업을 가져야 하고, 앞으로 어떻게 살아가야 하는지, 등을 미리 알아볼 수 있는 게 '운명수'라고 하는 구심점이다. 그뿐만 아니라 자신과 잘 맞는 사람인지 동업을 해도 될 사람인지 등과 같은 궁합에도 운명수가 사용된다

사주학은 년주, 월주, 일주, 시주, 라는 네 기둥을 가지고 개인의 운명에 대한 길흉을 예측하고 판단한다. 즉 사주팔자를 보고 운명을 예측하기 때문에 사람마다 해석의 차이가 생긴다. 그리고 어렵고 복잡하여 공부에 많은 시간이 필요하다. 그러나 수리 상담학은 공부의 방법이 쉽고 해석의 차이도 그다지 심하지 않다. 1부터 9까지의 운명수와 1부터 12까지의 작용수(作用數)를 이해하게 되면 그것에

---

1) 없는 것에서 천지가 창조된 것이다. 무(無)에서 시공간이 생겨났다.

따른 해석의 결과는 누구나 비슷하다. 그뿐만 아니라 1부터 9까지의 수는 운명수와 작용수의 의미가 같다. 다만 10, 11, 12월에 해당하는 달은 운명수가 따로 있는 게 아니라 작용수만 있을 뿐이다.

앞에서 말했듯이 운명수와 구심점은 같은 뜻이다. 그런데 같은 의미를 각각 다른 용어로 사용하기 때문에 혼돈(混沌)을 초래할 수 있다. 따라서 본 저자는 구심점이라는 용어로 통일하고자 한다. 그리고 본 저서에서 사용하는 생년월일은 모두 음력을 기준으로 한다.

그리고 1편 수수리수인작법에서 사용하는 용어는 크게 나누어 보면 '구심점'과 '작용수'뿐이다. 구심점은 전체적인 운명에 정적(靜的)으로 작용하고 작용수는 해당하는 시기에 동적(動的)으로 작용하는 것이다.

제2편, 매화역수에서 '평생 기본수'나 '주도수'와도 혼돈(混沌)이 생길 수 있으므로 주의가 필요하다. 즉 용어의 구분을 잘 이해하라는 뜻이다. 수수리수인작법에서 사용하는 용어는 구심점과 작용수이고, 수리역학 매화역수는 평생 기본수와 주도수 라는 용어를 사용한다.

2. 수의 계정(計定)

수의 기본 정수는 1에서부터 9까지의 수리다. 1, 2, 3, 4, 5, 6, 7, 8, 9의 수리는 결국 1이라는 숫자가 한 개씩 늘어난 수로써 이것은 수천, 수만의 수를 계정(計定)할 수 있는 기본수가 된다. 그리고 각각의 정수에 구심점(求心點)이라는 명칭을 사용한다. 구심점은 앞에서 말했듯이 다른 말로 운명수라고도 한다. 또한 다음 장에서 설명하게 되는 수리역학 매화역수에서 말하는 평생 기본수와도 유사하다.

수수리수인작법에서 '구심점'을 구하는 방식과 수리역학 매화역수의 평생 '기본수'를 구하는 방식도 매우 유사하다.

수수리수인작법 ▶ 구심점 = 생월 + 생일

매화역수 ▶ 평생 기본수 = 생월 + 생일 + 1

구심점의 정수를 구하는 방식은 다음과 같다. 구심점이란 사람마다 가지고 있는 우주로부터 부여받은 수치를 말한다. 즉 모든 사람에 대한 자기만의 구심점은 생월 + 생일 = 구심점이 된다. 구심점을 산출할 때 생월과 생일을 더해서 반드시 9 이하의 단수가 나와야 구심점이 성립된다. 구심점은 개인의 일평생의 수치가 된다. 따라서 자기의 구심점을 정확히 알게 되면 그 어떤 존재와도 자유롭게 유통할 수 있으며 막힘이 없는 삶의 궤도를 살아나갈 수 있을 것이다. 구심점을 산출할 때는 9진법을 사용한다. 다음은 구심점을 산출하는 방식이다.

▣ 구심점 산출법 _ 더해서 9로 나누어 몫을 제외한 나머지

· 음력 1월 1일 출생한 경우 1+1 = 2

· 음력 7월 11일 출생한 경우

　　　7+11 = 18, 1+8=**9** 또는 7+1+1 = **9**

　또는 18÷9 = 2(몫) 나머지 0 ※ **0 = 9가 된다**

· 음력 1월 9일 출생한 경우

　　　1+9 = 10(1+0)=1 또는 1+9 =1

• 음력 12월 17일 출생한 경우

　　　12+17 = 29

　　　3(몫) 나머지 2

　　　또는 1+ 2+ 1+ 7 = 11

　　　1(몫)　머지 2

• 음력 7월 26일 출생한 경우

　　　7+26 = 33(3+3) = **6**

　　또는 33÷9 = 3(몫) 나머지 **6**

【예시 1】 9월 18일 출생의 사람의 구심점

　　풀이　‣ (9)+1+8 = 18

　　　　　18 ÷ 2 = 2(몫)　나머지 0

　　　　　9 가 된다

이와 같은 방법으로 모든 사람의 구심점을 산출할 수 있다. 그리고 모든 사람은 1부터 9까지의 구심점 중 어느 하나를 가지게 된다. 그 구심점에 따라서 개인의 성향과 운명이 달라지는 법이다. 즉 한 사람이 일생을 어떻게 살아가는지 그리고 보이지 않는 자연의 기운으로부터 어떤 작용을 받으며 미래에 어떤 운명의 궤도를 걷게 될 것인지를 알 수 있는 게 바로 구심점이다.

구심점의 산출 방법을 알게 되었다면 다음은 작용수에 관한 이해가 필요하다. 구심점에는 1부터 9까지의 숫자가 있으나 작용수에는 1부터 12까지의 숫자가 있다. 그리고 구심점이 운명의 길을 제시하는 것이라고 할 수 있다면 작용수는 그 길을 가는 과정에서 발생하게 되는 사건과 사고를 뜻한다. 즉 구심점은 운명의 방향이고 작용수는 시간의 흐름에 따른 변화이다.

구심점은 평생 운의 약 50% 이상을 차지하는 영향력이 대단히 큰 숫자이고, 작용수는 인생의 해당 시기에 약 25% 정도의 영향력이 작용한다. 따라서 출생일의 작용수는 주로 소년기와 청년기에 약 25%의 작용력이 발생하고, 생월의 작용수는 중년기와 노년기에 약 25%의 영향력이 발생한다.

결국 구심점이 차지하는 비율이 아주 높다고 생각하면 되고 작용수는 해당하는 시기에 약간의 영향력이 발생한다고 생각하면 된다. 그러면 작용수에 관한 세부적인 설명은 나중에 설명하게 될 수리의 운명적 해석에서 다시 설명하기로 하고, 다음은 무거운 수 산출법에 관한 설명을 하겠다.

3. 무거운 수 산출법

구심점과 작용수를 알았다면 다음은 무거운 수에 대한 이해가 필요하다. 무거운 수라는 것은 수수리수인작법에서 사용하는 특수한 용어이다. 수수리수인작법은 '**음력**'을 사용하고, 일년(一年) 중에는 12달이 있고, 음력으로 한 달 속에는 30일 (작은달 29, 큰달 30)까지 있다. 따라서 12수리와 12지지 그리고 12성좌는 모두 12라는 공통적인 수를 가지고 있다. 그런데 수수리수인작법에서 12수리는 월(月)에 속해 있는 30일을 각각 나누어 가지게 된다. 한 달을 나누는 방식은 왼손의 중지를 기준으로 시계방향으로 순행한다. 즉 수장도를 활용하면 이해하기 쉽다. 만약 열두 동물의 첫 번째인 子부터 시작하여 丑, 寅, 卯, 辰, 巳, 午, 未, 辛, 酉, 戌, 亥를 차례로 순행하여 다시 원점으로 되돌아오게 되면 원점인 子는 13번째가 되는 것이다. 따라서 12수리 이후 13번째부터 모든 수는 무거운 수에 해당한다. 즉, 수리의 원점 + 12 = 무거운 수, 라는 공식이 성립한다. 단 31일을 초과해서는 안 된다. 따라서 1의 무거운 수는 1+12 =13, 13+12 = 25, 등과 같은 공식이 성립하므로 '13'일과 '25'일이 '1'의 무거운 수가 된다.

【예시 2】 만약 6의 무거운 수를 구하고자 한다.

6+12 = 18
18-12 = 6

18+12 = 30
30-24(12+12)= 6

18일과 30일은 각각 6의 무거운 수에 해당한다. 그래서 子에서부터 巳까지는 각각 두 개의 무거운 수를 가지게 되고, 午에서부터 亥까지는 각각 한 개의 무거운 수를 가지게 된다. 결국 무거운 수라는 의미는 1부터 12까지의 수리에 각각 12라는 숫자를 더해서 구하는 것이다. 그래서 1개월 안에 속해 있는 30일을 열두 마리의 동물이 분배하는 것인데 앞줄에 서 있는 동물은 뒷줄에 서 있는 동물보다 무거운 수를 하나 더 차지한다고 생각하면 된다.

■ 무거운 수 산출도(수장도, 순행)

巳 **6** 18 30	午 **7** 19	未 **8** 20	申 **9** 21
辰 **5** 17 29	⇒		酉 **10** 20
卯 **4** 16 28	⇑	⇓	戌 **11** 23
寅 **3** 15 27	丑 **2** 14 26	← (진행방향) 子 **1** 13 25	亥 **12** 24

자(子) = 1, 13, 25
축(丑) = 2, 14, 26
인(寅) = 3, 15, 27
묘(卯) = 4, 16, 28
진(辰) = 5, 17, 29
사(巳) = 6, 18, 30
오(午) = 7, 19
미(未) = 8, 20
신(申) = 9, 21
유(酉) = 10, 22
술(戌) = 11, 23
해(亥) = 12, 24

이와 같은 방식으로 무거운 수를 산출한다. 그리고 무거운 수의 효력은 기본 수치보다 훨씬 더 강하게 작용한다. 즉 子에 해당하는 1의 수치가 사주에서 하나만 성립하였을 때는 정직한 성격으로 가정적인 사람이 될 수 있다. 그러나 1월 1일 생과 같이 수치가 겹치거나 13일, 25일과 같이 무거운 수가 생일에 있을 때는 도화의 영향력이 훨씬 크다. 이런 경우 좋은 방향으로 발전하게 되면 문화, 예술 방면에서 크게 성공할 수 있겠지만 부정적으로 작용하게 될 때는 도화의 강한 작용으로 인해 일찍이 이성에 눈을 뜨게 되는 경우가 많다.

이런 점을 참작하여 문제점을 보완한다면 인생의 실패를 막고 자신이 가고자 하는 방향에서 크게 성장할 수 있을 것이다. 따라서 자녀의 수치가 13일이나 25일에 태어난 아이에 대해서는 가정에 충실할 수 있도록 이성에 대한 올바른 교육이 필요하다. 그리고 생월이나 생일에 1의 수치나 무거운 숫자가 없어도 구심점이 1의 수치라면 50%의 영향력이 발생한다. 즉 생월 25% + 생일 25% + 구심점 50% = 100%라는 영향력으로 생각하면 이해하기 쉬울 것이다. 물론 수학처럼 정확한 수치(數値)까지 논하기는 어려우나 그 정도의 가능성을 추론하는 것이다.

4. 수리 분석

구심점(운명수)의 수리(數理)는 인간의 개괄적(概括的)인 특성을 알아보는데 효율적이다. 예전에 고승들이 상담을 시작하기 전에 생월과 생일을 살펴본 후 초언(初言)으로 사용했던 방법이 바로 수수리수인작법의 구심점을 활용한 간명법(看命法)이라고 한다.

"너는 머리를 깎을 팔자다"라는 등 처음 하는 소리에 내담자들이 감복(感服)하는 경우가 많은데 이 간명법이 모두 수수리수인작법의 구심점을 활용한 것이라고 한다. 구심점의 수리에는 1에서 9까지 있다. 그러나 생월과 생일을 기준으로 해서 인간의 운명에 관한 길흉(吉凶)의 작용과 시간의 흐름에 따른 변화를 살피고자 할 때는 12달의 수리에 대한 정확한 이해가 필요하다. 따라서 구심점의 수리를 먼저 살펴본 후 구체적인 사항은 작용수라고 하는 12달의 수리를 참고한다면 실효성이 있는 상담이 가능할 것이다.

수(數)의 의미

12수리	1	2	3	4	5	6	7	8	9	10	11	12
12지지	子	丑	寅	卯	辰	巳	午	未	申	酉	戌	亥
12성좌	귀	액	권	파	간	문	복	역	고	인	예	수

위 표와 같이 12수리와 12지지 그리고 12성좌는 서로 연관성이 있다. 그뿐만 아니라 12운성론까지 확장해서 간명을 한다면 상당히 실효성이 있는 효과를 거둘 수 있을 것이다. 특히 12수리에는 12지지의 뜻과 의미 그리고 12성좌에 관련된 의미가 포괄적으로 내포되어 있다.

만약 구심점이 1에 해당하는 사람이 있다면 쥐의 성향과 12성좌의 천귀성의 의미를 같이 가질 것이다. 그리고 12월에 태어난 사람이 있다면 1+2 =3으로 인해서 구심점이 3이 된다. 따라서 호랑이의 성향과 천권성의 의미를 같이 가질 것이다. 특히 12월은 해당 시기에 작용수가 작용하게 되므로 어떤 변화나 변동을 예측할 수 있다. 따라서 이 시기에는 돼지의 특성이나 천수성의 의미도 같이 이해할 필요가 있다. 즉 생월은 장년기나 노년기에 발생하는 변화와 변동을 의미한다. 결국 모든 사람은 구심점과 작용수를 같이 가지고 태어나므로 개인의 운명을 예측하기 위해서는 반드시 구심섬과 작용수를 같이 이해해야 한다. 수수리수인작법의 관법(觀法)은 먼저 구심점의 특성을 살펴보고 나서 개인의 전체적인 성향과 적성을 분석한다.

그 다음으로 생월과 생일의 작용수를 살펴서 소년기와 청년기에 어떤 변화가 생길지 예측해 볼 수 있고, 또한 장년기와 노년기에는 어떤 변화와 변동이 발생하게 되는지 예측해 보는 것이다. 그리고 모든 구심점에는 상급, 중급, 하급의 삶이 있으므로 특성 수치가 좋다는 형식의 고정된 시각은 바람직하지 못하다. 그렇다면 지금부터는 각각의 구심점에 관한 특성에 관해서 알아보고자 한다.

1) 구심점 일(一)수리의 운명적 의미

子월에 1양(陽)이 시생(始生)을 한다. 이때부터 양(陽)이 태동하여 정(靜)에서 동(動)으로 진화하는 것이다. 1의 수리는 양수(陽數)로써 12지지 중에서 子에 속한다. 12지지의 배열 순서를 보면 쥐가 첫 번째로서 수치 1과 子는 서로 형상이 다를 뿐이지 내용과 질은 같다. 즉 1의 수리는 무에서 유가 시작되는 수치이며 양의 태동이다.

수 1은 장남, 장녀의 기운이 강하다.

모든 수의 첫 번째로서 제일 앞에 나오는 수이다. 그만큼 시련이 많을 수 있는 수치이다. 장남이나 맏며느리는 집안의 크고 작은 일을 모두 맡아야 하는 역할을 하게 되는데 그만큼 시련이 많고 자수성가(自手成家)할 수 있는 운명이다. 장남이나 장녀가 아니더라도 그 역할을 해야 할 운명이고, 여자의 경우 차녀나 막내로 태어났다고 하더라도 결혼 이후 시집 식구들을 거느리며 살아야 할 운명에 놓이게 된다.

수 1은 사업에 불리함이 있다.

1의 수는 앞장서는 기운이 충만하여 투쟁이나 충동성이 강해서 자기 위주 편향적이며 매사에 생색내기 좋아하고 성격은 스스로 고독성을 띄우는 경향이 있다. 수 1과 子는 지혜로워서 반짝이는 아이디어로 벤처사업 같은 일에 참여하기를 좋아하나 언제나 시작은 거대하고 창대하나 뒷심이 딸리는 경향이 있다. 쥐는 심장이 작아서 큰 사업은 맞지 않는다. 즉 용두사미(龍頭蛇尾)로 그칠 확률이 높은 사람이 많다. 만약 1이라는 수를 사주에 가진 사람이 있다면 사업보다는 월급을 받는 직장생활이 안정적이다.

子는 천귀성으로써 귀인의 위력이 뛰어나다.

귀인은 사람들로부터 대우와 예우를 받고 우두머리로 거듭날 수 있는 사람을 말한다. 즉 사람들을 이끌어줄 수 있는 위치에 서 있는 사람을 말하는데 공부가 받침이 되어야 가능한 일이다. 수치 1일은 子월 또는 子시에 해당하여 공부와 관련이 많은 수치이다. 그래서 수치 1을 가진 사람은 교육공무원이 가장 길하며 그밖에 각종 공무원이나 의료인 등 공부를 해서 취할 수 있는 직업이 길하다.
쥐은 12동물 중에서 가장 몸집이 작은 동물이다. 그래서 힘든 육체노동이나 몸을 사용하는 일은 맞지 않는다. 결국 머리를 쓰는 일이 잘 맞고 사무직이나 미세한 부분에 관한 연구가 적합하다.

수1은 막대기를 세워둔 형상이다.

막대기는 그냥 세워두면 쓰러지게 되어 있다. 따라서 쓰러지지 않게 하기 위해서는 자기 스스로 뿌리를 내려야 할 것이다. 즉 자수성가해야 한다. 그리고 한 군데 뿌리를 내리고 사는 게 좋고, 만약 여러 곳으로 이동하는 삶을 살게 된다면 일신의 고단함을 피할 수 없다.

子는 물과 관련이 있다.

그리고 어두운 곳으로서 북방을 뜻한다. 1의 수를 가진 사람은 수와 관련된 신장, 자궁, 방광, 혈액순환 등에 대한 질병의 예방이 필요하다. 즉 비뇨기과 관련 질병이 잘 발생하는 수치이다.

子는 도화(桃花)의 의미가 있다.

도화가 긍정적으로 작용할 때는 사람들에게 인정을 받을 수 있어서 예술이나 연예인 그리고 각종 서비스업에 종사하게 되면 크게 성장할 수 있다. 그러나 1의 수가 또 생월이나 생일에 있을 때 도화의 수난을 겪을 수도 있다. 특히 도화가 중첩되거나 무거운 수가 될 때는 도화의 작용이 더 강해진다, 물론 직업적인 면에서 더 크게 성장할 수 있는 요건도 된다. 무거운 수는 수수리수인작법에서 사용하는 용어로써 각각의 수리에서 한 바퀴를 돌아 다시 해당하는 자리에 오는 수를 말한다. 즉 1의 수리의 경우 12수리를 회전해서 다시 1의 자리로 오게 되면 13이 되고 또다시 회전하면 25가 된다.

수 1에 작용하는 살(殺)은 부련액살(復連厄殺)이다.

부련액살이란 남자는 여자를, 그리고 여자는 남자와의 인연을 바꿔서 다시 새롭게 산다는 재혼살(再婚殺)을 말한다. 따라서 사주의 생월과 생일에 1, 13, 25의 수치와 인연이 있는 사람은 가정에 충실하여야 하며 이성 관계에 신중할 필요가 있다. 수치 1이 생월과 생일에 같이 있으면 복음 사주가 되어 그 작용이 더 크게 작용한다.

수 1를 가진 사람 중에서 종교인이나 무속인이 많이 나온다

子는 북방이고, 水의 성질을 가지고 있어서 영적 능력도 뛰어나다. 그리고 자불문점(子不問占)이라고 하여 쥐의 날에는 점을 치지 않은 풍습이 있다. 그만큼 점이 잘 맞지 않고 영업이 안 된다는 뜻이다.
또한 쥐는 눈이 동그랗고 유난히 반짝이는 경향과 함께 밤에 활동하는 습성이 있다. 1수리를 가진 사람도 이런 특성이 있고 야행성인 사람이 많다. 그리고 쥐뿔도 없는 게 고집이 세다는 말이 있듯이 1수리를 가진 사람은 고집이 세다.

수 1은 나무에 비유하자면 1월의 나무이므로 겨울나무이다.

겨울나무는 모든 영향이 뿌리에 있으며 뿌리는 곧 나무의 근원이다. 인간에게 부모는 뿌리와 같은 존재이다. 겨울나무의 영향이 뿌리에 저장되어 있듯이 인간에게는 부모가 있는 고향에 이로움이 있는 것이다. 따라서 1의 수치를 가진 사람은 회귀본능이 있어서 고향을 찾게 되는 경우가 많다. 만약 청소년기 시절에 혹, 가출하였더라도 생월에 1의 수치가 있는 사람은 다시 귀가하는 경우가 많다. 즉 1월 10월 11월 12월에 출생한 사람이라면 곧 귀가할 것이라고 상담을 해 주면 된다.

그리고 1월 10월 11월 12월은 모두 차가운 계절로서 겨울이다. 수수리수인작법에서는 이 4계절을 귀가의 달이라고 부른다. 생월이 이 4개월에 해당하는 사람은 타지에서 어려움을 겪거나 생활이 만족스럽지 못할 때 귀향하게 되면 성공한다. 따라서 이 4계절에 해당하는 사람을 상담하게 될 때는 고향으로 과감하게 내려갈 것을 권해도 좋다.

종교를 선택할 때도 이 4계절에 태어난 사람은 유교나 불교와 같이 효(孝)를 근본으로 하는 종교를 선택하는 것이 좋다. 우리나라에서 행하는 모든 관혼상제(冠婚喪祭)는 유교의 법을 따르고 있는 실상이다. 공자님의 말씀인 유교의 법은 부모님이 돌아가시면 3년 상을 치르는 등 근본이 효의 종교이다. 불교 또한 인격을 중요시하는 종교로서 효를 중요시하는 종교이다. 노자의 선(仙)교 또한 천지간의 도(道)는 효(孝) 아닌 것이 없다고 하여 효를 강조한다. 따라서 이 세 종교는 효가 근본이다. 따라서 생월이 1월 10월 11월 12월에 태어난 사람은 고향과 인연이 깊고 부모에 대한 효가 개운의 방법이 된다.

생월이 1월 10월 11월 12월에 태어난 사람은 이 삼(三) 종교 외에 다른 종교와의 인연은 신중해야 한다. 왜냐하면 흉으로 작용할 수도 있기 때문이다. 물론 이 4계절 외에 다른 달에 태어난 사람은 어떤 종교를 믿든 관계가 없다. 그러나 이 4계절에 태어난 사람들은 효도만이 운명을 좌우하며 차남이나 막내라고 하더라도 부모를 모심으로써 본인의 일이 잘 풀리고 자손 또한 복을 받을 수 있는 지름길이다.

이러한 논리의 근거는 자연(自然)이다. 일찍이 공자는 인간을 소우주라고 하였다. 자연은 살아있는 생명이고, 어떤 원리에 의해서 규칙적으로 움직이고 있는데 그것을 결정하는 요소가 바로 시간과 공간이다. 결국 삼라만상은 자연에 따라 변화하고 모든 만물이 자연의 변화에 따라 반응하듯이 인간도 자연의 변화와 연결되어있는 것이다. 즉 모든 생명이 있는 것들은 자연의 영향을 받게 되는 것이다. 이것이 자연의 법칙이다.

특히 구심점 1은 성패(成敗)가 가장 많은 수치이므로 누구나 사업보다는 직장생활을 하는 게 좋고, 여자의 경우는 평생 남모르는 괴로움과 고통을 안고 살아가는 경우가 많다.
수치 1의 수리를 가진 사람은 부모덕이 약하다고 한다. 그러나 효를 근본으로 한다면 부모의 덕을 기대할 수 있고, 수명도 연장되는 개운의 방법이 되기도 한다.

2) 구심점 이(二)수리의 운명적 의미

수 2는 일양과 일양이 합쳐져서 만들어진 수이다. 즉 1+1 =2의 등식이 성립한다. 따라서 구심점 2의 수치는 양과 양이 결합하여 음의 수치가 나온 것이다. 형상으로는 남자와 남자가 결합하여 가정을 이룬 모습이다. 그래서 구심점 2는 기회만 있으면 서로 이별하거나 헤어지려는 성향이 있다. 이런 분리의 조짐에 대한 개운의 방법은 서로 양보하고 이해하며 화합하려는 노력이다. 그리고 구심점 2의 핵심적인 특성은 재물이다. 기본적으로 2의 수리를 가진 사람은 재물 복을 타고났다고 한다.

구심점 2수리의 핵심적인 의미는 재물이다.
모든 만물은 2월이 되면 소생(蘇生)하기 위해 자양분(滋養分)을 흡수하게 된다. 인간에게 그 자양분은 곧 재물이다. 따라서 구심점 2의 수치를 가지고 태어난 사람은 재물 줄기를 잡고 태어났다고 한다. 즉 먹을 복을 가지고 태어난 사람이다. 그러나 구심점 2가 아닌 생월이나 생일에서 2의 숫자가 보이면 그것은 돈이 새어 나가는 구멍으로 본다. 즉 구심점 2는 재물 운으로 보지만 생월이나 생일에 있는 작용수 2는 소비가 심한 사주로 본다. 그래서 생월이나 생일에서 숫자 2가 보이는 사주는 재물의 관리에 신경을 써야 한다. 이런 사람은 정작 자신이 돈을 벌어도 그 돈이 본인 외에 다른 사람 즉 처, 자식이나 남편에게 가는 경향이 있다. "재주는 곰이 부리고 돈은 사람이 챙긴다."라는 식으로 버는 사람 따로 쓰는 사람이 따로 있는 사주이다. 따라서 구심점 2가 내포하고 있는 재물 줄기와 생월이나 생일에서 작용수 2자가 있을 때는 서로 의미가 다르다는 점을 기억할 필요가 있다.

【예시3】

2월 20일 생 = 구심점 4
2월 22일 생 = 구심점 6

위와 같이 사주에 2의 숫자가 많은 경우는 돈이 새는 구멍이 된다. 따라서 이런 기운 때문에 생월이나 생일에 숫자 2가 있는 직장인은 자신이 받는 급여를 남편이나 처에게 맡기고 용돈을 받아서 쓰는 경우가 많다. 또한 인생을 살아가면서 돈을 쓸 곳이 많이 생기며 돈의 수완도 좋은 편이다. 즉 돈을 이쪽에서 빌려다가 저쪽에 틀어막고 대출을 받아서 빌린 돈을 갚는 등 재물의 이동도 많다.

따라서 구심점 2의 수치는 사주에 하나만 있어야 좋다. 만약 수치가 겹치거나 생일이 2, 12, 20, 22일과 같이 2의 숫자가 많을수록 고통스러운 운명을 맞게 된다. 즉 청년기나 장년기를 지나면서 이혼이나 큰 사고를 당할 수도 있고, 사업가라면 파산의 위험도 따른다.

구심점 2의 수리를 가진 사람은 금융권에 진출하는 게 좋다.

재물과 인연이 있어서 은행이나 재무부서에서 일하기 좋은 사주이다. 그리고 고(故) 정주영 회장이 10월 19일생이라고 한다. 구심점 2의 수리를 가지고 태어난 사주이다. 구심점 2의 수리는 은행장이나 재벌의 사주라고도 칭한다. 구심점이 같은 2일지라도 남자와 여자의 경우는 조금 다르다. 즉 여자에게는 남자의 재물만큼 크게 작용하지 못하고 절반 정도의 효과에 그친다고 한다. 남자 은행장 출신이 여자 은행장 출신보다 많은 경우를 생각하면 이해하기 쉽다. 만약, 구심점 2의 수치를 가진 사람이 가난하다면 나중에 발전할 가능성이 크다. 그리고 돈이 없다면 신용(信用)이라도 있는 사람일 것이다.

구심점 수리 2는 丑土에 해당하므로 부동산과 관련이 깊다.

따라서 풍수, 선산 관리, 농장, 목장, 석물을 만드는 일에 종사해도 길하다. 丑土는 토속 신앙과도 관련이 있어서 조상을 모시는 제사라든가 천도재(薦度齋) 같은 것을 지내면 좋다.

수 2는 丑으로서 천액성이다.

丑은 호사다마(好事多魔)라고 하여 좋은 일이 있어도 항상 나쁜 일이 같이 오는 경우가 많다. 그리고 소는 근면 성실함을 바탕으로 일을 많이 하는 동물이다. 따라서 몸이 고단하고 아플 수밖에 없다. 구심점 2의 수치를 가진 사람은 어려서 잔병치레를 많이 하게 되고, 성장 후에는 중병에 걸릴 수 있다. 만약 어려서 건강했다면 중년 이후에 몸이 아플 수 있으니 건강관리에 주의하라.

특히 소는 평생 일 복이 많은 동물이다. 따라서 가는 곳마다 일이 늘려 있고 재물을 취할 수 있는 수단이 된다. 그러나 실속이 없는 일로 분주한 경우가 많고 그 결과 신경통이나 요통 같은 뼈와 관련된 질병에 노출되기 쉽다. 丑은 신살론에서 말하는 곡각살에 해당하여 뼛골 쑤시는 질병으로 고생할 수 있으니 주의가 필요하다. 그리고 소의 되새김질은 위장병과 관련이 있다.

구심점 2의 수리는 양과 양이 결합한 형상이므로 헤어지려는 성향이 있어서 육친과 무덕(無德)하다. 따라서 일찍이 집이나 고향을 떠나서 사는 게 길하다. 그리고 돈과 관련하여 항상 관재구설이 따라붙는 경우가 많다. 또한 소는 반추(反芻)하는 동물이므로 2의 수리를 가진 사람에게서 그런 현상이 나타날 수 있다. 즉 2의 수리를 가진 사람은 온순하면서 착실한 면이 있으나 상대에게 상처를 받게 되면 들이받는 성향이 있다. 그리고 되새김질을 하는 고약한 습성이 있어서 화가 오래가는 성향이 있다.

여자의 경우 2의 수치가 생월이나 생일에서 겹치거나 무거운 수가 되면 흉의 작용이 발생하게 되는 경우가 많다. 즉 돈을 벌면서 집안을 책임지는 가장 노릇을 하거나 중년 이후에 과부가 되는 사람도 많다. 긍정적으로 평가한다면 능력 있는 사주라고 할 수 있다.

구심점 2는 초년보다 노년으로 갈수록 운명이 좋아지는 수치이지만, 중년에 반드시 한 번 실패가 따르는 수치이므로 주의가 필요하다.

개운의 방법은 화합과 베풂이다. 인색함과 욕심으로 인해 재물을 활성(活性) 하는 기운이 도리어 가난을 면치 못하는 생활을 맞이하게 할 수 있다. 따라서 항시 베풀고 육친과의 화합과 우애를 다지게 된다면 재물은 수치의 특성대로 따르게 될 것이다.

3) 구심점 삼(三)수리의 운명적 의미

구심점 3수리는 일양과 이음이 합하여 이루어진 수이다. 즉 1+2=3의 등식으로 이루어진 수로써 음양의 조화가 잘 이루어진 숫자이다. 그리고 다리가 세 개라는 뜻도 있어서 넘어지지 않도록 모든 요소가 갖춰진 숫자로 본다. 그래서 3수리는 안정과 여유를 뜻한다. 3수리를 지호격(地虎格)이라고도 한다. 지상의 호랑이라는 뜻으로서 범과 용은 용호상박(龍虎相搏)이라고 하여 그릇이 크다고 본다. 그래서 3수리는 크게 될 수 있는 요건을 갖추고 있으나 학문과 노력이 받침이 되어야 한다.

그리고 하도와 낙서에 의하면 수치 3과 8은 나무에 해당한다. 3은 양(陽) 목(木)에 해당하고, 성수(成數)인 8은 늦봄에 해당하니 나무가 봄을 만나 바야흐로 새싹이 움터 굳세게 성장하는 기상을 보이는 모습이다.

수 3의 핵심적인 특성은 대성 아니면 대패의 기운이 강하다.

그래서 극단적인 수리라고 한다. 우리나라 전직 대통령들의 생일 수치에 3의 숫자가 많다고 한다. 그만큼 3의 숫자는 권력의 기운을 가지고 있으며 이러한 기운으로 인해 통솔자나 우두머리가 되고자 하는 사람이 많다.

수치 3은 양 목으로써 아름드리나무에 해당한다. 이처럼 큰 나무는 영양분을 충분히 공급받게 되면 크게 성장하여 건축재료 등과 같이 각종 생활용품의 재료로 쓰이거나 주축 기둥으로 활용할 수 있다. 그러나 이 아름드리나무가 속이 빈 나무라면 아무 쓸모가 없는 무용지물이 된다. 덩치가 크다 보니 아무도 가져갈 엄두를 내지 못하고 버려지게 되는 것이다. 그래서 수치 3은 극단적인 모습을 보인다.

수 3을 가진 사람은 공부에 인생의 승부수가 달려있다

수 3이 사주에 있는 사람은 학문과 지식을 쌓는다면 크게 성장할 수 있으나 공부를 멀리할 때는 직업의 변동이나 이동수가 많고, 패격(敗格)으로서 끝없이 추락할 수 있다. 그래서 3의 수치를 가진 사람은 공부에 인생의 승부수가 달려있다. 만약 3의 수치를 가진 자녀를 둔 부모라면 자녀가 학문을 끝마칠 수 있도록 꼭 뒷바라지가 필요하다.

또한 호랑이는 활동성이 뛰어나서 역마의 특성이 강하여 고향보다는 타향에서 성공하는 경우가 많다. 그리고 재주와 인기가 있어서 스포츠 선수로 성공하거나 화려함을 보이는 연예인이나 의상 디자이너, 화가, 서예, 조각가 등 예체능 계통에서 성공할 수 있다. 그러나 도화의 영향도 작용할 수 있어서 이성의 문제가 발생할 수 있으므로 늦게 결혼하는 게 좋다. 사주에 3의 수치가 보이는 자녀는 조혼보다 결혼을 늦게 하는 게 좋다. 남녀 모두 결혼생활이 순탄하지 않을 수 있으니 항상 서로를 이해하고 양보하는 마음이 필요하겠다.

수 3은 영적인 에너지가 풍부하여 종교와도 인연이 있다.
만약, 무속인이 된다고 하더라도 큰무당이 될 수 있는 수치이다. 따라서 천권성인 호랑이는 신(神)으로도 불린다. 또한, 수치 3의 숫자를 가진 사람은 신(神)기운의 영향력으로 각종 질병이 생길 수 있다. 주로 병명에 신(神)자가 붙어서 생기는 병이다. 즉 신경성 두통, 신경성 위장병, 신경성 노이로제 등 약을 먹어도 잘 낫지 않는 난치성 질병이다. 그래서 수치 3자를 가진 사람이 병에 걸리면 병원에서 오진을 잘한다. 개운의 방법으로는 성인의 말씀이 담긴 경전의 유통이다. 불법(佛法)을 외우거나 읽어서 법공양(法供養)을 하게 되면 좋은 의사를 만나게 되어 병을 빨리 치료할 수 있다.

특히 구심점 3의 수치를 가진 사람은 삼재(三災) 기간에 악성 질병으로 큰 해를 당할 수 있다. 구심점이 3이면서 생일이 27일인 사람은 더욱 이 기간에 건강 문제에 신경을 써야 한다. 특히 중년에 풍파가 많고 노년에는 비교적 안정을 취한다.

만약, 사주에 수치 3이 있다면 신기(神氣)가 있으므로 꿈과 예감이 잘 맞는다. 그리고 무속인이 많이 나오는 수치이고, 신병(神病)으로 만고풍상(萬古風霜) 같은 생활을 겪을 수도 있다. 따라서 공부를 통하여 실력을 쌓는 게 좋다.

4) 구심점 사(四)수리의 운명적 의미

수리 4는 분리 숫자인 2가 음의 합으로 이루어지거나 1과 3의 숫자가 양의 합으로 이루어진다. 즉 2+2=4, 1+3=4와 같은 등식이 성립한다. 결국 음양의 조화가 이루어지지 않아서 화합의 뜻이 없다. 형상이 마치 사분오열(四分五裂)의 모습이므로 자꾸 떨어져 나가려는 상(像)이다.

뭉치면 살고 흩어지면 죽는다는 말이 있듯이 사분오열의 모습은 곧 죽음과 연결되는 의미가 있다. 그래서 숫자 4는 죽을 사(死)와 음이 같다고 해서 우리나라에서는 매우 꺼리는 수이다. 병원이나 여관, 호텔, 아파트뿐만 아니라 군부대에서도 4로 된 사단이나 연대 그리고 중대와 소대가 없다. 군대의 조직 단위를 보면 3소대 다음 5소대다. 수치 4를 꺼리는 이유는 죽을 사와 동음이라는 관념 때문만은 아니다. 원래 4의 의미가 그다지 유쾌하지 못한 탓이기도 하고 명리학상으로 보았을 때 4는 음금(陰金)으로서 금은보석과 같은 아름다움을 나타내는 뜻도 있다. 그러나 불에 잘 녹고 가랑비에 녹이 슬기 쉬워서 시달림의 의미가 크다.

수 4의 가장 큰 특성은 죽음과 관련이 있다는 점이다.
따라서 성직자에게 적합한 수치로서 신부, 목사, 수녀, 스님, 같은 종교인이나 일반인이 사주에 4의 수치를 가진 사람이라고 하더라도 신앙심이 깊다. 종교가 없는 사람이라도 기도(祈禱)를 하면 운명이 크게 변하는 특성이 있는 수이다. 따라서 직업이나 진로를 선택할 때 죽음과 관련된 일을 하게 되면 성공할 수 있다. 만약, 4의 수가 있는 사람이 건물을 가지고 있다면 장례식장을 운영해 보는 게 좋고, 운전을 하는 사람이라면 장례식장의 영구차를 운전하는 게 좋다. 그리고 수의업이나 묘지관리, 화장터, 납골당(納骨堂)의 운영과 같은 죽음이나 활인(活人)에 관련된 일이라면 성공할 수 있다.

수 4를 가진 사람은 정신세계가 독특하다.
머리가 비상하여 일반적이지 않고 4차원이다. 정신 역량이 높아서 마치 과학자 에디슨의 머리처럼 창조적인 일에 비상하여 연구 분야나 전문 학자로서 능히 두각을 보인다. 결국 일반적이지 못한 성격으로 인해 돈에 관한 관심보다, 개성(個性)을 즐기기 때문에 재산 관리가 안 된다. 따라서 부동산에 투자하는 게 좋다. 직업이나 진로를 선택할 때 생체공학 연구 방향이나 불가사의한 일을 풀어내는 과학 분야라든지 수사나 정보와 관련된 일이 적합하다. 즉 토끼는 영리하고 예술적 감각이 뛰어나서 창조적인 일이 잘 맞는다.
卯는 도화(桃花)의 기운이 있어서 남녀를 불문하고 이성 관계에 신중해야 한다.

4의 수치를 가진 사람은 부부관계에 있어서 정상적인 부부보다 비정상적으로 사는 부부가 많다. 따라서 성(性)을 바탕으로 한 영화나 사진, 그림 같은 분야에서 성공할 수 있다. 무속인 중에서도 4의 수치를 가진 사람이 많다. 개운의 방법은 스스로 기도(祈禱)하는 데 있다. 결국 4의 수리는 성직자의 수리라고 할 수 있다.

수 4를 가진 사람은 의처증이나 의부증의 위험성이 있다.
신살론의 귀문관살(鬼門關殺)과 같은 작용을 하므로 정신과 관련된 질환에 걸리기 쉽다. 각종 신경성 질병이나 정신질환(精神疾患)과 같은 질병에 주의가 필요하다. 즉 머리가 너무 잘 돌아간 나머지 후천적 요소 때문에 오는 질병에 해당한다. 토끼는 도화의 기운이 강해서 첫사랑이나 초혼에 실패하는 경우가 많고 재혼하는 배우자를 만날 수도 있다. 그러나 중년 이후부터 도화의 기운이 약해지므로 초년의 삶보다 노년으로 갈수록 길한 운명이 된다.
卯는 12성좌 중에서 천파성에 해당한다. 4의 수치 또한 파괴성이 강하다. 이런 기운으로 한평생 직업의 변화가 많고 이동수도 많다. 따라서 굴곡이 심하여 한곳에 뿌리내리기 어려운 운명이므로 큰 사업은 무리이고 결혼생활도 항상 양보하고 이해하는 마음으로 살아야 한다.

4의 수를 가진 사람은 자신만의 독특한 개성있다.
때문에 상대방은 전혀 개의치 않고 자기만의 스타일로 개성을 즐긴다. 따라서 남들과 화합이 잘 안 되는 성격이고 논리적이므로 정확한 이론을 전개하며 불분명한 것을 싫어하는 사람이 된다.

4의 수를 가진 사람은 경제권 또한 본인이 행사하면 안 된다.
재물은 현금보다 부동산에 묶어 두어야 노년을 편안히 보낼 수 있다. 현금을 가지고 있으면 모래가 손가락 사이로 빠져나가듯 수중(手中)에 남아나지 못한다.

4의 수치가 겹치거나 무거운 수가 될 때는 반드시 조상의 묘(墓)를 잘 살펴보아야 한다.
이런 경우에는 조상의 묘에 물이 차거나 봉분이 파괴되거나 산 짐승이 들어간 흔적 등으로 나타날 수 있는 현상이다.
4의 수치를 가지고 태어난 사람의 조상 중에는 종교계로 출가하였던 분이 계시거나 도(道)를 닦던 분이나 일찍 죽은 영혼이나 객사(客死)한 조상이 있을 가능성이 매우 크다.
4의 수치를 가지고 태어난 사람은 금전 관계나 인간관계에 있어서 배신이나 구설

수를 겪을 수 있으니 남에게 의지하는 것보다 스스로 개척하는 삶을 사는 게 좋다.

4의 수치를 가진 사람은 스스로 기도하는 것만이 흉(凶)한 운명에서 벗어나는 지혜가 된다는 것을 명심하라. 기도는 온몸으로 하는 오체투지(五體投地)나 108배와 같은 기도가 좋다.

5) 구심점 오(五)수리의 운명적 의미

수치 5는 삼양(三陽)과 이음(二陰)으로 구성되어 조화가 잘 이루어진 숫자이다. 즉 3+2=5의 등식이 성립한다. 구궁도에서 5는 중심에 위치하여 상하좌우를 통솔하는 제왕(帝王)에 해당한다. 그리고 12지지 중에서 상상의 동물인 용(龍)에 해당하며 용은 자존심이 가장 세다. 용을 승천격(昇天格)이라고 한다. 용은 비구름을 몰고 다니는 동물이므로 승천하기 위해서는 반드시 물이 필요하고 물을 떠나서는 살 수 없는 동물이다. 즉 용은 물이 있어야 승천을 할 수 있다.

수 5는 당사주의 천간성에 해당한다. 핵심적 특성은 개천에서 용(龍) 난다는 말이 있듯이 출세를 의미한다.
다만 출세하기 위해서는 학문이 받침이 되어야 한다. 용은 통이 크고 현실에 집착하지 않을 뿐만 아니라 주변의 눈치를 안 보고 마음대로 행동한다. 그만큼 도덕심이 없고 자존심이 강하며 과감하다는 뜻이다. 용은 승천하기 위해서 반드시 물이 필요한데 그 물은 결국 사람에게 있어서 만인(萬人)을 뜻한다.

5의 수는 많은 사람을 상대하는 직업이 좋다
만인이 왕래하는 곳에서 자신의 재능을 발휘할 수 있으니 직업이나 진로를 선택할 때는 교육자로서 유치원을 비롯하여 초등학교, 중학교, 고등학교, 대학교 등과 같은 교육계나 관광업, 호텔업, 요리업 등 사람을 많이 상대하는 직업이 길하다.

수 5는 각 분야의 고위공직자를 배출한다.
용의 몸통만큼 크게 성장할 수 있는 조건을 갖추고 있어서 대통령, 장관, 고위직 공무원, 법관, 등 각 분야의 장들이 배출되는 수치이다. 그러나 학문이 받침이 되지 못하게 되면 극단적으로 추락하는 특성도 가지고 있다.
학문이 부족하여 출세하지 못할 때는 일반적으로 스님이나 운명 상담사와 같은 삶을 살수도 있다. 여자는 화류계(花柳界)로 진출하거나 가정에서 남자 대신 가장 노릇을 하는 운명을 맞이하기도 쉽다.
따라서 5의 수를 가지고 태어난 자녀가 있으면 교육에 특별히 신경을 써야 할 것이다. 5의 수를 가진 자는 공부를 해서 많은 사람을 구제하라는 기운을 가지고 태어났으므로 자신의 욕심보다 많은 사람을 위해서 노력하는 삶을 산다면 크게 성공할 수 있을 것이다.

용은 비늘이 있는 동물이라서 아토피 같은 피부병에 걸릴 수 있다. 그리고 辰은 물의 창고도 되기 때문에 신장, 자궁, 방광, 같은 질환에도 주의가 필요하다.

용은 자기 마음대로 행동하는 습성이 있어서 도덕성에 문제가 생긴다. 특히 허풍이 강하고 말을 잘하여 사교나 교재에 능하나 도덕과 윤리에 문제가 생길 수 있다. 만약 도덕과 윤리에 벗어나는 행동을 하거나 불평, 불만을 하게 된다면 관재구설이나 각종 시련에 직면하게 될 것이다.

진불곡읍(辰不哭泣)이라는 말이 있다. 辰 날에는 근친의 상가에 가서 울지 말라는 의미이다. 즉 줄초상이 생길 수 있어서 외로워도 슬퍼도 울지 말라는 뜻이다. 믿거나 말거나 지만 辰 날에 초상집에 가는 것은 신살론에서 말하는 상문(喪門), 조객살(弔客殺) 정도로 생각하면 되겠다.

수 5는 처세술이 뛰어나다.

어떤 악조건 속에서도 잘 버티어 나가는 기운을 지니고 있다. 감정 또한 풍부하다.

수 5는 귀인이 항상 도와준다. 남자에게는 여복(女福)이 있다. 그러나 늦게 상처(喪妻)할 수 있는 흉 운도 작용할 수 있다. 결국 수치 5의 남자는 여자로 인해 도움을 받을 수 있지만 피해(被害)도 따르게 되므로 여자관계에 있어서 희비쌍곡(喜悲雙谷) 선이다.

수치 5가 겹치거나 무거운 수가 되면 남녀 모두 바람기가 심하여 돈과 유혹에 약하므로 스스로 보완해서 가정에 신경을 써야 할 것이다.

수 5는 대체적으로 길(吉)한 수다.

그러나 운명이 선부(先富) 후빈(後貧)이거나 선빈(先貧), 후부(後富)가 될 수 있는 운명이다. 수치 5를 가진 사람은 인생을 살아가면서 반드시 한 번 정도는 인생부도(人生不渡)가 나는 수치이므로 힘들거나 일이 잘 풀리지 않을 때는 반드시 개운의 방법으로 방생(放生)을 통해서 공덕(功德)을 쌓아라.

통계청 조사 결과 여자가 남자보다 오래 사는 것으로 확인되지만 5의 수치를 가진 남자라면 그 배우자보다 오래 살게 되고, 남녀를 불문하고 5의 수치를 가진 사람은 말년에 고신, 과숙의 기운으로 혼자 사는 사람이 많다.

6) 구심점 육(六)수리의 운명적 의미

수치 6은 이(二) 음(陰)이 삼합(三合)이 되었는가 하면 삼양(三陽)이 삼합(三合)하는 경우로서 음양의 배합이 모호하다. 즉 3+3, 2+4, 1+5 = 6과 같은 등식으로 되어 있다. 그래서 수치 6의 안에는 큰 숫자를 뜻하는 3과 이별이나 헤어짐을 뜻하는 2의 음수가 같이 내포되어 있다. 수리 중에서 1, 3, 5, 7, 9는 양수에 해당하고 2, 4, 6, 8, 10은 음수인데 원래 양(陽) 중에 음이 섞이고 음(陰) 중에 양이 섞이는 것은 자연의 이치이다.

수리 6은 동물로서는 뱀에 해당하고 천문성이다.
천문성은 학문과 관련이 있고 직업의 선택에 있어서 선비의 길을 가는 게 좋다. 그래서 학문을 의미하는데 학문을 겸비하지 못하면 큰 숫자인 3의 수치와 같이 6의 수치도 극단적으로 추락하는 삶을 살아갈 수 있다.

수 6의 숫자를 가지고 있는 사람의 성품은 선비와 같다
인품이 고상하고 차분하며 융통성이 부족하고 거짓말을 잘 안 하는 사람이다. 그리고 겉모습은 조용하고 부드러워 보이지만 내면에는 냉정함을 품고 있는 사람이다.
수 6을 가진 사람은 대체적(大體的)으로 글이나 서예, 그림 등과 같이 작품활동에도 취미를 가진 사람이 많다. 그래서 작가, 화가, 예술가 등이 많다.
수 6의 숫자를 가진 사람이 학문을 겸비하지 못하면 몸을 쓰는 일에 인연을 맺는 경우가 많다. 즉 여자라면 윤락녀(淪落女)가 될 수도 있고, 남자는 음란물 같은 것을 개발하는 등 비천한 길로 추락할 수 있는 운명이 된다.
따라서 직업이나 진로의 선택에 있어서 학문이 바탕이 될 수 있도록 하고 만약 공부를 싫어하는 자녀라면 일찍이 기술을 연마시켜서 전문직으로 진출하도록 하는 게 좋다.

수 6을 가진 사람은 배우자 덕이나 인덕(人德)이 부족하다.
그래서 남자는 처덕(妻德)을 바라지 말고, 여자는 남편의 덕을 바라지 말라. 왜냐하면 6의 수치를 가지고 태어난 사람은 전생에 증애취사(憎愛取捨)라고 하여 이성 관계에서 사랑과 이별이 많았다고 한다. 그래서 이승에서는 그 업보로 공방(空房)을 받고 태어났으니 부부인연이 희박하여 조혼에는 불리하고 만혼이 길하다. 그러나 현세(現世)에는 결혼하기 힘든 게 사실이고 결혼을 하더라도 자식을 두기 어려운 실정이므로 굳이 기회가 온다면 결혼을 미룰 필요는 없다고 본다.

다만 결혼생활에 있어서 주말부부 형식으로 떨어져서 지낸다면 이별이나 헤어짐을 미리 예방할 수 있는 비법이 될 수 있겠다. 즉 6의 수치는 명리학의 원진살(元辰殺)과 같아서 남녀가 가까이 있으면 싫고 멀리 떨어져 있으면 그리움을 느끼는 성격이 되므로 살아가는 동안에 간혹 떨어져서 사는 게 좋다는 뜻이다.

수 6을 가진 사람은 은하수 사랑이라 할 만큼 많은 사람과 사랑을 하려고 하나 남녀를 불문하고 이성과의 인연을 많이 맺게 되면 자신만 새끼줄처럼 꼬여서 풀어지지 않을 것이다. 그러므로 6의 수치를 가진 사람은 될 수 있는 한 인연을 맺지 않는 게 현명한 선택이다. 특히 기혼자의 경우에는 바람을 피우게 되면 가정이 파괴되는 큰 불행을 의미하므로 인연을 맺는 것에 특별한 주의가 필요하다. 결혼생활에 실패한 경험이 있는 사람이라도 6의 수치를 가진 사람은 재혼보다는 혼자 살면서 산등성 위의 외로운 소나무처럼 고고한 삶을 살게 된다면 명예, 재물, 행복이 채워질 수 있을 것이다.

따라서 수치 6을 가지고 태어난 사람은 살아가면서 외로움은 따르겠지만 명예와 재물이 따를 수 있는 수치이니 항상 학문을 가까이하고 사생활의 문란함과 복잡함은 반드시 인생의 탈락자로서 명(命)까지 재촉할 수 있다는 것을 명심해야 한다.

이러한 특성으로 인해서 6의 수치를 가진 사람이 직업과 진로를 선택할 때는 반드시 학문과 관련이 있는 학자, 교육자, 공무원, 종교인, 예술가, 연구원 등과 같은 직업이 잘 맞고 사업을 하더라도 문화사업을 하게 되면 길하다.

수 6을 갖고 태어난 사람은 태어날 때부터 지병(持病)이 있을 수 있다.

남녀를 불문하고 몸의 상태가 좋지 못하여 잔병을 앓는 경우가 많다. 여자의 경우는 신경이 예민하고 병명도 없이 몸이 시름시름 아픈 날이 많으며 남녀 모두 어떤 사고를 당한 이후부터 그 후유증으로 몸이 늘 아플 수 있다.

수치 6이 겹치거나 무거운 수가 되면 흉살에 해당하여 중풍이나 혈압, 당뇨, 신경성 질환 등에 노출될 수 있으니 건강에 신경을 써야 한다.

수치 6은 뱀에 해당하여 비늘과 관련된 질병에 걸릴 수 있다. 즉 냉증에서 오는 질병이나 각종 피부질환의 위험성이 있다. 그리고 火와 관련된 심장병의 위험성도 있다.

수 6은 젊은 시절에는 학문이 되지만 노년에는 문서가 된다.

따라서 젊어서 공부를 하게 되면 노년에 명예와 재물이 따른다. 그러나 학문을 멀리하게 된다면 신기(神氣)의 발동으로 정신적인 활동을 하게 되는 경우가 많다. 즉 뇌 호흡이나 요가, 참선, 운명 상담가처럼 주로 앉아서 글로 풀어서 상담하기 좋아한다.

위와 같이 6의 수치를 가진 사람은 운명학에 관심이 많고 사주에 6의 수치가 있으면 무엇이든 간에 끊임없이 배우려는 성향이 있다. 또한 뱀은 몸매가 좋고 체력이 좋아서 운동선수나 연예인 같은 직업도 길하나 자칫 색기(色氣)의 발동으로 몸을 쓰는 윤락녀나 음란물 같은 것을 제작하는 변태성으로 추락할 수도 있다. 개운의 방법은 절에 가서 초 공양을 하는 게 좋다. 또한 기도(祈禱)가 개운의 방법이 된다. 특히 6의 수치를 가진 사람은 남에게 잘해주고 뺨 맞는다는 식으로 배반이나 반전을 겪는 경우가 많다. 이러한 현상은 모두 업장 소멸과 관련이 있다.

7) 구심점 칠(七)수리의 운명적 의미

수치 7은 5(五) 양(陰)과 2(二) 음이 합하여 이루어지거나 3의 양수와 4의 음수가 합해서 이루어진 수치이다. 즉 1+6, 2+5, 3+4 =7과 같은 등식으로 되어 있다. 그래서 수치 7은 음과 양이 완비된 수치이다. 그러나 큰 숫자를 뜻하는 3과 5는 다 정다감과 거리가 멀고, 4는 영적인 숫자이고, 6은 공방을 뜻하고, 2는 이별이나 헤어짐의 기운이 있어서 길흉의 두 가지 징조를 모두 가지고 있다.

수 7은 지지가 오(午)에 해당한다. 말이라는 동물은 잘 생겼다. 잘 났다는 의미가 되고, 그래서 남을 무시하는 경향이 있다. 특히 말이 행동보다 빠르고 함부로 하는 경향이 있다. 따라서 말조심해야 한다. 7의 수치를 가진 사람은 잘났기 때문에 항상 우쭐하는 마음이 도사리고 있어서 여간해서는 남에게 고개를 숙이지 않는다. 따라서 월급을 받는 직장인으로서는 잘 맞지 않는다. 그래도 아랫사람에게 잘하는 특성이 있어서 사업이 잘 맞는 사람이다.

수 7은 사업을 뜻하는 숫자이다.

말이라는 동물에게는 편자라고 하는 말발굽을 채운다. 편자는 쇠로 되어 있어서 7의 수는 항상 쇠와 관련이 많다. 그래서 공업, 기업, 상업, 작게는 자영업까지 쇠와 관련된 일을 하면 잘 된다. 그리고 7의 운명수를 가진 사람은 크든 작든 자기 사업을 해야 좋다.

7의 수를 가진 사람은 사업뿐만 아니라 모든 면에서 쇠와 연관이 많으므로 쇠와 관련된 방향으로 진로를 잡으면 좋다. 스님이라면 목탁보다 요령을 잡아주는 게 좋고, 무속인이라면 부채보다는 방울이나 징을 들어야 좋다. 특히 문과보다는 이과에 종사하는 사람들이 쇠와 관련된 일이나 직업을 선택하는 게 좋다.

수 7은 생명을 의미하는 숫자이다.

생(生)과 멸(滅)의 뜻을 내포하고 있는 수치이다. 즉 7의 수치를 형성해야 태어나서 성장할 수 있고, 또한 퇴화하기도 한다. 각 동물의 태어나는 일수도 아래와 같이 7의 수치가 들어간다.

닭은 3×7 = 21일
오리 4×7 = 28일
거위 5×7 = 35일
타조 6×7 = 42일

사람이 죽으면 다시 환생하라는 의미에서 7×7 = 49재라는 뜻이 있고, 사람이 태어날 때는 4×7 = 280일을 기준으로 태어나고, 오리의 태어나는 수치와 관련이 있어서 오리 알에는 사람의 혼을 연장하는 기운이 있다고 한다. 사람에게도 7의 수치가 생명의 수로 작용한다.

7×2 = 14세에 초경을 하고,
7×3 = 21세가 되면 사춘기를 떠나서 철이 들고,
7×4 = 28세가 되면 청춘기에 들어가고,
7×5 = 35세가 되면 정감기(情感期)에 들어가고,
7×6 = 42세가 되면 결실기에 들고,
7×7 = 49세로 폐경기(肺經期)에 든다.
7×8 = 56세가 되면 사색기에 접어들고,
7×9 = 63세는 노년기로서 생리적으로나 심리적으로 많은 변화가 일어난다.

위와 같은 7의 수치는 사주 내에서 하나만 가지게 되면 어떤 위급한 상황에서도 절대적으로 생명의 위급함을 모면할 수 있다. 그러나 7의 수치가 겹치거나 무거운 수가 될 때는 일반적으로 보통 사람의 삶보다 빨리 죽게 된다. 당사주의 간법(看法)으로 사주를 볼 때도 천복성의 자리에서 복음(伏飲)이 된다면 위와 같이 단명할 수 있다. 이러한 원리는 12신살에서도 장성살이 복음이 되면 같은 작용을 한다고 본다.
7의 수치가 무겁거나 복음이 되면 도리어 흉의 작용으로 변해서 도둑을 맞을 수도 있고, 자신이 불우한 처지에 놓이게 되거나 심리적 불안으로 직접 도둑질을 할 수도 있다. 유명백화점이나 명품점에서 잡힌 도둑의 면모를 보면 경제적으로 여유가 있는 사람도 있다고 한다. 이런 사람의 사주에는 7의 수치가 겹치거나, 무거운 수가 있을 수 있다고 본다.

7의 수치는 여자가 가장 꺼리는 수치로서 흉의 작용이 크다.
여자의 사주에 7의 수치가 있게 되면 기가 몹시 강해서 밖으로 돌아다니기를 좋아하고 여자가 총 칼을 찬 형국이 되어 부부생활이 불화할 수 있다. 따라서 7의 수치를 가지고 태어난 여자는 직장생활을 하는 게 좋고 주말부부 생활이 좋다.
7의 수치를 가진 사람은 남자는 연상의 여자를 만나면 좋고, 여자는 연하의 남자를 만나는 게 좋다. 7의 수치를 가진 여자는 남자를 형(刑), 극(尅) 하는 기운이 있어서 남자의 건강에 문제가 생길 수 있고, 남녀를 불문하고 두 부모를 모셔야 할 운명을 가진 사람들도 7의 수치에 많은 편이다.

8) 구심점 팔(八)수리의 운명적 의미

수치 8은 4의 중복이고 3과 5의 합수이다. 음대 음 양대 양의 조합으로 화합이 어려운 수치이다. 특히 4의 수는 영적인 수치이고, 2의 수는 이별과 헤어짐을 뜻하는 수로서 사방팔방(四方八方) 분산되려는 성질을 내포하고 있다. 즉 4+4, 5+3, 1+7, 2+6 = 8의 등식이 성립한다. 그리고 1과 7은 자수성가를 뜻하여 이합집산(離合集散)할 수 있는 수가 된다. 따라서 단합을 이루려면 부단한 인내가 필요하다.

이러한 기운이 내포되어 있으므로 팔난(八難)이라고 한다. 삶에 우여곡절이 많고 어려움이 많다는 뜻으로 8의 수를 가진 사람은 사고를 잘 당한다. 따라서 화약고나 주유소와 같은 위험한 장소에는 가급적(可及的)이면 가지 않는 게 좋고 위험한 일도 피하는 게 좋다. 모든 수치에 상중하의 등급이 있듯이 8의 수를 가진 사람도 학문을 익히게 되면 격이 높아져서 법조계나 방송인으로서 크게 출세할 수 있다.

계절적으로 8월에는 태풍이 불고 농작물이 익어가는 시기이다. 그래서 8월의 날씨는 한 참 익어가는 곡식이나 과일의 수확에 큰 영향을 끼친다. 우리나라의 8월은 항상 태풍이나 비가 많이 내려서 국가 사회적으로 큰 피해가 발생한다. 즉 8월의 날씨는 흉의 작용으로 돌변하는 경우가 많다. 그래서 8의 수치를 꺼린다. 하지만 중국 사람들이 좋아하는 숫자는 8이라고 한다. 중국에서는 돈을 뜻하는 의미라고 한다.

구심점 8의 수를 가진 사람은 지지가 양(未)에 해당한다.
명리학에서는 寅申巳亥를 역마로 보지만 당사주에서는 양(未)이 천역성으로서 역마다. 양은 자존심이 강하고 고집이 세다. 원래 뿔이 있는 동물이 고집이 세다. 그리고 성격은 법 없이도 사는 아주 양순하고 좋은 사람이라는 평을 받을 수 있으나 그 내심은 어디까지가 진실인지 짐작할 수 없다.

8의 수를 가진 사람은 팔난이 많다
결혼하기 전에 실연(失戀)하거나 중년에 이혼하는 경우가 많다. 항상 망상과 쓸데없는 생각이 많아서 실패도 많이 따른다. 따라서 바쁘게 돌아다니는 직업을 가지면 좋다. 특히 8의 구심점을 가진 사람 중에서 생일이 8일이나 20일과 같이 무거운 수를 가진 사람은 망하는 수가 많고 되는 일이 별로 없다.
8의 수를 가진 사람은 소리 나는 직업이 길하다.

즉 말을 많이 하거나 음악과 같이 악기로서 소리를 내는 일을 하면 잘 된다. 그래서 말 한마디에 엄청난 위력을 가지고 있는 법조인이나 성직자, 교육자, 방송인, 성악가, 등 말로 먹고사는 직업을 가지면 길하다.

8의 수는 도(道)에 관심이 많아서 종교인이 많다.
또한 사이비 교주나 종교에 빠지는 경우도 많다. 그만큼 고집이 세서 자기가 한번 옳다고 생각하면 절대로 자기의 고집을 포기하지 않는다.
수치 8의 운명수를 가진 사람은 팔난의 기운으로 많이 다치는 경우가 많고 실패가 많다. 그리고 빙의(憑依)가 잘 되는 수치이다. 이러한 화를 면하는 방법으로는 몸이 아플 때 팥을 조금 먹어보거나 팥떡을 먹으면 효과가 있다. 즉 상갓집을 다녀왔거나 밤길을 다녀온 후 이유 없이 몸이 아프다면 팥죽을 쑤어 먹는 것도 효과가 있다.
음의 기운이 충만한 동지에 팥죽을 쑤어 먹는 이유는 양과 음의 조화를 위함이다. 즉 붉은 팥은 양기가 강하고 추운 동짓달은 음의 기운이 충만한 시기이다.

8의 수가 겹치거나 무거운 수가 사주에 있다면 형살(刑殺)의 해를 입을 수도 있다. 즉 관재구설이 따르고 수갑을 찰 수도 있다. 이런 형살을 예방하는 방법은 산 방생을 하는 것이다. 산 방생의 방법은 명태 세 마리, 소금 한 줌, 물 한 컵, 밥 한 그릇, 무나물 한 접시를 상에 차려서 자신이 거주하는 대문 앞에 차려 놓고, "잘 먹고 잘 가세요"를 세 번 읊조린 다음 차린 음식을 정갈히 봉지에 싸서 야산에 놓아 주고 주변에 물과 막걸리를 부어주면 그곳의 산짐승들이 먹게 되어 액을 면할 수 있다고 한다.
8의 수치는 그만큼 어려움이 많은 수치이므로 삶이 잘 풀리지 않거나 몸이 아프다면 비과학적이라고 생각하지 말고 한 번쯤 해 보는 게 좋지 않을까 생각한다.
결국 8의 수치는 상급으로서 잘 풀리게 되면 좋겠지만 팔난에 휩싸이게 되면 만고풍상(萬古風霜)을 겪을 수 있는 운명이다.

9) 구심점 구(九)수리의 운명적 의미

수치 9는 양수의 끝이다. 또한 구심점의 끝이다. 모든 만물은 시작과 끝이 있듯이 발전과 진취는 수치 9에서 멈추게 되고, 다음의 활동을 위해서 덕을 쌓으며 기다려야 하는 수치가 바로 9이다.

즉 2+7, 4+5, 3+6, 9+9, 1+8 = 9라는 등식이 성립한다.

수치 9는 동물로는 원숭이에 해당하고, 성좌는 천고성에 해당하므로 고독한 형상을 나타낸다. 특히 3+6 =9의 운명수에 해당하는 사람은 寅巳刑의 모습이므로 늦게 결혼하는 게 좋다.

9의 수치를 가진 사람은 지지에 원숭이를 깔고 있는 형상이다.

원숭이는 역마(驛馬)가 몹시 강하다. 따라서 운송사업, 무역업, 전자, 전기, 통신업 같은 활동적인 직업이나 재주가 많고 인기가 있으므로 말로 먹고사는 직업을 구하는 게 좋다.

그리고 숫자에 무척 밝은 천부적인 소질이 있다. 원숭이는 머리가 명석하고, 영리하여 숫자 계산이 빠르므로 수학, 공학, 과학, 세무와 같은 일을 하면 재능을 펼칠 수 있다.

원숭이는 남의 일에 참견을 잘하는 습성이 있어서 남을 도와주는 것을 좋아한다. 그러나 정작 자신을 도와주는 이는 없다. 그래서 원숭이를 고독지상(孤獨之像)이라 한다.

9는 마지막 숫자이므로 덕을 쌓고 베풀어 주는 일을 해야 잘 풀린다.

즉 적덕(積德) 보시(布施)하여야 하며 이와 관련된 일은 사회사업이다. 즉 요양원, 요양병원, 봉사활동 같은 일이 잘 맞는다.

수 9의 사람은 말년의 외로움에 대비하여 작은 암자나 거처를 마련해 두는 게 좋다. 그리고 외로움을 피하는 방편으로 늦게 결혼하는 것도 좋다.

수 9는 아랫사람을 상대로 하는 영업이 잘되므로 학원, 유치원, 아동복, 문구점 같은 것을 하는 게 좋다.

구심점이 9인 사람 또는 생월이나 생일에 9의 숫자가 있는 사람은 객사(客死)와도 관련이 있으므로 항상 조심해야 한다. 즉 해당하는 년, 월, 일에는 적덕, 보시하는 마음으로 안정을 취하는 게 좋다. 예를 들어 9세, 19세, 29세, 39세, 49세, 59세, 69세 등과 같은 년이나 9월, 그리고 9의 수치가 무거운 수가 되거나 겹치는 수가 될 때 조심하는 게 좋다.

9의 수를 가진 남자는 중년 이후 의처증 같은 질병으로 가정이 불안할 수 있고,

여자는 신경질성이 있으며 첩이 될 가능성도 있다. 그리고 허리 병이나 자궁병에 유의할 필요가 있다.

수 9를 가진 사람은 하늘에 코 낀 상으로 일을 서두르는 경향이 있으나 일이 쉽게 풀어지지 않으므로 서두르지 마라. 그리고 사업보다는 월급쟁이 생활이 맞다. 수 9는 객사할 수도 있는 운명이므로 항상 조용히 마음을 안정시키고 공부하는 습관이 좋다. 결국 인생이 안 풀리면 적덕, 보시해야 운명이 풀리게 된다.

10) 작용수 10(十)수리의 운명적 해석

위와 같이 살펴본 수리 1부터 9까지는 **'구심점'**에 해당하고, 지금부터 설명하게 될 10, 11, 12, 수리는 **'작용수'**에 해당한다. 따라서 지금부터는 작용수에 관한 이해가 필요하다. 이미 구심점이라고 하는 운명수에 관한 설명은 충분히 하였다. 즉 구심점이라고 하는 운명수는 1부터 시작하여 9의 수치에서 끝이 난다. 그러나 작용수에는 1부터 12까지의 숫자가 있다. 구심점의 수치는 평생의 운명을 좌우하고, 작용수는 해당 시기에 발생하는 변화와 변동을 의미한다.

그렇다면 지금부터 인생을 살아가면서 겪게 되는 변화와 변동에 관한 작용수에 대해 알아보겠다. 이미 구심점(운명수)의 산출법은 설명하였다.

다시 한번 설명하면 **"생월 + 생일 = 구심점"**이라는 공식을 사용하여 산출한다. 그리고 구진법을 사용하므로 9이하의 단수가 나올 때까지 더하거나 9로 나눠 몫을 제외한 나머지를 취하는 방법으로 산출한다.

【예시 1】 12월 26일 출생한 사람의 운명수 산출

1+2+2+6 = 11(9를 제외)
2 = 1+1 = **2가** 구심점이 된다.

또는 12+26 =38
　　38 ÷ 9 = 4(몫) 나머지 **2** 같이 구심점을 구할 수도 있다.

작용수에는 태어난 **'생일'**을 가지고 보는 **소년기**와 **청년기**에 관한 작용수가 있고, 태어난 **'생월'**을 가지고 보는 **장년기**와 **노년기**의 작용수가 있다.

예를 들어 7월 9일에 태어난 사람이 있다고 가정한다면
7+9 = 16, 1+6 = 7의 운명수가 산출된다. 이때 전체적인 운명에 관해서 7의 숫자가 약 50% 정도의 영향력이 있으나 소년기와 청년기 때는 생일의 숫자인 9의 수치가 작용한다. 그리고 장년기와 노년기에는 생월에 해당하는 숫자인 7의 수치가 작용한다. 각 시기에 따른 작용력의 정도는 약 25% 정도로 추정할 수 있다.

【생일의 작용수 찾는 법】

음력에는 한 달 안에 30일까지 있으나 생일의 작용수는 '1부터 12까지'의 수치만 적용한다. 그리고 1부터 9까지는 구심점과 작용수의 의미가 같다. 그러나 10, 11, 12월은 작용수로 작용하면서 10월은 구심점 1의 의미를 겸하고, 11월은 구심점 2의 의미를 겸하고, 12월은 구심점 3의 의미를 겸한다.

생일이 12일이라면 그대로 작용수는 12가 된다.
생일이 1일이라면 그대로 작용수는 1이 된다.
생일이 24일이라면 12가 두 번 겹치므로 작용수는 12가 된다.
생일이 17일이라면 17-12 = 5가 작용수이다.
생일이 29일이라면 29-12 = 17, 17-12 = 5가 작용수가 된다.

작용수는 생월의 작용수와 생일의 작용수로 구분할 수 있다.
위에서 설명한 것과 같이 생일의 작용수를 구할 때 13 이상의 숫자가 나오면 12를 **빼는** 방식으로 구한다. 구심점을 구하는 방식과 조금 차이가 있으므로 주의가 필요하다.

생월의 작용수는 태어난 달의 숫자를 그대로 활용한다.
모든 사람은 1월부터 12월 중에 태어나기 때문이다. 그리고 태어난 생월의 숫자는 장년기와 노년기의 작용수로 활용한다. 예를 들어 2월에 태어난 사람은 장년기와 노년기의 작용수가 2가 되고, 11월에 태어난 사람은 장년기와 노년기의 작용수가 11이 되는 것이다.
그리고 1부터 9까지의 작용수의 의미는 이미 설명한 구심점(운명수)과 뜻이 같다. 그러니까 작용수 1부터 9까지는 구심점의 해석을 그대로 적용하면 된다. 다음은 10, 11, 12, 수리의 작용수의 의미를 설명하고자 한다.

작용수 10의 수치는 음으로 종결된 수치다
음의 기운을 많이 내포하고 있는 수치이다. 즉 10의 수치는 인간의 영역에서 시작을 의미하는 1과 신의 영역에 해당하는 숫자인 0이 합쳐져서 만들어진 수이며 음의 영역이다. 따라서 영적 능력이 뛰어나므로 평상시 꿈과 예감이 잘 맞으며 앞날을 예지하는 능력이 생기기 쉽다. 또한 뚜렷한 병명이 없이 시름시름 아프기도 하며 남녀를 막론하고 무속인의 기질도 있다

.

작용수 10은 닭(酉)에 해당한다. 12 성좌는 천인성이다.

그리고 닭이라는 동물은 목을 비틀어서 잡고 칼로 배를 가른다. 그래서 칼과 인연이 있으므로 10의 수치가 있는 사람의 몸에는 흉터가 있기 쉽다. 만약 몸에 흉터가 없다면 불길한 수가 되니 미리 성형수술로서 스스로 몸에 칼을 대는 것도 좋은 방편이 될 수 있다.

그렇지 않다면 스스로 자신이 칼을 잡는 직업을 선택하는 것이 좋다. 즉 업상대체할 수 있는 의사, 군인, 경찰, 요리사, 정원사, 재단사, 미용사, 도축사와 같은 직업이 좋다.

10의 수치는 필요 이상으로 생각이 많아서 신경과민으로 고생하는 사람이 많고, 잘못된 일에 대해 내 탓보다는 남의 탓으로 돌리며 남을 원망하는 기운이 강하다.

닭이라는 동물은 모이를 먹을 때 꼭, 꼭, 꼭, 이라는 소리를 내는데 이러한 특성으로 인해 사소한 일에도 신경이 예민하고 융통성이 부족하여 모든 일에 다짐을 받는 경향이 있다. 그래서 작용수 10의 수치를 가진 사람에게는 사소한 일에도 약속을 꼭 지켜야 한다.

10의 수치가 겹치거나 무거운 수가 되면 금의 기운이 있어서 의리는 있으나 도화의 작용으로 인해 부부간에 문제가 생길 수 있고, 가정에 풍파가 있을 수 있으니 주의가 필요하다.

10의 수치는 음의 중단수(中斷數)에 해당하여 사업보다는 직장생활이 맞고, 직업으로는 글을 쓰는 작가, 기자, 교육자, 등이 잘 맞는다. 따라서 해당 시기에는 사업을 벌이면 거의 실패하는 경우가 많다.

예를 들어, 생일이 10일인 사람이 있다.

소년기, 청년기의 작용수는 10이 된다. 따라서 이 사람은 젊었을 때 사업을 하게 되면 잘 되다가도 중단수로 인해 실패할 가능성이 몹시 크다.

만약 10월에 태어난 사람이 있다면 이 사람의 장년기, 노년기의 작용수는 10이 된다. 따라서 이 사람은 50대 이후에 사업을 하게 되면 중단수로 인해 실패할 가능성이 매우 크다.

그러나 작용수가 10에 해당하더라도 구심점이 평생의 운명을 좌우하므로 사업과 관련이 있는 구심점을 가지고 있다면 중단수는 그다지 영향력이 없다. 그만큼 구심점의 영향력이 강하고, 작용수는 해당하는 시기에 관한 운을 참고할 정도라고 생각하면 되겠다.

예를 들어 10월 10일에 출생한 사람의 운명수는 2가 된다.

그리고 구심점 2는 재물을 뜻한다. 따라서 재물과 관련이 많은 수치가 되므로 사업가로 성공할 수 있다. 결국 작용수 10은 구심점으로는 1이 되므로 양쪽 기운을 겸하게 되고, 다만 동물로는 닭(酉)의 특성을 가지며 12성좌는 천인성의 기운을 가진다. 따라서 음력 10월에 태어난 사람이나 생일이 10일인 사람 그리고 22일의 생일을 가진 사람은 작용수가 10이 되므로 속성속패(速成速敗) 격이다. 즉 인내력이 부족하고 결과에 집중하는 심리가 강하다. 이런 성향으로 재산을 어렵게 모아도 한순간에 날려버리는 불행을 자초하기도 한다.

11) 작용수 11(十一)수리의 운명적 해석

수치 11은 음과 양의 조합으로 이루어진다. 즉 1+10, 3+8, 5+6, 7+4, 9+2 =11의 등식이 성립한다. 1의 중복성 기운과 1+1 =2 의 기운, 동물로는 술(戌)에 해당하여 여러 가지 기운이 혼합되어 있다.

작용수가 11의 수치인 사람은 지지가 술(戌)에 해당한다.
12성좌로는 천예성이고, 천라살(天羅殺)에도 해당한다. 따라서 10, 11, 12의 작용수는 해당 시기에 사업과 인연이 약하다.
11의 수치가 있는 사람은 학마살이 있어서 공부가 중단되거나 공부가 잘 안 되는 경우가 많다. 따라서 해당 시기에 11의 수치가 있거나 무거운 수가 겹치게 되면 특수한 기술을 배울 수 있도록 진로의 방향을 바꿔주면 좋다.
개라는 동물은 충성심이 강하고 경호와 같이 지키는 역할을 잘하므로 직업 선택에 있어서 경호원, 군인, 경찰, 등과 같은 직업이 좋다. 또한 개라는 동물은 말을 잘하므로 말로 먹고사는 직업도 좋다.

개라는 동물은 장소를 가리지 않고 짝짓기를 한다.
따라서 11의 수치가 있는 사람은 해당 시기에 이성교제(異性交際)에 바쁘고 늙어서는 독수공방하는 경우가 많다.
사주에 술(戌)이 하나만 있으면 재주가 좋아서 특수한 분야에서 성공할 수 있으나 두 개가 있으면 다툼이 많아서 불운할 수 있다. 원래 개는 혼자 밥그릇을 차지해야 평온하고 좋은데 두 마리나 세 마리가 있으면 밥그릇 쟁탈전 때문에 싸움에 정신이 없는 사주가 되어 버린다. 밥그릇 가지고 싸우는 동물은 개가 으뜸이다. 차라리 년.월.일.시, 사주 모두에 개가 있으면 좋다고 본다.

11의 수치는 천라살이라서 시작은 잘하지만 끝맺음이 약하다
그래서 결실을 얻기 어렵다. 바로 인간에게 결실이란 자식에 해당하는데 자식이 말을 잘 듣지 않거나 자식 복이 약해서 유산이나 낙태 그리고 자식을 얻기 힘든 수치에 해당한다.

12) 작용수 12(十二)수리의 운명적 해석

수치 12는 동물로는 돼지에 해당하고 12성좌로는 천수성에 해당된다. 개업이나 고사를 지낼 때 항상 상에 올라가는 게 돼지의 머리이다. 즉 천지신명에게 잘 되게 해달라고 하는 뜻이고 하늘에게 절을 하는 것이다.

12수리는 1+2=3의 구심점이 나오는 수치다.

반드시 공부를 최우선으로 해야 성공할 수 있다.

공부를 끝까지 마친 사람이라면 큰 사업체를 운영할 수도 있고, 정계, 관계, 재계, 방송인이나 연예인 방면으로 진출을 하더라도 두각을 나타낼 수 있으나 공부가 받침이 되지 못한 사람이라면 종교를 믿는 게 좋다.

그렇지 않으면 직업의 변화가 많고 결혼이나 부부생활에도 불안이 도사리게 되고 사고로 크게 다친다거나 육체적 정신적으로 고단한 삶이 된다.

12수치는 재주가 많아서 다재다능함에도 공부가 받침이 되지 않으면 직업 변동이나 주거 이동이 심하다.

12수치가 겹치거나 무거운 수가 되면 여자의 경우 해산살(解産殺)이 작용한다. 즉 산액이 있어서 12수치가 있는 여자는 제왕절개 수술을 많이 한다.

12수치는 천라지망에 해당하여 운명학에 관심이 많고 예지능력과 예언의 적중률이 높은 사람이 많다.

그리고 돼지가 더러워 보여도 깔끔한 성격이 있어서 12수치를 가진 사람은 정리정돈을 잘하고, 부지런함과 게으름이 교차한다. 따라서 천재와 바보가 종이 한 장 차이로 엇갈리듯이 12수치를 가진 사람의 경우 천재적이거나 신체 불구 또는 정신에 문제가 생길 수 있는 극단적인 수치이다. 다만 작용수이므로 해당하는 시기에 그러한 기운이 발생할 가능성이 있는 정도로 이해하면 된다.

2장 수리 응용

1. 수치 점검

• 구심점 1~9까지 수치의 함축적 의미
1. 장남, 장녀, 외롭다. 오래 못 간다. 壬 수의 기운.
2. 재물, 이별의 기운이 있다. 丁 화의 기운.
3. 대성대패, 안정, 학문이 필요하다. 甲 목의 기운.
4. 죽음, 4차원, 불길하다. 辛 금의 기운.
5. 승천격, 출세, 혁명의 기운이 있다. 戊 토의 기운.
6. 문서, 학문, 지병, 길흉의 극 반전의 기운이다. 癸 수의 기운.
7. 사업, 화려, 생명과 관련이 있다. 丙 화의 기운.
8. 팔난, 정체, 장애가 따른다. 乙 목의 기운.
9. 역마, 고독, 불성취의 기운이 강하다. 庚 금의 기운.

• 수치 1~9까지 수치의 대학 적성
1. 문과계열, 교육학, 경찰대학, 육, 해, 공군사관학교
2. 축산업, 농업, 관련 대학, 경영, 경제, 관련 대학교
3. 정치, 외교, 법대, 행정학, 체대, 음대, 미대 등 예술대학.
4. 신학대학, 교육대학, 종교관련학과, 활인 관련학과.
5. 교육관련 대학, 정치, 외교, 외국어대학, 관광학과.
6. 교육관련 대학, 체육대학, 공업관련, 예술관련 대학.
7. 경제, 경영학과, 항공대학, 경찰대, 육, 해, 공사관학교.
8. 의학관련 대학, 외국어관련 대학, 정치, 외교, 법률관련 대학.
9. 공과대학, 수학, 이공계열, 수학, 회계, 종교관련 대학.

• 수치에 의한 직업 적성
1. 교육공무원, 교육자, 군인, 경찰, 기타 사무직, 기획, 창작, 조립, 수선, 발명가 등
2. 농업, 축산업, 세무, 회계, 경리, 금융업, 조경, 매매, 알선, 중개업, 장례업, 숙박업.
3. 공무원, 예능인, 인기 스포츠, 미용실, 건축, 설계, 신문사, 종교, 무속인,

학원업.

4. 성직자, 장례업, 연예인, 종교, 예술인, 경찰, 교도관, 검사, 판사, 식물원, 수사.

5. 무역업, 외교관, 변호사, 수산업, 유흥, 목욕탕, 관광업, 교수, 강사, 의사, 유통.

6. 교육자, 예술인, 기자, 사진관, 화장품, 광고, 서예가, 체육인, 전기, 통신, 방송.

7. 사업, 자영업, 경찰, 철강, 공업, 비행사, 운수, 중장비, 운전, 조선소, 제철, 항공.

8. 검사, 판사, 가수, 성우, 교육자, 종교인, 영업사원, 관광 가이드, 방송인, 기자.

9. 군인, 무관, 종교인, 예술가, 과학자, 광업, 고물상, 세무사, 무역업, 관광 가이드.

• 수치에 따른 길흉(吉凶)

1월, 10월, 11월, 12월은 겨울에 해당하는 계절이므로 모든 영향이 뿌리로 모인다. 따라서 이 계절에 태어난 사람은 타향보다 고향에서 성공할 가능성이 크고 타향에서 성공하였더라도 회귀본능(回歸本能)이 강하여 노년에 고향으로 돌아가는 사람이 많다. 변화, 변동이나 이동이 많은 일보다 한 곳에 뿌리내리는 직업이 적합하고, 사업보다 안정적인 직장생활이 좋다. 특히 공부를 바탕으로 하는 공직자에게 잘 어울리는 수치이다.

2, 3, 5, 7, 9, 수치는 역마와 같이 활동성이 강해서 밖으로 표출하려는 성향이 강하므로 고향보다는 타향에서 성공할 가능성이 크다.

1, 3, 5, 6의 수치는 학문의 달성에 따라 운명의 성패가 달렸다. 따라서 이 수치를 가진 사람은 학문을 게을리하면 안 되고 끝까지 공부를 완성해야 한다. 만약 공부가 받침이 안 될 때는 극단적으로 추락하는 사람이 많다.

3, 6, 9의 수치는 결혼을 늦게 하는 게 좋다. 3의 수치는 인기(人氣)가 많아서 이성 간의 실패 수가 따르므로 조혼(早婚)보다는 늦게 결혼하는 게 좋다. 6의 수치는 증애취사(憎愛取捨)의 기운으로 공방(空房)을 맞이할 수 있으니 늦게 결혼하는

게 낫다. 9의 수치는 역마 다발성(多發性)의 기운으로 부부간에 풍파가 있을 수 있어서 결혼을 늦게 하는 게 좋다.

지금까지 수치의 함축적 의미와 특성에 관해 알아보았다. 그런데 모든 수치에는 격에 따라서 크게 성장하는 사람과 보통의 삶을 살아가는 사람 그리고 불행을 겪으면서 추락하는 사람이 있게 마련이다. 따라서 특정 수치가 좋고 나쁘다는 식의 편견을 가져서는 안 된다. 다만 구심점의 수치에 관한 의미는 그 해당 수치를 가지고 태어난 사람이 어느 길을 선택하면 좋겠는가? 라는 정도로 이해하면 될 것이다. 다음은 국가고시 출신자 30명의 사주를 분석한 결과이다.

<국가고시 출신자 구심점 분석표>

연번	성별	생월, 생일(음력)	구심점 수치
1	남	4, 21.	7
2	남	8, 29.	1
3	남	11, 23.	7
4	남	1, 10.	2
5	여	5, 26.	4
6	여	1, 26.	9
7	남	1, 18.	1
8	남	5, 11.	7
9	여	8, 29.	1
10	여	9,11.	2
11	남	11, 1.	3
12	남	3, 7.	1
13	남	4, 4.	8
14	남	10, 18.	1
15	남	6, 3.	9
16	남	8, 8.	7
17	남	10, 20.	3
18	남	2, 15.	8
19	남	11, 13.	6
20	남	10, 17	9
21	남	10, 29.	3
22	남	3, 14.	8
23	남	10, 18.	1
24	남	6, 5.	2
25	남	4, 17.	3
26	남	4, 21.	7
27	남	1, 25.	8
28	남	1, 10.	2
29	남	9, 27.	9
30	남	1, 25.	7

구심점 수치의 합	① 6/30 ② 4/30 ③ 4/30 ④ 1/30 ⑤ 0/30 ⑥ 1/30 ⑦ 6/30 ⑧ 4/30 ⑨ 4/30

위 표에 의하면 국가고시 합격자의 비율이 구심점 ①의 수치와 ⑦의 수치에서 다른 수치보다 비교적 높게 나타난 것을 확인할 수 있다. 그리고 ④⑤⑥의 수치에서 상대적으로 낮게 나타난 것을 알 수 있다.

구심점 ①의 수치가 많은 이유는 장남, 장녀의 성향으로서 우두머리의 기질을 가지고 있기 때문이고, 수치 ⑦은 자수성가형으로써 사업가의 운명이기 때문이다. 그리고 30명에 불과한 소수를 상대로 조사를 하였기 때문에 표본의 부족으로 신뢰성을 담보하기에는 부족한 점이 있다. 그러함에도 불구하고 정치인이나 관료(官僚)들의 수치는 특정한 수치에만 있는 게 아니라는 사실을 확인할 수 있었다. 물론 ⑤의 수치에서는 한 명도 찾아볼 수 없었으나 더 많은 사례를 수집해서 분석해 본다면 ⑤의 수치에서도 국가고시 합격자는 존재할 것이 분명하다. 그리고 노무현 전 대통령의 구심점이 ⑤의 수치에 해당한다. 노무현 대통령은 음력 8월 6일이다.

다음은 무속인의 사주에는 어떤 수리가 많을까? 라는 의문점을 가지고 무작위로 무속인 100명의 생월과 생일을 분석해 보았다.

<100명의 무속인 사주 분석표>

연번	성별	생월, 생일(음력)	구심점
1	여	2, 24.	8
2		7, 19.	8
3	남	6, 7.	4
4	여	10, 27.	1
5		7, 27.	7
6		2, 1.	3
7		8, 20.	1
8		3, 24.	9
9	남	8, 20.	1
10		12,4.	7
11	여	1, 20.	3
12	남	11, 11.	4
13		10, 2.	3
14	여	4, 2.	6
15		9, 11.	2
16		1, 15.	7
17		11, 29.	4
18	남	3, 12.	6
19	여	1, 28.	2
20		10, 27	1
21		10, 19.	2
22		3, 14.	8
23		1, 14.	6
24		8, 14.	4
25		9, 11.	2
26		2, 5.	7
27		9, 9.	9
28		9, 20.	2
29		2, 2.	4
30		3, 4.	7
31		6. 27	6
32		9. 12.	3
33		7. 27.	9
34	남	4. 7.	2

35		3. 27.	3
36		11. 16.	9
37		2. 17.	1
38	여	3. 29.	5
39		6. 12.	9
40		3. 18.	3
41		6. 18.	6
42		7. 16.	5
43		9. 16.	7
44	남	7. 15.	4
45		9. 23.	5
46		7. 29.	9
47		7. 17.	6
48		9. 17.	8
49		12, 10.	3
50		1. 16.	8
51		10. 10.	2
52		6. 24.	3
53	여	2. 28.	3
54		2. 17.	1
55		7. 21.	1
56		10. 25.	8
57		6. 16.	4
58		9. 23.	5
59		10.11.	3
60		7. 15.	3
61		5. 8.	4
62		1. 21.	4
63		4. 6.	1
64		10. 7.	8
65	남	5. 20.	7
66		3. 12.	6
67	여	8. 24.	5
68	남	10. 18.	1
69		11. 15.	8
70		2. 18.	2
71	여	3. 19.	4
72		10. 15.	7
73		5. 10.	6
74		2. 27.	2
75		5. 7.	3
76	남	12. 13.	7
77	여	6. 27.	6

78		6. 5.	2
79		2. 16.	9
80		7. 29.	9
81		6. 23.	2
82		6. 16	4
83		12. 4.	7
84	남	7. 16.	5
85	여	10. 17.	9
86		9. 17.	8
87	남	2. 4.	6
88		9. 18.	9
89	여	6. 27.	6
90		9. 1.	1
91		9. 27.	9
92	남	10. 11.	3
93		12. 9.	3
94		7. 15.	4
95	여	11. 25.	9
96		12. 2.	5
97		9. 5.	5
98		7. 4.	2
99		5. 7.	3
100		6. 27	6
구심점 수치의 합	① 10/100 ② 12/100 ③ 15/100 ④ 12/100 ⑤ 8/100 ⑥ 12/100 ⑦ 10/100 ⑧ 9/100 ⑨ 12/100		

.

위 표와 같이 무속인의 사주도 특정 수치에서만 나오는 게 아니다. 다만 구심점 수치 ⑤와 ⑧의 수치가 상대적으로 적게 나왔다. 그리고 ③의 수치에서 많이 나온 것을 알 수 있다. 구심점 ③은 안정과 여유를 뜻하는 수치로써 공부의 받침이 있으면 크게 성장할 수 있으나 추락하게 되면 대패하는 성향이 있으므로 극단적인 면이 강하다. 그리고 무속인이 많이 나오는 수치인만큼 큰 무당도 많다고 한다. ※ 강신무와 세습무를 구분하지 않았다.

2. 일반인 사주와 특수격 사주

다음은 수치를 활용하여 일반인의 사주와 특수격에 해당하는 영웅의 사주를 알아 보도록 하겠다. 먼저 子, 午, 卯, 酉는 서로 충이 되는 지지들이고, 1, 4, 7, 이라 는 정수(正數)의 수치를 가진다. 즉 子, 午, 卯, 酉는 절대 다른 수를 가질 수 없 고, 1, 4, 7. 이라는 수(數)만 가질 수 있을 뿐이다. 그 원리는 다음과 같다.

1 子	2 丑	3 寅	**4** 卯	5 辰	6 巳	**7** 午	8 未	9 申	10 酉
11 戌	12 亥	**13** 子	14 丑	15 寅	16 卯	17 辰	18 巳	19 午	20 未
21 申	22 酉	23 戌	24 亥	**25** 子	26 丑	27 寅	28 卯	29 辰	30 巳

위 표는 달력을 의미한다. 음력은 한 달이 30일까지 있다. 따라서 30일의 날짜에 12지지를 대입하면 위 표와 같다.

그리고 각, 지지와 무거운 수를 산출하면 정수 구심점이 나온다. 즉 子는 1, 13, 25의 수치가 나오는데 그것을 구심점으로 환원하면 1, 4, 7이 된다.

다음은 지지와 무거운 수 그리고 정수 구심점에 대한 설명이다.

12지지	무거운 수	정수 구심점
子	1, 13, 25	1, 4, 7.
丑	2, 14, 26.	2, 5, 8.
寅	3, 15, 27.	3, 6, 9
卯	4, 16, 28.	4, 7, 1.
辰	5, 17, 29.	5, 8, 2.
巳	6, 18, 30.	6, 9, 3
午	7, 19.	7, 1.
未	8, 20.	8, 2.
申	9, 21.	9, 3.
酉	10. 22.	1, 4.
戌	11, 23.	2, 5.
亥	12, 24.	3, 6.

위와 같이 각각의 지지는 1부터 12까지의 기본수와 각각의 무거운 수를 가진다.

그리고 10 이상의 수를 구심점으로 환원하면 정수 구심점이라는 수가 나오게 된다. 즉 亥는 12, 24일의 날짜를 가지는데 이를 구심점으로 환원하면 1+2 =3, 2+4 =6으로서 정수 구심점은 3과 6이 된다.

그러면 다시 정수 구심점을 1, 4, 7의 수치와 2, 5, 8의 수치 그리고 3, 6, 9의 수치로 분류를 할 수 있다. 즉 같은 수치가 나오는 12지지를 모으면 다음과 같다.

12지지	무거운 수	정수 구심점
子	1, 13, 25	1, 4, 7.
卯	4, 16, 28.	4, 7, 1.
午	7, 19.	7, 1.
酉	10. 22.	1, 4.

이와 같이 子, 午, 卯, 酉, 그룹은 1, 4, 7이라는 공통의 수로 분류할 수 있다. 즉 子午卯酉는 1,4,7의 숫자 중에서 최소한 두 개 이상의 수를 가진다. 그 외 다른 숫자는 가질 수 없다. 그리고 1+4+7 = 3이라는 최종 수치가 만들어진다. 따라서 **子午卯酉를 대표하는 수는** 3이 되는 것이다.

12지지	무거운 수	정수 구심점
辰	5, 17, 29.	5, 8, 2.
戌	11, 23.	2, 5.
丑	2, 14, 26.	2, 5, 8.
未	8, 20.	8, 2.

이와 같이 辰, 戌, 丑, 未, 그룹은 2, 5, 8이라는 공통의 수로 분류할 수 있다. 즉 辰戌丑未는 2,5,8의 숫자 중에서 최소한 두 개 이상의 수를 가진다. 그 외 다른 숫자는 가질 수 없다. 그리고 2+5+8 = 6이라는 최종 수치가 만들어진다. 따라서 **辰戌丑未를 대표하는 수는** 6이 되는 것이다.

12지지	무거운 수	정수 구심점
寅	3, 15, 27.	3, 6, 9
申	9, 21.	9, 3.
巳	6, 18, 30.	6, 9, 3
亥	12, 24.	3, 6.

위와 같이 寅, 申, 巳, 亥, 그룹은 3, 6, 9라는 공통의 수로 분류가 된다. 즉 寅申巳亥는 3,6,9의 숫자 중에서 최소한 두 개 이상의 수를 가진다. 그 외 다른 숫자는 가질 수 없다. 그리고 3+6+9 = 9라는 최종 수치가 만들어진다. 따라서 **寅申巳亥를 대표하는 수는 9**가 된다.

앞에서 설명했듯이 사왕지(四旺地)에 해당하는 子午卯酉는 1, 4, 7, 외에 다른 수를 가질 수 없고, 사묘지(四墓地)에 해당하는 辰戌丑未는 2, 5, 8, 외에 다른 수를 가질 수 없다. 그리고 사생지(四生地)에 해당하는 寅申巳亥는 3, 6, 9, 외에 다른 수를 가질 수 없다.

또한 子午卯酉는 1+4+7 =12, 1+2 =3, 이라는 등식이 성립한다. 그래서 최종적으로 3이라는 수치가 만들어진다. 辰戌丑未는 2+5+8 =15, 1+5=6, 이라는 등식이 성립하게 된다. 그래서 최종적으로 6의 수치가 생성된다.
寅申巳亥는 3+6+9 =18, 1+8 =9, 라는 등식이 성립한다. 그래서 최종 수치는 9가 된다. 이를 다시 정리하자면 다음과 같다.

$$1, 4, 7, = 3(최종수치) = 天(천품) = 상(上)$$
$$2, 5, 8, = 6(최종수치) = 人(인품) = 중(中)$$
$$3, 6, 9, = 9(최종수치) = 地(지품) = 하(下)$$

한 달에 해당하는 30일의 수치 안에는 이런 원리에 의해서 천지인의 성품이 내포되어 있다. 이 원리를 이용해서 일반인의 보통 사주와 특수격에 해당하는 영웅의 사주를 알 수 있는 것이다. 그리고 정수의 **구심점** 최종 수치(3, 6, 9)에 따라서 성향이 달라진다.

1, 4, 7 (3)=자오묘유=도화기운으로써 인기가 있고 중심적이다.

2, 5, 8 (6)=진술축미=화개, 묘지로써 신중하고 인품이 있다.

3, 6, 9 (9)=인신사해=역마로써 역동적이고 활발하다.

영웅 사주를 찾는 방법은 먼저 구심점의 최종 수치 3, 6, 9에 소속되어 있는 수를 찾는다. 즉 '생월의 수치 + 생일의 수치 = 구심점(운명수)'에서 만약 최종구심점의 수치가 3에 해당한다면 그에 소속된 수치는 1, 4, 7, 뿐이다. 만약 최종구심점의 수치가 6에 해당한다면 그에 소속된 수치는 2, 5, 8, 뿐이다. 그리고 최종구심점이 9의 수치라고 한다면 그에 소속된 수치는 3, 6, 9, 뿐이다.

그래서 순수하게 구심점에 해당하는 수치들끼리만 형성되어 있는 경우를 영웅 사주라고 한다. 반대로 서로 다른 구심점에 소속되어 있는 수치들과 섞여 있는 경우를 일반인의 사주라고 한다. 즉 순수한 기운을 가지고 있으면 영웅 사주이고 다양하게 여러 기운이 섞여 있으면 평범한 사람의 사주라고 본다.

영웅 사주는 어떤 분야에서든 크게 성장할 수 있는 잠재력을 가지고 있으나 반대로 크게 추락할 수도 있다. 그리고 영웅 사주는 공부의 받침이 절대적으로 필요하다. 그리고 일반인의 사주라고 하여 모두 평범하게 살아가는 것이 아니다. 각각의 분야에서 크게 성장한 사주를 보면 일반인의 사주도 많다.

다음은 영웅 사주와 일반인 사주의 예제를 살펴보겠다.

【영웅 사주 예1】故노무현 전 대통령 8월 6일 生

생월의 수치(8) + 생일의 수치(6) = 구심점(5)가 된다.

즉 8, 6, 5의 수치가 나온다.

그러면 3, 6, 9, 정수의 수치 중에서 노 대통령은 생일의 수치에 6이라는 수치가 있으므로 노 대통령의 최종 정수의 수치는 6이 된다. 그리고 최종 수치 6에 소속되어 있는 수는 2, 5, 8, 뿐이다. 따라서 노 대통령의 최종 수치는 6에 해당하고, 그 소속에 5, 8이 있으므로 영웅 사주이다.

다른 최종 수치 3, 9의 구심점에 소속되어 있는 수치와 섞이지 않았다. 즉 최종 수치 3에 소속된 1, 4, 7의 수치나 9에 소속된 3, 9의 수들과 섞이지 않았다. 순수하게 최종 수치 6에 소속된 5, 8의 수치끼리만 모였으므로 영웅 사주가 된다. 최종 수치 6은 인품에 해당하고 인품에 소속된 정수의 수치끼리 모인 사주이다.

【영웅 사주의 예2】 전두환 전 대통령 12월 6일 生

생월의 수치(1+2 =3) + 생일의 수치(6) = 구심점(9) 된다.
즉, 9로서 3, 6, 9의 수치가 나온다
.

따라서 최종 수치의 구심점은 9에 해당한다. 그리고 9에 소속된 정수의 수치는
3, 6, 9, 뿐이다. 그래서 최종 수치의 구심점은 9이고 그에 소속된 정수의 수치
3, 6이 있으므로 영웅 사주이다. 다른 최종 수치의 구심점 3이나 6에 소속되어
있는 수치들과 섞이지 않았다. 순수하게 최종 수치 9에 해당하는 수치끼리만 모
였으므로 영웅 사주가 된다.
최종 수치 9는 지품에 해당하고 지품에 해당하는 정수의 수치 3, 6끼리 모였다.
이처럼 영웅의 사주는 최종 수치에 소속된 수치끼리 모이는 것을 말한다. 그리고
천품, 인품, 지품은 다 같이 영웅 사주를 지칭하는 의미로만 사용될 뿐 특별한
차이를 갖는 게 아니다. 다만 도화, 화개, 역마의 기운을 내포하고 있을 뿐이다.

【일반인 사주의 예1】

음력 7월 26일
생월 7 + 생일(2+6) 8 =15
1+5 = 구심점 6
구심점 6, 즉 7, 8, 6, 수치가 나오고,
최종 수치의 구심점 6에 소속된 정수의 수치는 2, 5, 8, 뿐이다.
그런데 최종 수치 3에 소속되어 있는 7의 수치가 섞여 있다. 즉 최종 수치의 구
심점이 6이므로 그에 소속된 2, 5, 8의 수치로 구성되어 있어야 하는데 최종 수
치의 구심점 3에 소속되어 있는 7의 수치가 섞여 있다.

【일반인 사주의 예2】

음력 11월 25일
생월 11(1+1=2) + 생일25(2+5=7)
2+7= 9(구심점)
9, 즉 2 ,7, 9 수치가 나온다.

최종 수치의 구심점 9에 소속된 정수의 수치는 3, 6, 9 뿐이다.

그런데 수치 2는 최종 수치 6에 소속되어 있는 수이고 7은 최종 수치 3에 소속되어 있다. 따라서 최종 수치 3, 6, 9에 소속된 수치가 모두 섞여 있다. 즉 천품, 인품, 지품의 수치가 모두 섞였다. 그래서 일반인의 사주이다.

영웅 사주의 특징은 크게 성장할 수 있다는 장점이 있다. 어떤 조직이나 단체에서 핵심 역할을 할 수도 있다. 그러나 조건이 따른다. 공부와 노력이 받침이 되어야 한다. 천품, 지품, 인품의 의미는 특별히 차이가 있는 게 아니므로 엄밀하게 구분할 필요는 없다.

영웅 사주는 비운을 겪는 경우가 많다. 즉 크게 성장하지 못하면 크게 추락하는 게 영웅 사주이다. 또한 크게 성공한다고 하더라도 파란만장(波瀾萬丈)한 삶을 살아가게 되는 경우가 생긴다. 따라서 공부의 받침이 되지 못한다면 종교 쪽으로 방향을 바꾸는 게 하나의 방편이 될 수 있다.

3. 궁합 보는 법

일반적으로 사주를 불신하는 사람들도 결혼이나 사업상 동업 같은 중대한 일을 결정하게 될 때는 궁합을 보게 된다. 그리고 궁합이 잘 맞는다면 한평생 부귀영화를 누리면서 행복하게 잘 살 줄 안다. 그러나 궁합이 맞는다고 해서 타고난 사주팔자의 숙명까지 근본적으로 바꿀 수는 없는 것이다.

그러함에도 불구하고 궁합이 중요한 이유가 있다. 궁합은 결혼 당사자 간의 화목을 이끌 수 있어서 서로가 원만하게 결합할 수 있는 요건이 되기 때문이다. 그리고 궁합의 합치 여부는 결혼에만 적용되는 게 아니다. 동업자, 친구, 동료, 스폰서, 일상생활에서 만나는 수많은 사람과 관련이 깊은 게 궁합이다.

궁합에 관한 학설은 다양하다. 예를 들면 육친궁합(六親宮合), 구성궁합(九星宮合), 납음오행궁합(納音五行宮合), 명궁궁합(命宮宮合), 외에도 너무 다양한 궁합의 이론이 존재한다. 따라서 어느 한 가지의 학설만 믿고 궁합을 보게 된다면 오류가 발생할 수밖에 없다. 그래서 가장 많은 오류가 발생하는 분야가 궁합이라고 한다.

사주 명리학자들은 "자신에게 용신(用神)이 되는 상대자를 찾는 게 가장 현명한 방법"이라고 말한다. 그래서 궁합을 보기 이전에 사주를 먼저 봐야 한다는 논리이다. 예를 들어 화기(火氣)가 많은 사람은 상대적으로 수기(水氣)가 부족하므로 조후(調候)를 조절해 줄 수 있는 사람을 만나는 게 좋다는 말이다.

그러니까 궁합이란? 명리학적 관점에서 본다면 남녀의 사주를 음양오행에 맞추어서 서로 균형을 이루도록 하는 것이다. 즉 서로의 길흉을 판단하기 위해 궁합을 보게 되는 것이고, 양측이 잘 어울리고 조화를 이룰 수 있도록 조정해 주는 것이 궁합이다.

그렇다면 궁합이 잘 맞으면 결혼이 쉽게 성사되고 궁합이 잘 맞지 않으면 혼사가 이루어지지 않는 것이냐? 그것은 아니다. 물론 궁합이 잘 맞으면 결혼이 성사될 수 있는 확률이 높을 것이다. 그러나 남녀 간에는 처음 만났을 때의 감정이 작용하게 되어 결혼으로 연결되는 경우가 많다. 남녀가 서로 죽도록 사랑하는 사이인데 궁합이 맞지 않는다는 이유로 결혼을 만류하는 것은 옳지 못하다. 그러한 사이라면 누가 말린다고 해서 사랑이 변하거나 갈라서는 일도 없을 것이다.

결국 궁합이란 처음 만났을 때의 감정보다 살아가면서 작용하게 되는 연결 고리의 역할이 크다고 할 수 있다. 옛날 우리 선조들은 사주와 궁합만 보고서 결혼을 성사시켰다. 그 당시에는 남녀가 부부의 연을 맺기 전까지 단 한 번도 만나 보지 못한 상태에서 결혼이 이루어지는 경우가 많았었다. 그러함에도 불구하고 전혀 모르는 남녀가 서로 가정을 이루고 공감대를 형성하면서 아무 탈 없이 살아올 수 있었다. 그 이유가 바로 궁합에 있는 것이다.

궁합은 일반적으로 띠 궁합을 보는 경우가 많다. 띠로 보는 궁합은 대체로 네 살의 나이 차이를 최고의 궁합으로 본다. 즉 삼합에 해당하는 그룹이다. 寅午戌 그룹, 巳酉丑 그룹, 申子辰 그룹, 亥卯未 그룹으로 분류해서 보는데 이들은 서로 상생하기 때문이다. 서로의 생각이 맞아서 잘 어울린다는 것이다. 반대로 궁합은 원진살(怨嗔煞)을 가장 꺼린다. 원진이란 아무런 이유 없이 상대방을 미워하게 되는 보이지 않는 기운이 작용하게 된다는 살(煞)을 말한다. 다음은 삼합과 원진살에 관한 설명이다.

아래와 같은 삼합의 띠끼리 만나게 되면 서로의 생각과 감정이 잘 맞아서 궁합이 좋다고 본다. 물론 네 살의 나이 차이뿐만 아니라 동갑도 좋게 본다. 삼합은 남녀의 사주를 놓고 년지를 기준으로 해서 본다.

12지	띠	오행 소속
申, 子, 辰	원숭이, 쥐, 용	水
巳, 酉, 丑,	뱀, 닭, 소	金
寅, 午, 戌,	호랑이, 말, 개	火
亥, 卯, 未	돼지, 토끼, 양	木

띠 궁합을 보는 방법은 남녀 또는 동업자나 상하 관계 등 다양한 유형의 관계에 있어서 서로가 반목하지 않고 화합을 할 수 있는지를 살펴보는 방법이다. 실무상으로 많이 활용되고 있는 궁합의 한 방법이다.

먼저 남녀 또는 다양한 유형의 년지를 살펴서 같은 삼합에 해당하면 좋다고 본다. 왜냐하면 정신적인 성향이나 추구하는 방향이 같기 때문이다. 그 다음 해당하는 띠를 중심으로 상하 관계를 확인한다. 상하 관계를 보는 방법은 삼합의 그룹을 순행시키면 된다.

예를 들어 寅午戌 띠를 순행시키면 그 앞에는 巳酉丑 띠가 된다. 그리고 巳酉丑 띠의 앞에는 申子辰 띠가 된다. 또한 申子辰 띠의 앞에는 亥卯未 띠가 된다. 이런 방법으로 계속 순행하다 보면 亥卯未 띠의 앞에 寅午戌 띠가 되돌아오게 된다.

띠 궁합의 이론에 의하면 해당하는 띠를 중심으로 앞에 있는 그룹이 윗사람이 되고 뒤에 있는 그룹은 아랫사람이 된다는 것이다. 그리고 해당하는 삼합의 그룹은 정신적으로 동등하여 추구하는 방향이 같다는 뜻이다. 따라서 같은 삼합끼리는 궁합이 잘 맞는다고 한다.

그 다음 남녀의 궁합을 띠를 기준으로 해서 볼 때는 같은 삼합의 띠가 가장 잘 맞지만 같은 삼합의 띠가 아니라고 하더라도 남자의 띠가 윗사람이 되고 여자의 띠가 아랫사람이 되는 조합이 이루어진다면 그래도 다행이라고 본다. 왜냐하면 여자는 음의 성향이 강해서 잘 참고 복종하는 기질이 있으나 남자는 양의 기운이 강해서 잘 참지 못하고 포기하는 경향이 강하기 때문이다.

띠 궁합에서 가장 좋지 않게 보는 게 여자의 띠가 윗사람에 해당하고 남자의 띠가 아랫사람에 해당하는 경우이다. 이런 유형의 결합이라고 한다면 해로하기 힘들다고 본다. 그러나 궁합에는 띠 궁합만 있는 게 아니다. 겉궁합보다 속궁합을 더 중요시하는 분들도 있다.

어떤 조직이나 직장에서 조직원을 채용할 때도 띠 궁합을 활용하는 경우가 있다고 한다. 예를 들어 어느 회사에서 직원을 채용할 때 사장의 사주와 사원의 사주를 비교해서 사장의 띠보다 윗사람에 해당하는 삼합의 띠가 있으면 채용하지 않는 게 좋다는 뜻이다.

그리고 띠 궁합에 있어서 같은 삼합이나 윗사람 또는 아랫사람에 해당하지 않는 그룹의 띠들은 좋지도 않고 나쁘지도 않게 본다. 즉 이들의 관계는 원칙적이고 계산적인 관계로 본다. 내가 잘해주면 상대방도 잘해주고, 내가 어떻게 하느냐에 달렸다는 것이다. 다음은 원진살에 관한 궁합에 관해서 설명하고자 한다.

원진살이란 아무런 이유 없이 상대방을 미워하게 되는 기운이 작용하게 되므로 궁합이 좋지 못하다고 본다. 즉 가까이 있으면 싸우고 멀리 떨어져 있으면 서로를 추구하는 경향이 있다는 게 원진살이다. 원진살은 남녀의 사주를 놓고 일지와 월지를 기준으로 해서 본다. 만약 남자의 일지가 寅木인데 여자의 일지가 酉金에 해당할 때 寅酉 원진이 된다. 그리고 원진과 귀문은 겹치는 경우가 많고, 함께 흉하게 작용하는 경우가 많다. 다만 귀문은 서로의 격에 있어서 차이가 심하다고 해석하는 경우가 있다. 따라서 귀문 보다 원진살을 나쁘게 보는 경향이 강하다. 서로의 궁합이 원진살에 해당하면 해로하기 힘들다고 본다.

子 ⇔ 未　　쥐는 양의 변이 묻으면 피부가 괴사하여 싫어한다.
丑 ⇔ 午　　소는 말이 일하지 않는 것을 싫어한다.
寅 ⇔ 酉　　호랑이는 첫 닭 울면 사냥을 멈추고 산으로 들어가야 한다.

卯 ⇔ 申　　원숭이 붉은 엉덩이가 토끼의 눈 색과 같아서 싫어한다.
辰 ⇔ 亥　　용은 돼지가 자신의 코와 닮아서 싫어한다.
巳 ⇔ 戌　　뱀이 허물을 벗을 때 개짓는 소리가 방해되어 싫어한다.

위와 같이 삼합에 속하는 그룹은 서로의 생각이나 뜻이 잘 맞아서 궁합이 잘 맞는다는 뜻이고, 원진살에 해당하면 아무 이유 없이 서로 반목한다는 의미이다. 그러나 범위가 너무 넓고 추상적인 면이 강하다. 즉 삼합에 해당하는 띠는 동갑, 4년, 8년, 12년의 나이 차이 등으로 한정하고 있다. 그렇다면 동갑이나 네 살 차이라고 해서 모두 궁합이 잘 맞는 것이냐 하면 그것은 아니다. 그래서 결국 사주를 같이 보게 되는 것이다.

그리고 원진살끼리는 모두 나쁜 관계만 형성되느냐? 그것도 아니다. 수많은 사람 중에서 같은 원진살을 가지고 있다고 하더라도 서로 잘 맞는 사람이 있고, 서로 맞지 않는 사람이 있게 마련이다. 이 세상에 같은 띠를 가진 사람이나 원진살에 해당하는 사람이 얼마나 많겠는가를 생각해 보면 이해할 수 있을 것이다. 결국 나이와 원진살로 보는 궁합은 그 범위가 너무 넓어서 적중률이 낮을 수밖에 없다.

수수리수인작법은 이러한 궁합의 범위를 좁혀 줄 수 있는 효율적인 간명법이다. 수수리수인작법을 공부하는 주된 요인은 궁합을 알아보기 위함이다. 물론 수수리수인작법으로 대운이나 세운과 같은 행운을 볼 수도 있다. 그러나 대운이나 세운의 분석에 있어서 가장 실효성이 있는 학문은 단연코 수리역학 매화역수이다. 하지만 궁합에 관한 이론만큼은 수리역학 매화역수보다 수수리수인작법을 활용해야 적중률이 높게 나타난다. 결국 수수리수인작법의 가장 큰 장점은 궁합을 보는 데 있다. 물론 수수리수인작법 한가지의 이론만으로 궁합을 보라는 게 아니다. 그래서 사주를 공부하는 이유이다. 그러면 수수리수인작법으로 궁합 보는 법을 먼저 알아본 후 궁합과 관련된 이론들을 살펴보고자 한다. 다음은 수수리수인작법으로 궁합을 찾는 방법이다.

■ 궁합의 구심점 구하는 방법

남자의 구심점 + 여자의 구심점 = 두 사람의 평생 궁합의 구심점
남자 생일(日) + 여자 생일(日) = 두 사람의 '**중년 이전**'의 구심점
남자 생월(月) + 여자 생월(月) = 두 사람의 '**중년 이후**'의 구심점

【예시 1】_ 평생, 중년이전, 중년이후 궁합

남자 3월 11일 출생, 여자 11월 10일 출생.
남자의 구심점 : 3+1+1 =**5**
여자의 구심점 : 1+1+1 =**3**
두 사람의 평생 궁합의 구심점 : 5 + 3 =**8**

위 두 사람의 '**평생 궁합**'의 구심점은 8이 된다.
궁합의 구심점 8자는 팔난이라고 하여 어려움이 많을 수 있는 궁합을 말한다. 서로가 상대방 탓을 하면서 원망스러운 마음이 들 수 있다.
팔난 이란? 그만큼 예측하지 못한 사고나 사건이 생길 수 있다는 뜻이다. 따라서 궁합이 그렇다는 사실을 알았다면 서로 이해하고 양보하면서 다른 사람보다 더 넓은 마음을 가질 필요가 있는 것이다. 즉 두 사람의 궁합의 구심점이 8자라고 하여 모두 해로할 수 없다는 것이 아니다. 아무리 좋은 궁합도 이해관계로 첨예하게 대립하다 헤어지는 경우가 있고, 그렇게 나쁘다는 궁합도 특별한 문제없이 살아가는 경우가 있다. 각 궁합의 구심점에도 상급과 하급이 존재하는 것이다.

▸ 중년 이전 궁합
남자의 생일 2일, 여자의 생일 10(1+0)일.
남자의 생일 구심점 2
여자의 생일 구심점 1
두 사람의 중년 이전의 궁합의 구심점 : 2 + 1 =3

위 두 사람의 '**중년 이전**'의 구심점은 3이 되므로 궁합이 잘 맞는다. 궁합 3은 음양의 조화가 잘 이루어지고 서로가 상생하므로 대길(大吉)하다. 그러나 평생 궁합의 구심점이 차지하는 비율이 워낙 높으므로 해당 시기의 궁합은 참고하는 정도로 생각하면 되겠다.

▸ 중년 이후 궁합
남자의 생월 3월, 여자의 생월 11월
남자의 생월 구심점 : 3
여자의 생월 구심점 : 1+1 =2

두 사람의 중년 이후의 궁합의 구심점 : 3 + 2 =5가 된다.

위와 같이 두 사람의 '**중년 이후**'의 구심점은 5가 된다. 궁합 5는 서로가 신뢰할 수 있으므로 부부의 궁합으로서 최상이라고 할 수 있다. 즉 중년 이후의 궁합이 좋다는 의미이다. 그러나 두 사람의 평생 궁합의 구심점이 8자이므로 전체적인 면에서 볼 때 좋은 궁합이 아니다. 즉 평생 궁합의 수치가 50프로 이상을 차지하고, 해당 시기의 궁합은 약 25% 정도로서 미미하다. 따라서 해당 시기의 궁합은 참고하는 정도에 불과하다.

위와 같은 방식으로 궁합의 구심점을 찾는다. 남자의 구심점과 여자의 구심점을 합하여 두 사람의 평생 궁합의 구심점을 찾고 남자의 생일의 구심점과 여자의 생일의 구심점을 합하여 두 사람의 중년 이전의 궁합을 본다. 그리고 남자의 생월의 구심점과 여자의 생월의 구심점을 합하여 두 사람의 중년 이후의 궁합을 보는 것이다.
이런 방식은 남녀의 궁합뿐만 아니라 사업관계, 동업자, 동료, 스폰서, 일상생활에서 만나는 사람과의 관계에서도 자신과 잘 맞는 사람인지 잘 맞지 않는 사람인지 응용할 수 있는 것이다. 즉 이러한 방법을 활용하여 다양한 궁합을 알아볼 수 있다.

1) 궁합의 구심점 1~9 수리에 관한 해석

• 궁합의 구심점 1. 수리에 관한 해석

부부 궁합으로서는 보통이다. 1의 수치는 우두머리의 기질이 강해서 서로 자기의 주장을 내세우게 된다. 따라서 서로 양보하고 이해하는 마음이 필요하다. 그 어떤 수치이든 간에 서로 양보하고 함께 헤쳐나갈 생각을 가진다면 가정의 안정을 취할 수 있을 것이다. 그러나 자기 고집이나 주장만을 펼친다면 고독해질 수밖에 없는 운명에 처하게 된다.

동업자 간의 궁합으로서는 우두머리의 기질로 인해 서로 친밀하기 어렵고 화합하기 어려울 것이다. 그러나 각자의 임무를 명확히 구분 한다면 그렇게 나쁘지 않은 궁합이다. 보통의 궁합에 해당한다.

• 궁합의 구심점 2. 수리에 관한 해석

수치 2는 재물을 뜻한다. 양과 양의 결합(1+1 = 2)으로서 음의 숫자가 만들어졌는데 재물의 측면에서 이로움이 많고, 다만 의견의 대립이 발생할 가능성이 있다. 양과 양의 결합이므로 이별이나 헤어짐의 기운이 담겨 있기 때문이다. 그래도 경제적으로 여유로울 수 있어서 안정적인 가정을 유지할 수 있는 조건이 형성되므로 부부간의 궁합으로서는 좋은 수치로 본다. 따라서 부부가 서로 이해하고 양보하면서 살아간다면 부귀(富貴)할 수 있는 궁합이다.

동업자 관계에 있어서는 많은 재물을 얻을 수 있어서 아주 좋은 수치이다. 그러나 서로 의견 대립이 발생하기 쉽고, 자기 고집이나 욕심이 과하게 되면 이별이나 헤어질 수 있는 요소가 숨어 있는 수치이다. 따라서 상대방에게 베푼다는 마음 자세가 필요한 수치이다. 하나를 베풀면 열을 얻게 된다는 수리가 2수리다.

• 궁합의 구심점 3. 수리에 관한 해석

수치 3은 만사형통, 대성대패(大成大敗), 매사에 대길함을 뜻한다. 가장 좋은 수리로 보는 게 구심점 3 수리이다. 궁합의 구심점 3의 수치는 극단적인 면이 강해서 부부간의 화합이 중요하다. 부부간의 화합이 바탕에 깔리게 된다면 안정적이고 여유로운 가정을 이룰 수 있는 수치이다. 만약 경제적으로 여유롭지 못하다고 하더라도 평생 해로 할 수 있는 수치이다. 그러나 부부간에 집착하거나 불신하게 된다면 극단적으로 추락하여 부부 이별할 수도 있는 수치이다. 궁합이 아무리 좋다고 하더라도 환경의 영향을 무시할 수는 없다. 특히 공방을 뜻하는 6과 6의 결합은 그 영향이 더 크다. 또한 3+9의 결합도 역마의 기운이 있어서 상대방이 밖으로 나돌면서 가정을 돌보지 않는다면 불행을 자초할 수 있는 수치가 된다.

동업자의 관계는 보편적으로 양호하다. 즉 사업상 궁합으로써 ③의 수치는 좋은 수치에 해당한다. 물론 사업의 종류에 따라 조금씩 다를 수 있겠으나 동업뿐만 아니라 동료, 친구 관계도 좋은 작용을 하는 수치가 된다.

• 궁합의 구심점 4. 수리에 관한 해석

수치 4는 죽음과 관련이 있는 수치로서 귀(鬼)가 발동하게 되므로 예측하기 힘든 일이 생길 수 있는 수치이다. 따라서 깜짝 놀랄 일이 생기거나 일이 잘 꼬이고 풀리지 않는 경우가 많다. 남녀가 처음 만났을 때 감정이 좋은 쪽으로 작용했더라도 살아가면서 서로의 생각이 달라지는 경향이 강하다. 특히 4차원적인 생각으로 인해 중년에 불화할 수 있는 수치다. 그리고 구심점 4+9의 결합은 卯申, 원진살까지 겹치게 되므로 그 화가 더 크다. 결국 궁합지수 4는 유시무종의 결과를 초래할 수 있다.

동업 관계는 업종에 따라 달라질 수 있으나 보편적으로 처음에는 좋고 마지막에는 대흉으로 작용할 수 있다. 다만 장례업과 같은 일을 동업으로 한다면 나쁘지 않다. 즉 종교나 죽음에 관한 일에는 좋은 수리다.

• 궁합의 구심점 5. 수리에 관한 해석

수치 5는 구궁도(선천수)의 중앙에 위치하는 수이고, 戊己는 토(土)와 관련이 많다. 따라서 땅이나 건물에 인연이 있는 수치이므로 부동산에 투자하면 좋다. 물론 토가 많은 사주는 식품업도 잘 맞는다고 한다. 남녀의 궁합도 음양의 조화가 잘 이루어지므로 좋은 편이다.

사업궁합 또한 좋은 수치에 해당한다. 특히 부동산과 관련된 업종의 사업에 좋다. 특히 辰土는 물의 창고 또는 만물상이라고 할 수 있어서 인력을 관리하는 일이나 많은 사람을 상대하는 사업에 길하다.

• 궁합의 구심점 6. 수리에 관한 해석

수치 6은 공방살(空房煞)의 기운을 가지고 있는 수치이다. 그래서 부부의 궁합으로서는 그다지 좋은 평가를 할 수 없는 수치다. 따라서 부부간에 살아가면서 많은 이해와 양보가 필요하다. 주말부부나 오랫동안 떨어져서 살게 된다면 해로할 수 있겠으나 보통 사람처럼 일반적인 삶을 살게 된다면 많은 갈등이 유발될 수 있다.

사업궁합 또한 좋지 못하다. 수치 6 자체가 고독함을 내포하고 있으므로 다른 사람과 함께 하는 일보다 혼자서 하는 일이 잘 맞는다.

• 궁합의 구심점 7. 수리에 관한 해석

수치 7은 자수성가(自手成家)형으로서 사업가의 수치이다. 따라서 항상 부지런하고 바쁘다. 그래서 배우자에게 무관심해질 수 있다. 이러한 기운의 작용으로 경제적으로는 여유로울 수 있으나 부부의 문제가 발생할 수 있다. 부부간에 서로 배려하면서 살아야 할 궁합의 수치이다. 남녀의 궁합으로서는 평연(平緣)이라고 할 수 있으나 노년으로 갈수록 좋아지는 궁합의 수치다.

사업궁합은 아주 좋은 궁합에 해당한다. 어떤 일을 하든지 전체적으로 궁합이 잘 맞는다고 본다.

• 궁합의 구심점 8. 수리에 관한 해석

수치 8은 팔난(八難)이라고 하여 여러 가지 일이 꼬이고 잘 풀리지 않는다. 그래서 각종 사건이나 사고가 많은 수치로 본다. 남녀가 처음 만날 때의 좋은 감정으로 결혼하게 된다고 하더라도 살아가는 과정에서 팔난의 기운이 작용하게 되므로 갈등으로 이어질 수 있다. 따라서 부부 궁합으로서는 가장 좋지 못한 수리로 본다. 부부가 서로 종교를 믿거나 시끄러운 소리가 나는 일을 열심히 하면서 정신없이 살아가는 게 좋다. 그래야 해로할 수 있는 수치다. 특히 구심점 8의 수치는 남의 탓을 하지 마라.

사업궁합 또한 그다지 좋지 못하다. 다만 노래방 같은 소리 나는 업종을 같이하거나 교육사업, 부동산과 관련된 일에는 동업이 나쁘지 않다.

• 궁합의 구심점 9. 수리에 관한 해석

수치 9는 역마(驛馬)를 뜻하는 수리다. 원숭이는 활동성이 강해서 집안일보다 밖에서 더 바쁘게 살아간다. 그래도 부부 궁합으로서는 무난한 편이다. 그리고 사업궁합 또한 좋은 편이다.

궁합의 구심점에 대해 정리하자면 보편적으로 수치 2, 3, 5, 7, 9는 부부 궁합에 있어서 길한 수치에 해당한다. 즉 평연(平緣) 이상의 궁합에 해당한다. 그리고 4, 6, 8은 조화가 잘 맞지 않아서 흉으로 작용하는 게 많다. 하지만 부부가 서로 양보하고 이해하면서 화합을 도모한다면 모두 백년해로할 수 있는 것이다. 결국 부부가 헤어지는 원인을 보면 이해관계의 대립이나 어느 한쪽의 실수가 원인이 되는 경우가 많다. 즉 궁합보다 서로의 마음이 중요한 것이다.

2) 부부 궁합의 풀이 사례

남자의 구심점 3 + 여자의 구심점 5 = 8의 경우 각 개인의 구심점은 좋은 역할을 할 수 있다. 그러나 남녀 간의 조화가 맞지 않게 되므로 부부생활에 어려움을 예상할 수 있다.

남자의 구심점 4 + 여자의 구심점 8 = 3의 경우 각 개인의 구심점은 죽음과 관련된 수치이거나 팔난의 수치로서 어려움이 예상되는 수치이다. 그러나 두 사람이 만나서 조화가 잘 된 수치가 되므로 부부 궁합이 좋다.

결국 좋은 수치나 나쁜 수치를 떠나서 누구를 어떻게 만나느냐에 따라서 인생의 길흉이 엇갈리게 되는 게 궁합이다.

그렇다면 부부 궁합이 좋지 못하다고 해서 이혼이나 사별을 겪는 등 불행한 일만 생기게 되느냐? 그것 또한 아니다. 만약 결혼했다면 서로 이해하고 양보하는 삶을 살아가게 된다면 큰 문제가 없을 것이다. 즉 부부 갈등이 생기는 원인을 서로 이해하고 다른 부부보다 더 화합하고 인내하는 삶을 살게 된다면 충분히 해로할 수 있을 것이다.

궁합을 볼 때는 어떤 한 가지 이론으로만 볼 게 아니라 먼저 사주를 살펴서 그 사람이 어떤 삶을 살아가게 될지 알아보는 게 우선이다. 사주가 한쪽으로 치우쳐서 나쁜데 궁합이 좋다고 하여 모든 일이 잘 풀리게 된다는 논리는 맞지 않는다. 그리고 다양한 궁합 이론들이 서로 충돌 하는 때도 있다. 이럴 때는 어느 특정 이론을 비판하지 말고 자신에게 잘 맞는 이론을 활용하는 게 좋다. 실무상으로 띠 궁합만 가지고 상담을 하는 분들도 있다.

3) 기타 궁합 이론

궁합은 크게 나누면 구궁(九宮) 궁합법, 납음오행(納音五行) 궁합법, 신살(神殺) 궁합법, 사주(四柱) 궁합법 등이 있다. 그 외에도 다양한 궁합법이 존재하고 있으나 본 저서에서는 논하지 않겠다. 따라서 궁합은 어느 하나의 이론만 믿고 섣불리 궁합을 보게 된다면 오류가 발생할 가능성이 매우 크다. 그래서 본 저자는 수수리수인작법을 기본 바탕으로 삼고, 부수적으로 현대적 의미의 사주 궁합론을 활용한다.

현재 학자들은 사주 궁합법을 활용해서 궁합을 보는 게 보편화되어 있다. 물론 신살 궁합법 등 다양한 궁합법을 활용하는 학자도 있다. 그러나 대부분 사주 궁합법을 활용하는 게 일반적이다. 하지만 이런 논리로 궁합을 본다는 게 결코 쉬운 일이 아니다. 용신을 찾는 게 어렵고 이런 유형처럼 딱 맞아떨어지는 사주가 별로 없기 때문이다. 따라서 수수리수인작법을 활용하게 되면 쉽고 편리할 뿐만 아니라 오류의 범위에서 어느 정도 벗어날 수 있는 방편이 된다.

또한, 궁합에서 월지를 중요하게 보는 이유는 월지가 혼인궁(婚姻宮)에 해당하기 때문이다. 즉 일지는 배우자 궁에 해당하고 월지를 혼인 궁으로 보기도 한다. 따라서 월지와 일지가 刑, 沖, 破, 害을 하게 되면 결혼이 늦을 수 있고, 또한 결혼 이후의 가정생활도 순탄하기 힘들다.

실무상으로 궁합을 볼 때는 가장 먼저 두 사람의 일지가 합이 되는지 충이 되는지를 본다. 일단 합이 되면 두 사람이 잘 맞는 관계로 볼 수 있고, 刑,沖이 되면 불안 요소로 본다. 그렇다고 해서 처음부터 서로 잘 맞지 않는다는 뜻이 아니라 서로 좋아하는 감정으로 출발하더라도 살아가는 과정에 뜻하지 않는 일이 생겨 갈등으로 이어질 수 있다는 뜻이다.

그리고 일간을 보는데 두 사람의 일간이 정관과 정재로 만나게 될 때는 가장 이상적인 만남이라고 한다. 즉 사주 상으로 남편과 부인의 만남이 되기 때문이다. 이런 관계는 서로 위치가 바뀌더라도 무방하다. 결국 궁합을 보는 이론은 다양할 수밖에 없고 오류를 줄이기 위해서는 한 가지 이론만 활용해서는 안 된다. 따라서 수수리수인작법과 사주의 궁합 이론을 같이 활용하는 게 좋다.

3장 수인작법

1. 수인작법의 개요

"과거지사를 알려고 하면 年, 月, 日, 時를 헤아려 볼 것이며, 미래를 보고자 함은 거꾸로 되짚어라."

이 말의 의미는 과거의 운명과 미래의 운명을 분류하는 기준을 제시하는 것으로서 과거의 운명을 알아보기 위해서는 년, 월, 일, 시를 기준으로 간명해야 하고, 미래의 운명을 알아보기 위해서는 태어난 시(時)를 기준으로 간명해야 한다는 뜻이다. 그만큼 수인작법은 태어난 시간을 중요시한다. 따라서 태어난 시간을 모르면 수인작법으로 운명을 판단할 수 없다.

수인작법은 사람이 태어나면서 어떤 호흡을 했는가? 즉 첫 호흡을 기준으로 운명을 간명하게 된다. 이것을 시운법(時運法)이라고 하는데 태어난 時를 기준으로 하여 알고자 하는 해의 운세와 그리고 달의 운세(運勢) 또는 일진의 운을 풀어보는 방법이다. 그래서 년.월.일.시를 기준으로 간명하는 사주학의 간명법과는 조금 차이가 있다. 결국 수인작법은 사람이 태어난 생년, 생월, 생일, 보다는 태어난 생시를 정확히 알아야 운명의 간명이 가능하다. 다음은 수인작법으로 운수를 보는 법에 관해 수장도로 설명하겠다.

<수인 운수 작법 수장도>

巳 우환수	午 귀인수	未 원행길수	申 지연수
辰 파산수			酉 문서 길수
卯 불길수			戌 손재 구설수
寅 변동길수	丑 호사다마	子 귀인	亥 신병수

2. 자리에 따른 운의 해석

子 = 귀인(貴人)

귀인을 만나는 운수이다. 상봉수(相逢數)라고 하는데 이 운이 오게 되면 미혼자는 결혼할 수 있다. 물론 귀인을 만나는 해이므로 좋은 배필을 만나게 된다. 사업가는 좋은 동업자를 만나거나 사업에 도움이 될 수 있는 직원을 채용할 수도 있다. 귀인은 나이와 직업에 따라 각각 의미가 다르다.

이 운에는 귀인으로 인해 신변에 변동이 일어나게 된다. 사업가는 동업을 할 수도 있고, 직장인은 직장의 변동으로 좋은 동료를 만날 수도 있다. 따라서 이 운이 오는 해에는 변화, 변동이 길(吉)의 작용을 한다.

丑 = 호사다마(好事多魔)

좋은 일에 마가 낀다는 뜻이다. 그래서 대(大) 운세는 좋다고 하더라도 관재구설이나 작은 사건, 사고와 같은 일이 생겨서 상처를 입게 된다는 의미이다. 따라서 사업가는 금전 관계에 신중할 필요가 있고, 일반인은 보증 같은 금전거래에 신중해야 할 필요가 있다.

그리고 관재구설이 따를 수 있으니 언변을 조심하고, 축액성(丑厄星)이므로 질병에 노출될 수도 있으니 건강관리에 신경 써야 할 것이다. 따라서 여름철에는 물을 조심하고 겨울에는 불조심해야 하는 등 각종 사건 사고를 조심해야 한다.

寅 = 변동(變動) 길수(吉數)

천권성으로 권력이 있다. 이 운에는 변동 길수(吉數)라고 하여 여행, 출장, 이사, 같은 변화, 변동이 생기게 된다. 이 운에 이사나 여행 같은 변화, 변동은 길하게 작용을 한다. 그리고 호랑이는 역마를 대표하는 동물이므로 변화가 많은 해가 될 수 있다. 따라서 팔리지 않던 부동산 매매나 계약 같은 일도 생길 수 있다.

卯 = 불길

卯는 불길수와 천파성에 해당한다. 이 운이 도래하게 되면 모든 게 자기 마음에 들지 않고 안정되지 않는다. 회사원은 회사에서 퇴출당할 우려가 있고, 불안한 마음에 스스로 사표를 내기도 한다. 이런 운을 피하는 방법은 복지부동(伏地不動), 요지부동(搖之不動)이다. 절대 움직이지 말고 현재 상태를 유지해야 한다.
또한 卯는 도화의 작용을 하여 남녀 환란 수라고 한다. 그래서 이성의 문제도 발생하는 경우가 있다. 이별할 수도 있어서 남녀 간에 헤어지는 아픔도 따를 수 있고, 이성으로 인한 고통이 따른다. 따라서 성급한 행동을 자제하고 여유로운 마음으로 관망하면서 한 해를 보내야 한다.

辰 = 파산

구부득고(求不得苦), 원하는 것을 구하지만 얻지 못해서 겪는 고통으로 성취하지 못하는 괴로움을 말한다. 이 시기에는 능력이 있는 사람도 제대로 능력을 발휘하지 못하고 모든 면에서 실적과 능률이 저하된다. 따라서 창업이나 개업은 절대금물이다. 부부는 갈등이 생길 수 있고, 건강하던 사람도 질병에 노출될 위험이 있다. 따라서 현재 상태를 유지하는 게 좋다.

巳 = 우환(憂患)

이 시기는 패운(敗運)의 마지막 고비로서 흉 운이 서서히 사라지고 점차적(漸次的)으로 기운을 회복한다. 따라서 그다지 나쁜 운은 아니다. 고생 끝 행복이 시작하는 운이기 때문이다.
그리고 천문성이므로 문서 운이 발동하게 된다. 하지만 생시(生時)가 申,酉,戌,亥, 생은 망신이 있는 문서가 되므로 문서를 취할 때 신중해야 한다. 사기를 당하거나 이득이 없는 문서가 될 것이다. 그 외의 時에 태어난 생들은 문서적인 면에서 이로움이 있다.

午 = 귀인(貴人)

천복성이다, 이 시기에는 모든 형국이 자신을 도와주는 방향으로 바뀐다. 다만 귀인은 자만심을 꺼린다. 그래서 거만하거나 불손한 행동을 취하게 되면 귀인은 떠난다. 따라서 겸손이 귀인을 상봉하는 길이므로 항상 겸손한 태도를 보이는 게 최대의 미덕이다. 이 시기에는 돈 빌리러 오는 사람도 귀인이 될 수 있다.

그러나 노인과 환자에게는 귀인이 저승사자가 될 수 있다. 그리고 나이에 따른 운에서 팔난이나 파재(破財) 운에 봉착하게 되면 귀인이 아니라 도둑으로 변할 수 있다. 즉 팔난은 8자 운이고, 파재 운은 4자가 되는 해를 말한다.

未 = 원행수

천역성이다. 이 시기에는 원행(遠行) 수가 발동되는 시기이니 직장에서 멀리 지방으로 발령이 나거나 이사를 하더라도 경사가 되는 운이니 길하다. 즉 먼 곳으로 이동을 할 수 있는 운이다. 따라서 이 시기에는 먼 곳에 여행을 떠나보는 것도 좋다.

그러나 이 운에도 나이의 운이 팔난이나 파재(破財) 운에 해당하게 되면 봉변수로 바뀐다. 따라서 남과 시시비비(是是非非)를 피해야 하고 늦은 귀가나 만취하는 일이 없도록 주의해야 한다.

申 = 지연수

이 시기에는 모든 일이 지연되는 시기로서 안 된다는 뜻이 아니고 일이 늦춰진다는 뜻이다. 따라서 일이 지연되는 것을 자연스럽게 받아들이고 다음을 위하여 기다리는 미덕을 가져야 한다. 서두른다고 하여 신통한 결과가 나오는 것도 아니다.

그리고 이 시기에는 申酉戌亥 생을 제외한 나머지 시생(時生)들은 모두 망신살이 발동하게 되니 이에 해당하는 시생들은 항상 조심해야 한다.

酉 = 문서변동

이 시기에는 문서가 변동하는 시기로서 그동안 지연되었던 문서가 있다면 이 시기에 성취할 수 있다. 박사학위 취득이나 결혼신고, 출생신고, 사망신고, 각종 공문서 등이 이에 해당한다. 그래서 좋은 문서를 취득할 수도 있으나 사망신고서와 같은 불행한 문서도 발동할 수 있다.

이 시기에는 문서를 꼼꼼히 챙겨야 한다. 구두 계약을 피하고 문서로서 일을 진행하면 좋다. 그리고 酉는 닭으로서 천인성이므로 꼭꼭꼭 확인해야 한다. 그래야 사기나 탈재를 면할 수 있다.

戌 = 손재수

이 시기에는 손재와 구설이 따르는 시기다. 따라서 남의 빚보증이나 사채업은 맞지 않는다. 돈이 빠져나간다. 戌은 천예성으로서 재주도 많고 놀기도 잘하나 지출이 심할 수 있으니 돈 관리에 신경을 써야 한다. 개처럼 밥그릇에 민감한 동물은 없다. 이 운이 오게 되면 적금을 깨는 경우가 발생할 수도 있다.

亥 = 신병수

천수성이다. 이 시기에는 몸에 질병이 생기기 쉽다. 따라서 이 시기에는 상문이나 조문을 삼가는 게 좋다. 또한 이 시기에는 교통사고와 같은 사건 사고도 조심해야 한다. 노인과 환자는 사망할 수도 있는 운이다. 따라서 이 시기에는 자중자애(自重自愛)의 필요성이 있다.

3. 수인작법의 활용법

시운법으로 운세 보는 작법

수인작법은 연운(年運)은 1년을 관장하므로 인간의 삶에 크게 작용한다. 월운(月運)은 30일을 관장하고 있으므로 영향력이 30일 기간 동안 미친다. 일운(日運)은 하루의 운세로서 24시간 중에서 절반에 해당하는 12시간은 잠으로 소비하고 나머지 12시간이 삶에 작용하게 된다. 그리고 시운(時運)은 각각의 시간에 들어오는 운이므로 2시간 간격으로 운이 바뀌게 된다. 따라서 길운(吉運)으로 작용할지, 흉운(凶運)으로 작용하게 될지는 시간에 따라 달라진다.

그리고 운의 영향력은 연운, 월운, 일운, 시운의 차례 순으로 크기가 정해지지만 일운과 시운도 당 일날 계약을 체결하거나 중요한 일을 처리하게 될 때는 그 시간대에 따라서 중요성이 달라진다. 즉 1년을 관장하는 年運이 그해의 운을 크게 좌우한다고 볼 수 있으나 중요한 일을 결정할 때는 일운과 시간을 고려할 필요가 있다.

남자의 운세는 순행(順行)으로 보고, 여자의 운세를 볼 때는 역행(逆行)으로 수장도를 짚는다. 수인작법에서 나이를 헤아릴 때는 어떤 자리가 되었든 수장도의 자리를 불문하고 해당하는 자리를 1의 수치로 하고, 한 바퀴를 돌아서 다시 그 자리에 오게 되면 13의 수치가 된다. 다음은 연령의 순회표이다.

1회 ‣ 13세
2회 ‣ 25세
3회 ‣ 37세
4회 ‣ 49세
5회 ‣ 61세
6회 ‣ 73세
7회 ‣ 85세
8회 ‣ 97세

위와 같이 예를 들어 인시생寅時生 37세라고 한다면 수장도 인寅의 자리가 1의 수치가 되고, 한 바퀴를 돌게 되면 다시 寅의 자리가 13세, 2회전을 하면 25세, 3회전을 하면 37세, 5회전을 하면 61세가 되어 다시 寅의 자리가 되는 것이다.

수인작법은 반드시 **'태어난 시간'**을 기준으로 한다.
즉 태어난 시간이 출발점이 된다. 이를 **'시운법(時運法)'**이라고 하는데 근묘화실

(根苗花實)론을 주장하는 명리학의 이론과 차이가 있다.

그래서 수인작법은 태어난 시간을 모르면 간명할 수 없다. 수인작법은 각각 태어난 시간을 기준으로 해서 나이, 월, 일, 시간, 순서로 미래의 운을 확인해 나가는 간명법이다.

【예시1】 남자 19세 亥時 生 › 1월 13일 子時의 운

왼손 수장도를 이용하여 해시(亥時)의 자리에서 1세부터 출발하여 19세까지 순행으로 회전하여 짚어나간다. 그러면 巳 우환에 해당하는 자리가 된다.

그 다음 巳의 자리에서 1월까지 순행한다.

모든 수치는 출발하는 자리가 1의 시작점이므로, 巳의 자리에서 1월은 그대로 巳의 자리가 된다. 따라서 우환에 해당하는 자리가 된다.

그 다음 巳의 자리에서 13일을 다시 짚어나간다.

그러면 巳의 자리를 기준으로 1일부터 출발하여 다시 巳의 자리에 되돌아오면 다시 巳의 자리가 된다. 따라서 우환의 자리가 된다.

그 다음 巳의 자리에서 子時부터 짚어나가면 다시 巳의 자리가 된다. 따라서 이 남자의 19세, 1월, 13일, 子時의 운은 다음과 같다.

19세   1월   13일   子時
巳   巳   巳   巳

19세(년운), 巳, 우환수 › 패운(敗運)의 마지막 고비로서 凶運은 서서히 사라지고 희망이 시작되는 해이다. 다만 申,酉,戌,亥時에 태어난 사람들은 문서적인 면에서 불리할 수 있으니 계약체결이나 문서적인 면에 주의가 필요하다. 그 외 다른 시간에 태어난 사람들은 문서에 이로움이 있다.

1월(월운), 巳, 우환수 › 年運이 우환이면서 1월의 운까지 우환수이다. 따라서 年運의 작용력이 더 크다고 볼 수 있다. 즉 문서에 이로움이 있는데 申,酉,戌,亥時에 태어난 사람들과 문서에 망신이 될 수 있으므로 주의가 필요하다.

13일(일운), 巳, 우환수 › 年運과 月運이 우환수이면 13일의 운까지 우환수이다.

따라서 년운의 영향력이 크게 나타날 수 있다.

子時(子時운), 巳, 우환수 › 년운, 월운, 13일의 운, 그리고 子時의 운까지 우환수이다. 따라서 문서 계약을 체결할 때는 申,酉,戌,亥時에 태어난 사람들 외에 다른 시간에 태어난 時生들은 모두 좋은 시간이 된다.

이 사람의 경우 한 해의 운수가 우환수로 나왔다. 그뿐만 아니라 월운, 일운, 자시의 운까지 모두 우환수가 나왔다. 따라서 현재 처해 있는 시간을 안전하게 넘기게 된다면 시간에 따라 운은 다시 달라질 것이다.
그래서 현재의 운이 좋지 못하다고 하더라도 절대적으로 그 운에 의지할 필요는 없다. 현재의 운과 미래의 운까지 종합적으로 살펴보고 난 후 운세를 판단하는 것이 마땅하다. 시간은 항상 변하게 되어 있으므로 나쁜 운에서는 안정을 취하고 좋은 운에 적극적으로 활동하는 게 좋다.

【예시2】남자 34세 丑時 생, 3월 15일 巳時의 운

년年은 丑의 자리를 1세로 출발해서 시계방향으로 수장도를 34세까지 짚어나간다. 다시 설명하면 2바퀴 돌고 戌의 자리가 34세가 된다. 즉, 1회전을 하게 되면 13세가 되고, 2회전은 25세(축)가 되고 26세(寅) 27세(卯)순으로 돌면 34세(戌) 자리가 된다.

월月은 戌의 자리를 1월로 해서 시계방향으로 亥(2월), 子까지 짚어나가면 子의 자리가 (3월)이 된다.

일日은 子의 자리를 1일로 해서 다시 시계방향으로 15일까지 세다 보면 寅의 자리가 15일이 된다.

시時는 寅의 자리에서는 子時부터 출발하여 시계방향으로 수장도를 巳時까지 순행시키면 未의 자리가 나온다.

결과 丑時생, 남자의 34세, 3월 15일, 巳時의 운은 다음과 같이 정리할 수 있다.

34세   3월   15일   巳時
戌   子   寅   未

巳 우환수	午 귀인수	→ 未 巳時	申 지연수
辰 파산수			酉 문서 길수
卯 불길수			戌 **34세 /도착**
寅 ↑ **15일**	← 丑(1세) 출발	← 子 3월	亥 ↓ 신병수

34세(년운), 戌, 손재 구설수 : 전체적으로 1년의 운은 손재수이므로 재물이 빠져 나갈 수 있다. 그리고 관재구설이 따를 수 있으니 검소한 생활이 필요하고 타인의 일에 간섭하지 않는 게 좋다.

3월(월운), 子, 귀인 상봉수 : 1년의 운은 손재수이나 3월의 운만큼은 귀인을 상봉할 수 있는 좋은 운이다. 따라서 1년의 전체 운은 좋지 못하나 3월의 운은 좋다. 그래서 3월에 만나는 사람과의 관계는 좋을 수 있고, 귀인이 왔으므로 겸손하게 행동하면 좋다. 그렇지만 年運이 좋지 못하므로 3월의 운도 크게 좋아지지 못한다. 결국 수인작법의 시운법은 년운이 가장 크게 영향을 미친다.

15일(일운), 寅, 변동 길수 ᐧ 3월에 귀인이 와서 변동할 수 있는 일이 생기게 되고, 일운이 변동에 좋은 운이므로 변동하는 게 좋다. 따라서 적극적으로 변화, 변동을 하는 게 좋다. 그러나 年運이 좋지 못하므로 항상 단시간 동안에 순간적으로 좋아 질뿐이라는 사실을 알아야 한다.

巳時(巳時운), 未 원행 길수 ᐧ 巳時의 시간은 먼 곳에서 좋은 일이 생길 수 있는 운이니 멀리 가는 것도 좋다. 다만 巳時에 해당하는 두 시간에 불과할 뿐이다.

【예시3】여자 64세 巳時생 ∙ 9월 5일 寅時의 운

여자의 운을 볼 때는 수장도를 '**역행**'해야 한다. 출발의 기준은 남녀를 구분하지 않고 태어난 '**시간을 1세**'로 해서 출발한다. 따라서 巳를 1세로 해서 출발하게 되면 64세는 寅의 자리가 된다. 즉 64세의 운은 변동길수가 된다.

그다음 寅의 자리를 1월로 해서 9월까지 역행한다. 그러면 午의 자리가 된다. 따라서 9월의 운은 귀인 상봉수가 된다.

그 다음 午의 자리를 기준으로 해서 1일부터 5일까지 역행 한다. 그러면 寅의 자리가 된다. 따라서 5일의 운은 변동길수 이다.

그 다음 寅時의 운을 보고자 할 때는 寅의 자리를 기준으로 子時부터 출발하여 역행한다. 그러면 子의 자리가 된다. 즉 寅時의 운은 귀인 상봉수이다. 사시에 출생한 여자, 64세, 9월, 5일, 寅時의 운을 정리하면 다음과 같다.

64세 9월 5일 寅時
寅 午 寅 子

巳(1세) 출발 ↓	午 ← 9월 도착	未 원행길수	申 지연수
辰 파산수			酉 문서 길수
卯 불길수			戌 손재 구설수
寅 ↓ 64세 / 5일	丑 호사다마	→ 子 寅時	亥 신병수

64세(년운), 寅, 변동길수 ∙ 위 여자의 64세 때의 운은 변동길수이다. 따라서 어떤 변화, 변동을 할 수 있는 일이 생기면 과감하게 변화하는 게 좋다. 변동길수는 역마와 관련이 있으므로 이사를 할 수도 있다.

9월(月운), 午, 귀인상봉수 › 년운이 변동길수 인데 월운도 귀인 상봉수로서 좋다. 따라서 굳이 날짜나 시간의 운까지 볼 필요는 없다. 이런 경우라면 모든 일이 잘 풀린다고 해석한다.

5일(日운), 寅, 변동길수 › 년운과 월운이 길운이므로 일운이 좋지 못하다고 하더라도 크게 영향을 받지 않는다. 그런데 일운까지 좋으므로 정말 좋은 운이라고 할 수 있다.

寅時(時운), 子, 귀인상봉수 › 년운과 월운 그리고 일운까지 좋은데 좋은 시간까지 잡을 수 있다면 실패를 최소한으로 줄일 수 있을 것이다. 즉 수인작법은 년운에 대해서는 하늘의 뜻이므로 마음대로 정할 수 없으나 월운이나 일운 그리고 시간은 사람이 마음대로 변경할 수 있다.

4. 나이로 띠를 알아보는 작법

수인작법으로 사람의 나이와 띠를 알아보는 방법이 있다. 먼저 나이로 무슨 띠에 해당하는지 알아보기 위해서는 해(歲)의 자리에서 역행으로 해당하는 나이까지 짚어 보면 바로 알고자 하는 띠가 나온다. 만약 2023년 癸卯년에 어떤 사람의 나이로 띠를 알고자 할 때는 卯의 자리에서 역행하는 것이다.

사람의 나이나 띠를 알아내는 방법은 남녀를 구분하지 않고 역행한다.

즉 지지에 해당하는 띠는 12띠가 있으니까 어떤 자리이든 해당하는 자리에서 1회전 하면 13세이고, 2회전 하면 25세이고, 3회전 하면 37세이고, 4회전 하면 49세이고, 5회전 하면 61세이고, 6회전 하면 73세이고, 7회전 하면 85세가 된다.

그리고 천간을 알아보고자 할 때는 천간은 10개가 있으므로 어떤 자리이든 해당하는 자리에서 역행하여 1회전 하면 11세이고, 2회전 하면 21세이고 3회전 하면 31세이고, 4회전 하면 41세이고 5회전 하면 51세이고 6회전 하면 61세이고 7회전 하면 71세가 된다. 만약 2023년 癸卯년에 어떤 사람의 나이로 천간을 알아보고자 할 때는 癸의 자리에서 역행하는 것이다.

<table>
<tr><td colspan="2">■ 12지지_띠</td><td colspan="2">■ 10 천간</td></tr>
<tr><td>1회</td><td>▸ 13세</td><td>1회</td><td>▸ 11세</td></tr>
<tr><td>2회</td><td>▸ 25세</td><td>2회</td><td>▸ 21세</td></tr>
<tr><td>3회</td><td>▸ 37세</td><td>3회</td><td>▸ 31세</td></tr>
<tr><td>4회</td><td>▸ 49세</td><td>4회</td><td>▸ 41세</td></tr>
<tr><td>5회</td><td>▸ 61세</td><td>5회</td><td>▸ 51세</td></tr>
<tr><td>6회</td><td>▸ 73세</td><td>6회</td><td>▸ 61세</td></tr>
<tr><td>7회</td><td>▸ 85세</td><td>7회</td><td>▸ 71세</td></tr>
</table>

위와 같은 방법으로 간지(干支)를 분류해서 찾는데 먼저 천간은 해당하는 천간(天干)의 자리를 기준으로 역행하고, 지지(地支)는 같은 방법으로 해당하는 지지(地支)의 자리를 기준으로 역행해서 찾는다. 다음은 나이로 띠를 알아보는 수인작법의 수장도와 예시를 통해서 설명하고자 한다.

<나이로 띠를 알아보는 수인작법 수장도>

巳 (丁)	午 (戊)	未 (己)	申 (庚)
辰 (丙)			酉 (辛)
卯 (乙)			戌 (壬)
寅 (甲)	丑	子	亥 (癸)

나이로 띠를 알아보는 수인작법의 수장도를 보는 방법은 12지지의 자리는 사주의 수장도와 같다. 그리고 천간은 10천간이므로 寅의 자리에서 甲이 시작하여 亥의 자리에서 癸로 끝난다. 나머지 子,丑의 자리는 공석이 되는 것이다.

【예시 1】癸卯년에 62세의 띠를 알고자 할 때.

먼저 지지의 띠를 찾고 그다음 천간을 찾는다. 금년이 癸卯년 이므로 卯를 기준으로 해서 역행으로 출발한다. 즉 卯를 1세로 하여 역행으로 수장도를 회전시키면 62세의 자리는 寅띠가 된다.

그런데 이런 방법으로 계산하면 시간이 오래 걸리므로 위에서 설명한 것처럼 수장도를 1회전 시키면 13세가 되고 2회전 하면 25세가 되고 3회전 하면 37세가 되는 원리를 이용해야 한다.

천간을 찾는 방법은 癸卯년이므로 천간의 癸를 1세로 하여 수장도를 역행하면 62세는 壬이 된다. 따라서 62세는 壬寅 생이 된다. 위에서 설명한 것처럼 천간은 10개이므로 수장도를 1회전 하면 11세가 된다,

따라서 나이로 무슨 띠에 해당하는지 알아보기 위해서는 먼저 그 해(歲)가 어느 해인가를 알아야 한다. 그리고 그 자리를 기준으로 해서 수장도를 역행하면 된다. 간단한 방법이지만 이러한 원리를 아는 사람은 많지 않다.

5. 수수리수인작법 요약

수수리수인작법의 특징은 '구심점 1부터 9까지'의 수리와 '작용수 1부터 12까지'의 수리를 활용해서 개인의 특성을 추명(推命) 하는 것이다. 물론 개략적(概略的)으로 추정할 수 있을 뿐 구체적이지는 않다. 그러나 충분히 이해한다면 상담을 할 때 통변의 활용에 많은 도움이 될 수 있을 것으로 믿는다.

1편 수수리수인작법의 가장 중요한 관점은 궁합이다.

궁합의 이론은 다양하고, 보는 법도 달라서 오류(誤謬)의 발생 확률이 매우 높은 게 사실이다. 그런데 수수리수인작법의 궁합법은 쉽고 간편하다는 장점이 있다. 즉 남자의 구심점과 여자의 구심점을 비교해서 간단하게 분석할 수 있다.

남녀 간의 궁합은 죽음을 의미하는 4의 구심점, 공방을 의미하는 6의 구심점, 팔난을 의미하는 8의 구심점을 제외하면 나머지 구심점은 비교적 좋다고 본다. 특히 2의 구심점, 3의 구심점, 5의 구심점은 다른 구심점에 비해 긍정적으로 본다. 그러나 사업 동업자의 구심점은 7의 구심점이 좋을 것이고, 업종별로 장례업 같은 사업을 같이하게 된다면 4의 구심점도 나쁘지 않을 것이다. 따라서 수수리수인작법으로 궁합에 관한 공부를 철저히 하게 된다면 특별히 사주를 모르더라도 상담이 가능할 것이다.

제2편 수리역학 매화역수는 행운에 관해서 전문적으로 연구한 학문이다.

따라서 12운성의 이론이나 십이신살의 이론보다 훨씬 적중률이 높고 효율적이다. 수수리수인작법에서 주장하는 시운법을 간략하게 설명하였는데, 시운법은 계약이나 중요한 날짜 등 택일할 때 유용하게 활용할 수 있다. 또한, 그다지 어렵지 않으므로 철저히 학습한다면 통변에 많은 도움이 될 것이다.

그리고 수인작법을 활용하여 사람의 나이로 무슨 띠에 해당하는지 알아보는 방법을 간략하게 기술하였다. 상담사들이 실전에서 많이 활용하는 방법이므로 철저한 이해가 필요하다고 생각한다.

결국 수수리수인작법의 장점은 **첫 번째** 궁합을 보는 방법이다. 물론 궁합을 볼 때는 사주를 먼저 살펴봐야 하겠지만 수수리수인작법을 병행하게 된다면 더 효율적으로 궁합을 볼 수 있을 것이다. 수수리수인작법의 궁합 보는 법은 남녀의 궁합뿐만 아니라 다양하게 활용할 수 있는 장점이 있다.

두 번째 시운법을 활용하여 해당하는 해의 운을 살펴보고 계약이나 택일 같은 날짜를 잡을 때 활용하는 게 좋다. 물론 택일이나 중요한 계약과 같은 날짜를 확정하기 위해 다양한 방법들이 동원되고 있으나 시운법처럼 쉽지 않고 실효적이지 못하다고 생각한다.

그리고 수수리수인작법은 어디까지나 제2편 수리역학 매화역수를 공부하기 위한 기초과정이라고 생각하면 되겠다. 왜냐하면 사람의 운명을 추명하기 위해서는 반드시 행운에 관한 지식이 필요한데 행운에 관한 전문적인 학문이 바로 수리역학 매화역수이기 때문이다.

수리역학 매화역수의 행운에 관한 간명법은 일반적인 사주의 차원을 넘어서 깊이가 심오하다고 생각한다. 물론 수리역학 매화역수의 근원이나 발전 과정이 불투명해서 이를 비판하는 학자도 있을 수 있다.

그러나 이 학문만큼 행운에 관한 전문적인 간명법은 존재하지 않는다고 자부한다. 그만큼 적중률이 높은 학문이다. 다만 술수를 논하는 학문이므로 발원의 원천이나 근거를 찾을 수 없다는 점이 아쉬울 뿐이다.

따라서 논리를 따지지 말고 실용적인 차원에서 제2편에서 논하게 되는 수리역학 매화역수를 철저히 공부하시길 바란다. 수수리수인작법과 수리역학 매화역수의 공통점은 간단한 수리를 활용한다는 점과 공부하기 쉽다는 것이다. 그만큼 공부가 쉬워서 누구나 성학(成學)이 가능할 것이다.

제2편

수리 매화역수

Ⅰ. 머리말

제1편 수수리수인작법이 적성, 진로, 궁합을 보는데 효율적이라고 한다면, 제2편의 수리역학 매화역수는 대운과 세운 그리고 일진을 보는데 실효성이 있다. 명리 상담은 행운(幸運)을 어떻게 분석하느냐에 따라 상담의 성패가 갈린다. 사주를 놓고 내담자의 성격과 적성 그리고 진로에 관해 설명할 수는 있다. 그러나 대운과 세운 특히 일진을 보는 법에 관한 지식이 부족하다면 상담에 어려움을 겪을 수밖에 없다.

행운(幸運)을 가장 정확하게 분석할 수 있는 학문은 단연코 수리역학 매화역수이다. 오랜 시간 명리학을 공부하였음에도 불구하고 상담에 부담을 느끼는 분들이 많다. 그것은 대부분 행운을 볼 수 있는 지식이 부족하기 때문이다. 사람으로 태어나 명리학과 인연을 맺는 게 쉽지 않다. 하지만 명리학에 관심이 있어서 공부를 시작하신 분들도 중단하는 경우가 많다. 그야말로 수많은 세월이라고 할 수 있을 만큼의 많은 시간을 투자했음에도 불구하고 사주 통변(通變)이 안 된다는 이유로 책을 덮는 분들을 주변에서 흔히 찾아볼 수 있을 것이다.

그렇다고 수리역학 매화역수와 인연을 맺는 것 또한 쉽지는 않다. 어쩌면 선택받은 분들이 접할 수 있는 학문이라고 할 수 있다. 그만큼 이 학문은 명리학에 비하면 아직 대중에게 공개되어 있지 않은 학문이다. 수많은 학인이 명리학을 비롯하여 다양한 운명학을 경험하다가 포기 직전에 마지막으로 한 번만 더 해 보자, 라는 심정으로 찾게 되는 게 수리역학 매화역수이다.
이렇게 인연을 맺은 분들이 하는 말이 있다. "수리역학 매화역수를 조금만 더 빨리 알았더라면 돈과 시간 그리고 고생을 덜 했을 거라고." 믿거나 말거나이지만 믿음이 생기는 분들은 이 책을 반복해서 읽어 보시길 바랍니다. 절대 어려운 학문이 아니므로 누구나 이해할 수 있고, 학습 후에는 상담의 주된 기술로 활용할 수 있을 것입니다.

끝으로 너무 명리학을 맹신할 필요는 없다. 상담의 경험을 통해서 인식한 사실인데 내담자가 살아온 과정을 어느 정도 맞출 수 있는 실력을 갖추게 되면 미래에 펼쳐질 사실까지 그대로 인정해 버리는 잘못된 습관이 생길 수 있다. 그것은 너무 오만하고 위험한 행동이다. 물론 미래의 운명에 관해 어느 정도 예측 가능한 게 명리학이다. 그러함에도 미래의 운명에 관해서 누구도 장담할 수 없는 게 사람의 인생이다. 따라서 내담자는 상담자의 말에 너무 겁먹을 필요가 없고 상담자는 내담자에게 희망을 주는 이야기를 해 주는 게 좋은 상담이라고 생각한다.

1장 매화역수의 정의

1. 수리역학 매화역수의 정의

수리역학 매화역수에서 특별히 사용하는 몇 가지의 용어가 있다. 이 용어를 정확히 이해할 수 있어야 공부가 쉽다. 용어가 많지는 않지만 처음 접할 때는 용어로 인해서 혼란스러울 수 있다.

수리역학 매화역수에서 반드시 알아야 할 용어는 다음과 같다. **평생 기본수, 주도수, 81포국도, 합(合), 충(沖), 형(刑), 파(破), 해(害), 원진(怨嗔)** 등이다. 그 외 사주명리의 기초를 알고 있으면 수리역학 매화역수를 쉽게 이해할 수 있고, 공부에 어려움이 없을 것이다.

물론 명리를 전혀 모르는 상태에서 수리역학 매화역수를 공부하는 사람들도 많다. 학문이 쉬워서 명리에 대한 기초 지식이 없더라도 두 가지의 학문을 동시에 같이 공부할 수는 있다. 그만큼 쉬운 학문이다. 하지만 명리에 관한 지식을 먼저 터득한 후 수리역학 매화역수를 공부하게 된다면 훨씬 이해가 빠를 것이다. 따라서 전혀 사주 명리를 모른 상태라고 한다면 먼저 명리학의 기초부터 깨우치라는 말을 하고 싶다. 왜냐하면 운명에 관한 모든 상담의 기본은 사주 명리라고 할 수 있기 때문이다. 명리에 관한 기초 지식이 갖추어져 있다면 수리역학 매화역수는 기본 공식 몇 개만 암기하면 언제 어느 곳에서든지 활용이 가능한 학문이다.

인간의 운명을 연구하는 학문은 이루 헤아릴 수 없을 만큼 많다. 그만큼 인간의 명(命)은 복잡다단(複雜多端)하여 어떤 한가지의 학문만으로는 쉽게 접근할 수 없는 영역이다. 그중에서 가장 쉽게 배울 수 있고, 효율적인 학문을 찾으라고 한다면 단연코 수리역학 매화역수라고 할 수 있다.

그러면 수리역학 매화역수에서 사용하는 몇 가지의 용어와 숫자에 관한 공식을 소개하겠다. 위에서 언급한 평생기본수, 주도수, 포국도, 그리고 사주 명리에서 사용하는 합, 충, 형, 파, 해, 원진에 관한 내용이다. 먼저 용어를 정확하게 이해하고 수리의 뜻과 조합에 관한 공식을 익힌다면 운명에 관한 상담이 가능할 것으로 믿는다.

수리역학 매화역수에서 합(合)은 모든 면에서 긍정적으로 사용되고, 충,형,파,해, 원진은 모두 부정적으로 사용된다. 그런데 충,형,파,해, 원진은 특별히 각각 다른 의미의 부정적인 뜻을 내포하고 있는 게 아니다. 즉 모든 면에서 나쁘게 작용한다고 보면 된다. 물론 미묘한 차이는 있으나 큰 차이가 없다는 뜻이다. 따라서 합이 되면 좋고, 형,충,파,해, 원진이 되면 나쁘다는 뜻으로 이해하면 된다. 그래서 본 책에서는 합과 극으로 분리하여 설명하고자 한다. 다시 말하자면 합은 무조건 좋게 작용하고, 극(형,충,파,해,원진)에 해당하게 되면 모든 면에서 부정적으로 나쁘게 작용한다. 따라서 예, 아니오, 식으로 쉽게 공부할 수 있는 게 수리역학 매화역수이다. 즉 합은 좋다, 극은 나쁘다는 것을 먼저 기억해 둘 필요가 있다. 다시 한번 말하는데 형,충,파,해, 원진을 모두 종합해서 극이라고 표현하겠다. 또한 깨진다는 표현도 사용하게 될 수 있으므로 모두 같은 뜻으로 이해하길 바란다.

1) 평생 기본수

제1편 수수리수인작법에서 '구심점' 또는 '평생운명수'라고 하는 의미를 설명하였다. 인간은 누구나 태어나면서부터 자신만이 가지는 고유한 숫자가 있다. 인간뿐만 아니라 세상 모든 사물은 자신만의 고유한 숫자를 가지고 있는데 이것을 평생운명수 또는 구심점이라고 하였다.

그런데 수리역학 매화역수에서는 구심점이나 평생운명수라는 용어 대신 **'평생 기본수'**라는 명칭을 사용한다. 명칭만 다를 뿐 서로 같은 뜻으로 사용하고 있다. 다만 계산하는 방식이 조금 다를 뿐이다.

인간은 누구나 태어나면 1, 2, 3, 4, 5, 6, 7, 8, 9, 등 아홉 개의 숫자 중에서 어느 하나의 숫자를 가지게 되는데 이것을 평생 기본수라고 한다. 아홉 가지의 숫자로 분류된 평생 기본수는 평생 변하지 않는다. 즉 평생 기본수에는 각자 개인의 성격이 내포되어 있다.

그리고 평생 기본수는 대운(大運), 세운(歲運), 일진(日辰) 등을 보고자 할 때 포국도의 첫 번째 칸에 위치한다. 또한 평생 기본수마다 각각 다른 성격을 내포하고 있다. 평생 기본수의 성격에 관해서는 별도의 장을 만들어서 기술하겠다. 평생 기본수를 구하는 방식은 다음과 같다.

· 생월(음력) + 생일(음력) + 1 = 평생 기본수

이미 제1편 수수리수인작법에서 평생운명수를 구하는 방식을 설명하였다. 그 공식과 크게 다를 바 없다. 다만, 1이라는 숫자를 더한다는 점에서 차이가 있다. 구진법을 사용하는 방식도 같다. 9 이하의 단수가 나올 때까지 9를 만들어서 버리고 남는 숫자와 1을 더하여 평생 기본수로 한다. 1을 더하는 이유는 잉태 기간 10달을 포함한다는 논리이다.

평생 기본수는 남녀를 구분하지 않고, 같은 방법으로 구한다. 음력을 사용하고 생월과 생일 그리고 **'더하기 1'**을 한다는 점에 주의하길 바란다.

【예시1】 1962. 7. 26.(음력) 12:00 生. 남자

7(생월) + 26(생일) + 1 = **7** (평생기본수)
~~7~~ + ~~2~~ + 6 + 1 = **7** (9를 공제하고 남는 수가 평생 기본수이다.)

【예시2】 1953. 11. 17.(음력) 20:30 生. 여자

11 + ~~17~~ + ~~1~~ = **2**
1 + ~~1~~ + ~~1~~ + ~~7~~ + 1 = **2** (9를 만들어서 공제 후 남는 숫자가 평생 기본수다)

【예시3】 1960. 8. 9.(음력) 11: 50 生. 여자

8 + 9 + ~~1~~ = **9** (9를 공제하고 나면 9가 남게 되므로 평생 기본수가 된다.)
8 + 9 + 1 = **9**

또는 나누는 방법을 활용하기도 한다.

8 + 9 + 1 = 18
18÷9 = 2(몫) 나머지 0

※ '나머지가 0 경우' 9 이다.
※ '9진법을 사용하면 되고, 공제하는 방식이든 나누는 방식이든 결과는 같다. 다만 공제하는 방식이 간편하다.

2) 주도수

평생 기본수가 일생의 변하지 않는 숫자라는 사실을 알았다. 그러니까 평생 기본수는 성격을 뜻하고 개인의 성격은 평생 변하지 않는다. 이제 주도수에 대해 알아보고자 한다.

주도수란 무엇인가? **'평생의 운세'**, **'한 해의 운세'**, **'일진(日辰)'**을 보고자 할 때 그 기간의 운세를 대표하는 숫자이다. 따라서 주도수는 대운과 세운 그리고 일진에 따라 숫자가 변한다. 주도수에도 평생 기본수와 같이 1, 2, 3, 4, 5, 6, 7, 8, 9. 등 아홉 개의 수리가 있다. 그리고 각각의 수리마다 고유의 뜻을 내포하고 있다. 평생 기본수의 의미와 비슷하다. 그러나 평생 기본수는 개인의 성격이므로 절대 변하지 않는 고정적인 의미가 있다.

그리고 주도수는 해당하는 운에서 어떻게 작용하는가를 알 수 있는 변화를 뜻한다. 따라서 평생 기본수의 성격은 평생 불변이고, 주도수는 해당하는 운에 따라 유동적이다. 주도수가 뜻하는 고유한 의미는 다음과 같다.

1수리(壬) : 生, 貴人, 새로운 동반자이다. 귀인은 20대, 30대, 40대, 50대, 60대 70대 등 연대별로 다르다. 즉 20, 30대에게 세운에서 1수리에 해당하는 주도수가 오게 되면 이성 친구를 만날 수 있다. 50, 60대에게 세운에서 1수리에 해당하는 주도수가 오게 되면 손자, 손녀를 볼 수 있다. 따라서 귀인은 나이별로 달라지는 특성이 있다.

2수리(丁) : 柱, 변화 변동, 갈등.

3수리(甲) : 鬼, 심리적 갈등, 망하게 함.

4수리(辛) : 안정과 여유, 남녀의 성격은 서로 다르다.
　　　　　　남자의 성격은 선비형, 군자형이라고 하여 성격이 여유롭다.
　　　　　　그래서 중간 서열에 위치하여 중립적인 역할을 잘한다.
　　　　　　그러나 여자의 성격은 과감하고 활동적이다.
　　　　　　항상 남 앞에 서기를 좋아하고 독선적인 경향이 있다.

5수리(戊,己) : 驚破, 과격한 행동, 투기의 財.

6수리(癸) : 官, 名譽, 행운, 승진.

7수리(丙) : 退食, 건강, 의욕 상실.

8수리(乙) : 財, 돈.

9수리(庚) : 文書, 학문,

※ 하도(河圖)-선천수 1-壬, 6-癸, 2-丁, 7-丙, 3-甲, 8-乙, 4-辛, 9-庚, 5-戊.己

주도수의 종류에는 '**대운의 주도수**' '**세운의 주도수**' '**일진의 주도수**'가 있다. 구하는 방식은 평생 기본수처럼 9진법을 사용한다. 모두 음력을 사용하고 나이는 만 나이가 아니라 우리 나이를 사용한다.

‣ 다음은 대운(평생 운) 주도수 공식이다.

• 대운(평생 운) 주도수=생월+생일+년간+년지+시지

<천간 지지에 해당하는 수(數)>

甲	乙	丙	丁	戊	己	庚	辛	壬	癸		
1	2	3	4	5	6	7	8	9	10	11	12
子	丑	寅	卯	辰	巳	午	未	申	酉	戌	亥

위 표와 같이 천간과 지지에는 고유의 숫자가 주어진다. 예를 들어 천간의 甲은 숫자로 1이 되고, 지지의 子도 숫자로 1이 된다. 물론 천간은 10개이고 지지는 12개가 있으므로 지지에 해당하는 수에는 12까지 있다.

따라서 년간과 년지 그리고 시지에 해당하는 숫자와 생월과 생일을 더해서 대운의 주도수를 만든다. 만드는 방식은 앞에서 설명하였듯이 9진법을 사용하고 9 이하의 단수가 나오게 되면 대운의 주도수가 된다.

【예시1】 1962. 7. 26.(음력) 12:00 生 남자.

시　일　월　년

壬　乙　戊　壬

午　未　申　寅

7(생월)+26(생일)+9(년간,壬)+3(년지,寅)+7(시지,午)

= 7 + 2 + 6 + 9 + 3 + 7 = 7

‣ 9를 만들어 공제하다 보면 9이하의 단수가 남게 된다. 따라서 위 사람의 대운의 주도수는 7수리가 되는 것이다.

【예시2】1953. 11. 17.(음력) 21:30 生 남자.

시 일 월 년
庚 丁 甲 癸
戌 未 子 巳

생월(11)+생일(17)+년간(癸,10)+년지(巳,6)+시지(戌,11)
= 1+1+1+7+1+0+6+1+1과 같다.
9를 공제해 나가는 방식은 7+1+1 = 9가 되므로 공제하고,
나머지 6 + 1 + 1 + 1 = 9가 되므로 공제한다.
그러면 1이 남는다. 따라서 위 사람의 대운의 주도수는 1이 된다.

‣ 다음은 세운(해당운)의 주도수 공식이다.

> **・ 세운(일년 운) 주도수 = 생월+생일 +나이**

【예시】1962. 7. 26.(음력) 12:00 生 62세 남자.

시 일 월 년
壬 乙 戊 壬
午 未 申 寅

생월(7)+생일(26)+나이(62)=7+2+6+6+2=14
14 – 9 = 5가 주도수이다.
7 + 2 = 9를 공제하고, 나머지 6 + 6 + 2 = 14 – 9 = 5가 된다.
따라서 위 사람의 62세 때 세운의 주도수는 5가 된다.

‣ 다음은 일진의 주도수 공식이다

> ### • 일진(당일 운) 주도수 = 월 + 일

【예시】음력 6월 9일

　　　6(월) + 9(일) = 6 일진의 주도수가 된다.

대운의 주도수와 세운의 주도수 그리고 일진의 주도수에 관해서는 별도로 대운의 장과 세운의 장, 그리고 일진의 장에서 다시 한번 구하는 공식에 관해서 설명하겠다. 다음은 포국도를 통해서 평생기본수의 위치와 주도수의 위치를 설명하고자 한다.

<포국도>

평생기본수 寅	주도수 卯	평생기본수+주도수 辰
巳	午	未
申	酉	戌
亥	子	丑

위 표를 포국도라고 한다. **첫 번째** 줄 첫 칸에는 평생기본수의 숫자가 들어가고, **두 번째 칸**에는 주도수의 숫자가 들어간다. 그리고 **세 번째 칸**에는 평생기본수와 주도수를 더한 숫자가 들어간다.

물론 9진법에 의한 공제방식을 통해서 나온 숫자가 들어가는 것이다. 위 포국도의 각 칸에는 12지지가 들어가 있다. 세운(歲運)으로 따지면 12달에 해당한다. 따라서 각각의 칸이 한 달씩이 되는 것이다. 그러나 대운을 보는 방법은 조금 다르다. 일반적으로 사주명리에서 대운은 10년을 주기로 바뀐다. 그러나 수리역학 매화역수에서 대운은 기간이 사주명리와 같이 주기적인 변화를 하는 게 아니다. 대운에 관한 사항은 별도로 대운의 장을 만들어서 설명하겠다.

【공식 정리】

- 평생 기본수 = 생월(음력) + 생일(음력) + 1

- 대운(평생 운) 주도수 = 생월 + 생일 + 년간 + 년지 + 시지

- 세운(일년 운) 주도수 = 생월 + 생일 + 나이

- 일진(당일 운) 주도수 = 월 + 일

3) 포국도(布局圖)

포국도란 무엇인가? '**대운**' '**세운**' '**일진**'의 변화와 변동을 살펴볼 수 있도록 만들어진 도표를 말한다. 다시 말해서 운세를 쉽게 볼 수 있도록 만든 도표를 말한다. 모두 12칸으로 되어 있다. 그리고 각 칸에는 寅月부터 丑月까지 순서에 따라 12지지를 기록한다.

첫 번째 줄 '**첫째 칸**'에는 '**평생기본수**'가 들어간다.
평생기본수는 변화하지 않으므로 대운, 세운, 일진과 관계없이 첫 번째 줄 첫 번째 칸에 고정적으로 들어가는 숫자이다. 즉 평생기본수는 '**선천수**'이다.

첫 번째 줄 '**두 번째 칸**'에는 '**주도수**'가 들어간다.
두 번째 칸이 주도수의 고정된 자리이지만 주도수의 숫자는 대운의 주도수와 세운의 주도수 그리고 일진의 주도수가 각각 다르다. 또한 세운의 주도수와 일진의 주도수는 '**나이와 달(月)**'에 따라 달라진다. 따라서 주도수의 자리는 변함이 없으나 숫자는 각각의 운세에 따라 달라진다는 것을 기억해야 한다. 즉 주도수는 '**후천수**'이다.

첫 줄 첫 번째 칸에 평생기본수를 포국하고, 주도수를 첫 줄 두 번째 칸에 포국하고, 나머지 첫 줄 세 번째 칸에는 평생기본수와 주도수를 더해서 만들어지는 숫자가 들어간다. 물론 9진법을 사용하여 공제하고 남은 숫자가 들어가는 것이다.

두 번째 줄의 첫 칸에는 첫 줄 첫 번째 칸의 평생기본수와 첫 줄 세 번째 칸의 숫자를 더해서 만들어진 수리가 들어간다. 물론 이 또한 9진법을 사용해서 공제하고 남은 숫자가 들어가는 것이다.

두 번째 줄 두 번째 칸에는 첫 줄 두 번째 칸의 주도수와 첫 줄 세 번째 칸의 숫자를 더해서 만들어진 수리가 들어간다. 나머지 두 번째 줄 세 번째 칸에는 두 번째 줄 첫 칸의 숫자와 두 번째 줄 두 번째 칸의 숫자를 더해서 만들어진 수리가 들어간다.

세 번째 줄 첫 번째 칸에는 두 번째 줄 첫 번째 칸의 숫자와 두 번째 줄 세 번째 칸의 숫자를 더해서 만들어진 수리가 들어간다. 그리고 세 번째 줄 두 번째 칸에는 두 번째 줄 두 번째 칸의 숫자와 두 번째 줄 세 번째 칸의 숫자를 더해서 만들어진 수리가 들어간다.

그리고 나머지 세 번째 줄 세 번째 칸에는 세 번째 줄 첫 칸의 숫자와 세 번째 줄 두 번째 칸의 숫자를 더해서 만들어진 수리가 들어간다.

마지막으로 네 번째 줄은 수직으로 더한다.

즉 첫 번째 줄 寅月부터 아래로 巳月 그리고 申月을 더해서 만들어진 수리를 네 번째 줄 첫 번째 칸에 넣는다. 그리고 네 번째 줄 두 번째 칸에는 卯月부터 아래로 午月 그리고 酉月을 더해서 만들어진 수리를 넣는다. 나머지 네 번째 줄 네 번째 칸에는 辰月부터 아래로 未月 그리고 戌月의 숫자를 더해서 만들어진 수리를 넣는다.

글이 복잡하여 이해하기 어려울 것으로 생각한다. 그러나 글로 표현하는 게 복잡할 뿐이지 실제 이해를 하게 되면 아주 쉽고 간편하다.

다음은 표로 포국도를 작성하는 공식을 설명하겠다.

<포국도 작성 방법>

평생기본수	주도수	평생기본수+주도수
寅 1월 ①	卯 2월 ②	辰 3월 ①+②=③
巳 4월 ①+③=④	午 5월 ②+③=⑤	未 6월 ④+⑤=⑥
申 7월 ④+⑥=⑦	酉 8월 ⑤+⑥=⑧	戌 9월 ⑦+⑧=⑨
亥 10월 ①+④+⑦=⑩	子 11월 ②+⑤+⑧=⑪	丑 12월 ③+⑥+⑨=⑫

위 표와 같이 寅월에는 평생기본수가 들어가고, 卯월에는 주도수가 들어가고, 辰월부터 丑월까지는 각각의 월과 월을 더해서 만들어진 수리가 들어간다. 물론 9라는 공제방식을 적용하고 남은 숫자가 들어가는 것이다. 위 숫자 ① ② ③ ④ ⑤ ⑥ ⑦ ⑧ ⑨ ⑩ ⑪ ⑫는 각 '달'(月)을 표시한 것이다.

【 평생기본수가 1, 그 해 주도수가 2 】포국도를 만들 경우다.

첫 번째 줄 첫 칸 **寅월** ①
첫 번째 줄 두 번째 칸 **卯월** ②
첫 번째 줄 세 번째 칸의 **辰월** 칸에는 ①월(1) + ②월(2) = ③월(3)이
되므로 세 번째 칸에 들어가는 숫자는 **3**이 된다.

두 번째 줄 첫 번째 칸에는 즉 巳4월에는 ①월(1) + ③월(3) = ④월(4)가 되므로
숫자 **4**가 들어간다.
두 번째 줄 두 번째 칸에는 즉 午5월에는 ②월(2) + ③월(3) = ⑤월(5)가 되므로
숫자 **5**가 들어간다.
두 번째 줄 세 번째 칸 未月에는 즉 6월에는 ④월(4) + ⑤월(5) = ⑥월(9)의 수가
된다. 따라서 6월의 자리에는 **9**라는 숫자가 들어가는 것이다.

申月, 즉 7월에는 ④월(4) + ⑥월(9) = ⑦월(4)라는 숫자가 나온다. 즉 9를 공제
하면 4가 된다. 따라서 **4**라는 숫자가 들어간다.
이와 같은 방식을 사용하여 포국도를 만드는 것이다. 그리고 아홉 개의 평생기본
수와 아홉 개의 주도수의 조합으로 총 **81가지**의 포국도가 구성된다.
81 포국도는 아래와 같다.

영문 **A, B, C**는 좋은 운과 나쁜 운을 구분하는 기준이다.
즉 A에 해당하는 운에는 좋고, C에 해당하는 운에는 조심해야 한다는 정도로 이
해하면 된다. 어떤 학자는 12운성론을 접목시켜서 운의 흐름을 상승곡선과 하강
곡선으로 나누기도 한다. 그러나 모든 사람의 운은 서로 각각 다르다. 따라서 참
고하는 정도로 생각하면 된다.

<81 포국도>

A 112	C 123	C 134	A 145	B 156	A 167	A 178	A 189	C 191
336	459	573	696	729	843	966	189	213
999	459	819	369	729	279	639	189	549
448	933	527	112	696	281	775	369	854
C 213	A 224	B 235	A 246	C 257	B 268	C 279	C 281	A 292
549	663	786	819	933	156	279	393	426
549	999	459	819	369	729	279	639	189
393	887	472	966	551	145	639	224	718
C 314	B 325	A 336	C 347	A 358	B 369	B 371	B 382	C 393
753	876	999	123	246	369	483	516	639
189	549	999	459	819	369	729	279	639
257	742	336	821	415	999	584	178	663
A 415	A 426	C 437	B 448	B 459	C 461	B 472	C 483	A 494
966	189	213	336	459	573	696	729	843
639	189	549	999	459	819	369	729	279
112	696	281	775	369	854	448	933	527
B 516	C 527	A 538	A 549	A 551	A 562	A 573	C 584	B 595
279	393	426	549	663	786	819	933	156
279	639	189	549	999	459	819	369	729
966	551	145	639	224	718	393	887	472
A 617	A 628	B 639	C 641	B 652	A 663	C 674	A 685	B 696
483	516	639	753	876	999	123	246	369
729	279	639	189	549	999	459	819	369
821	415	999	584	178	663	257	742	336
B 718	C 729	B 731	A 742	A 753	C 764	C 775	B 786	C 797
696	729	843	966	189	213	336	459	573
369	729	279	639	189	549	999	459	819
775	369	854	448	933	527	112	696	281
A 819	C 821	A 832	B 843	C 854	A 865	B 876	B 887	A 898
819	933	156	279	393	426	549	663	786
819	369	729	279	639	189	549	999	459
639	224	718	393	887	472	966	551	145
C 911	A 922	C 933	A 944	B 955	B 966	C 977	A 988	B 999
123	246	369	483	516	639	753	876	999
459	819	369	819	279	639	189	549	999
584	178	663	257	742	336	821	415	999

첫 번째 숫자는 평생기본수이다.

두 번째 숫자는 주도수이다.

그리고 세 번째 숫자는 평생기본수와 주도수를 더해서 만들어진 숫자이다. 그리고 나머지 두 번째 줄부터는 모두 포국도를 만드는 공식에 의해서 작성된 것이다. ※ 위 도표는 가로로 본다.

영문 A,B,C는 운이 좋고 나쁨을 등급으로 표시한 것이다.

12운성의 원리를 이용해서 선학들이 만든 것이지만 운명이 꼭 그렇게 되는 것은 아니다. 따라서 참고하는 정도로 보는 게 좋겠다. 물론 넓은 의미로 볼 때는 타당성이 있는 이론이다. 그러나 아무리 좋은 수리일지라도 일주에 따라 좋게 작용하는 때가 있고 나쁘게 작용하는 경우가 있다. 즉 모든 사람은 개인마다 각각 다른 운명이 있게 마련인데 이런 원리를 너무 철저하게 적용하게 되면 개별화시키지 못하는 문제점이 발생한다.

그리고 매화역수의 운의 변화는 주로 2년 기준으로 변한다. 2년이 좋았으면 2년은 나쁜 경우가 많고 2년이 힘들었으면 다가오는 2년은 운이 좋게 작용할 가능성이 크다. 따라서 힘든 시기를 겪고 있는 내담자에게 2년만 참으면 좋은 운이 올 것이라는 희망을 주는 상담을 해 주는 게 좋다. 만약 12운성론의 방식을 이용하게 된다면 운이 하락하기 시작한 시점을 기준으로 최소 4, 5년을 참아야 한다.

4) 합, 충, 형, 파, 해, 원진.

(1) 합(合)

명리학에서 말하는 합의 의미와 매화역수의 합은 조금 다른 뜻으로 쓰인다. 명리학에서는 합이 좋게 작용하기도 하고, 나쁘게 작용하기도 한다. 그러나 매화역수의 합은 모두 좋게 작용한다.

물론 합의 근본적인 의미는 명리학이나 매화역수나 크게 다를 바가 없다. 다만 합에 관해서 매화역수는 모두 긍정적으로 해석한다는 점에서 차이가 있을 뿐이다. 즉 매화역수는 합이 되면 좋고, 충이나 형, 파, 해, 원진이 되면 나쁘다는 의미로 해석한다.

책 구성의 편리성과 독자의 이해를 돕기 위해 충, 형, 파, 해, 원진을 하나로 묶어서 극이라고 칭하겠다. 수리역학 매화역수는 크게 합과 극(충,형,파,해,원진)의 원리로 구성되어 있다. 합은 좋은 작용, 극은 나쁜 작용, 이것만 이해한다면 공부가 어려울 게 없다.

그러면 먼저 명리학에서 활용하는 합의 의미를 살펴보겠다. 명리학에서는 천간합, 지지 삼합, 지지 육합, 지지 방합, 암합, 쟁합, 투합, 등 다양한 합이 있다. 그리고 모두 실무에서 활용하고 있다. 그러나 수리역학 매화역수는 천간합, 지지 삼합, 지지 육합, 지지 방합, 등만 활용하고 나머지 암합과 같은 합은 활용하지 않는다.

그리고 매화역수에서 특별히 합으로 간주하는 합이 있다. 일명 모서리 합이라고 하여 '丑寅, 辰巳, 未申, 戌亥' 4개를 합으로 간주한다. 이들 합은 개별적으로 특별한 의미가 있는 것은 아니다. 다만 운에서 합이 되면 좋은 쪽으로 발전한다는 긍정적인 의미가 있을 뿐이다. 즉 천간합, 지지 삼합, 지지 육합, 지지 방합, 등과 같이 좋은 작용을 한다. 이들 합에 관한 구체적인 근거나 원리에 관해서는 알 수가 없다.

다음은 합, 충, 형, 파, 해, 원진과 관련된 이론에 대해서는 동방문화대학원 대학교 김만태 교수의 『정선 명리학강론』을 인용하여 설명하고자 한다.

① 천간합

甲己 合化 土 / 乙庚 合化 金 / 丙辛 合化 水 / 丁壬 合化 木 / 戊癸 合化 火

천간합은 음양이 서로 짝하는 것인데(一陰一陽之配合, 夫婦의 道에 비유)[2] 양간(甲丙戊庚壬)이 음간(乙丁己辛癸)과 합할 때는 정재(正財)와 합하는 것이 되고(예: 甲과 己가 합하는 경우 甲 입장에서 보면 己는 정재가 된다), 음간이 양간과 합할 때는 정관(正官)과 합하는 것이 된다.(예: 甲과 己가 합하는 경우 己입장에서 보면 甲은 정관이 된다).

천간합은 자기의 할 일을 잊어버리고 엉뚱한 쪽에 끌려가거나 묶이는 결과를 가져온다.(合去), 따라서 용신(用神)이 일간과 천간합 되는 경우를 제외하고[3] 용신이 천간합 되는 것은 대체로 좋지 않다.
사주에 합이 있다고 하여 전부 합으로 볼 수 없으며(合而不合) 합을 한다고 해서 반드시 다른 오행으로 변하는 것도 아니다.
(合而不化) - 합이불합(쟁합, 투합 등), 합이불화(합하는 오행을 극하는 字가 있는 경우)

쟁합(쟁합: 甲과 己가 합하려는 데 옆에 또 甲이 있는 경우), 투합(妬合: 甲과 己가 합하려는데 옆에 또 己가 있는 경우)은 기본적으로 합으로 인정하지 않는다.[4]

암합(暗合) : 천간과 지장간과의 사이에서 이루어지는 합(간지 암합), 두 지지의 지장간 사이에서 이루어지는 합(지지 암합, 명합+암합)은 지장간의 작용으로 인해 암암리에 이루어지므로 암합이라고 한다.(지장간 본기(本氣)의 합만 인정한다)
암합은 은밀한 만남, 비밀거래, 나만의 비밀 간직, 등을 의미한다. 암합이 되는 두 글자 중 한 글자가 대운이나 세운에서 들어오면 암합이 현실화하고[5], 암합이

---

[2] 一陰一陽之配合은 "오직 하나의 음이 하나의 양을 보고, 하나의 양이 하나의 음을 봐야만 합이 된 다"는 부부(夫婦)의 도리를 의미한다.
[3] 용신과 일간이 천간합 되는 경우는 오히려 유정(有情)하다고 본다.
　예) 乙 己 甲
　　　일 월 년
　　　乙일간 입장에서 己가 용신이라면 甲과 己의 합으로 용신 己가 일간인 나를 바라보는 것이
　　　아니라 엉뚱하게도 갑을 바라보고 있으므로 매우 좋지 않다.
　　　乙 庚 甲
　　　일 월 년
　　　乙일간 입장에서 庚이 용신이라면 乙과 庚의 합으로 용신 庚이 일간인 나를 바라보고 있으므로
　　　유정해서 괜찮다.
[4] 쟁합은 양간 2개 이상에 음간 1개인 경우, 투합은 양간 1개에 음간 2개 이상인 경우이다.
[5] 암합이 사주 원국에 이미 있으면 한 글자가 운에서 들어오는 경우 암합이 현실화할 가능성이 더욱 크다 고 추정한다.

되는 지지가 충 되는 운에서는 비밀이 드러난다고 볼 수 있다.

. 干支암합 : 丁亥(壬), 戊子(癸), 辛巳(丙), 壬午(丁)
. 地支암합 : 子戌(癸戊), 丑寅(己甲), 寅未(甲己), 卯申(乙庚), 午亥(丁壬)
. 明合+暗合 : 사유(丙辛), 子辰(癸戊)[6]

예) 丁 辛 丙 壬 <여, 1962년생>
     酉 巳 午 寅
     유부녀인데 辛巳년(2001)에 남편 몰래 유부남과 정을 통했다고 한다. 명암부집(明暗夫集)
6) 천간합이나 지지합들은 겉으로 명백하게 드러나므로 명합이라고 한다. 따라서 巳酉와 子辰은 명합인 반
   합과 암합을 함께 갖고 있다.

② 지지 삼합

寅卯辰 木局 / 寅午戌 火局 / 巳酉丑 金局 / 申子辰 水局

지지삼합은 지지에서 3支가 서로 합하여 국을 이루는 것으로 생왕묘(生旺墓)지를 취하여 하나의 기운으로 세력을 형성하는 것이다. 사주 중에서 3支를 모두 만나 합을 이루면 그 힘이 강하고, 2支로도 국을 취하는데 왕지(旺支)가 있어야 한다. 예를 들어 목국(木局)이라면 亥卯 또는 卯未가 우선이고 亥未는 그 다음이다.

※ 반합(半合) : 亥未는 가합(假合)이라 그 작용력이 매우 약하지만, 천간에 卯木과 동일한 오행인 乙木이 투출하였다면 이는 亥卯未 삼합에 버금가는 합력(合力)이 작용한다. 그리고 卯未만 있는데 운에서 나머지 亥水가 들어오면 그 운(運) 동안에는 亥卯未 삼합이 온전하게 작용한다. 즉 반합이 있는데 나머지 하나가 운에서 들어오면 그 운동안에 삼합이 그대로 작용한다.

【예시】

癸 乙
亥 未
지지의 亥未가 천간의 乙과 결합하여 亥卯未에 버금가는 삼합으로 작용할 수 있다.

癸
亥 未 ⇔ 卯운이 오면 卯운의 기간 동안 亥卯未 삼합이 작용한다.
지지 삼합은 양기(陽氣)로 화하므로 亥卯未는 甲木, 寅午戌은 丙火, 巳酉丑은 庚金, 申子辰은 壬水의 기운으로 본다.

※ 반합의 합력(합력) 순위 ‣ 생지+왕지 > 왕지+고지 > 생지+고지
亥卯 > 卯未 > 亥未
寅午 > 午戌 > 寅戌
巳酉 > 酉丑 > 巳丑
申子 > 子辰 > 申辰

③ 지지 방합

寅卯辰_**東方木局**　巳午未_**南方火局**　申酉戌_**西方金局**　亥子丑_**北方水局**

지지 방합은 대체로 3支가 다 갖춰져야 합을 이룰 수 있다. 물론 2支로도 방합을 이룰 수 있다. 그러나 반드시 월지(月支)를 얻어야 한다. 2支가 합을 이루는 요건과 작용력은 삼합의 반합과 동일하게 해석한다. 즉 계절의 왕지를 얻는 것이 가장 합력이 강하다.

寅卯辰이 모두 있으면 동방목국(東方木局)을 형성하는데, 寅月에 태어나고 3支를 보면 모두 甲木으로 논하고, 卯月에 태어나고 3支를 보면 모두 乙木으로 논하며, 辰月에 태어나면 寅과 卯의 세력 중에서 누가 더 강한가를 봐서 甲木이나 乙木 여부를 판별한다. 그 나머지의 예도 이에 준한다.

예를 들어 戊 일간이 寅卯辰 모두가 있는데 寅月에 태어나면 모두 甲木 편관(偏官)으로 논하고, 卯月에 태어나면 모두 乙木(正官)으로 논하며, 辰月에 태어나면 寅과 卯의 세력 중에서 누가 더 강한가를 봐서 정관이나 편관 여부를 판별한다.

방합은 동기(친구)간의 합이므로 결집력은 혈육관계인 삼합에 비해 약하나 합의 규모는 삼합보다 크다. 각 지지끼리 결속하려는 합력은 강하고, 합한 오행의 세력 범위는 방합이 더 강하다.

일간이 방합이나 삼합의 합된 기운을 감당할 능력이 있다면 큰 명성을 얻을 수 있다. 그러한 경우 방합이나 삼합이 지지에 형성하는 세력이 비겁이면 정치인, 식상이면 연구인, 예술인, 재성이면 경제인, 금융인, 관성이면 권력 관료(법관, 검경, 군인), 인성이면 교육자, 학자로서 성공할 수 있다.

격(格)이 삼합이나 방합을 이루면 규모가 더욱 커진다. 즉 격국(格局)이 된다.

④ 지지 육합

子丑_合土　寅亥_合木　卯戌_合火　辰酉_合金　巳申_合水　午未_合火

지지 육합이 구성되는 원리는 일월회합설(日月會合說)을 비롯하여 일월합삭설(日月合朔說), 월건월장설(月建月將說), 황도12궁설(黃道12宮說) 등 4가지가 있다.
그중 일월회합설이 가장 대표적이며 1년 12달의 매월 초하루(朔)마다 해와 달이 12차(次)에서 만나는 방위와 이때 북두칠성의 자루인 두건이 12신(辰)을 가르키는 방위가 순역(順逆)이 상치하여 경과 하면서 서로 합이 되므로 육합이 성립한다는 것이다. 예를 들면 초하루에 해와 달이 12신의 丑에서 만나면 북두칠성 자루는 子를 가르키므로 子와 丑이 합 된다는 것이다.
지지 육합은 두 字가 반드시 붙어 있어야 비로소 합이 되고 沖 하는 자가 그 사이에 있으면 합이 깨지게 된다.
천간합과 마찬가지로 사주에 지지 육합이 있다고 하여 전부 합으로 볼 수 없으며(合而不合), 합한다고 해서 반드시 다른 오행으로 변하는 것도 아니다(合而不化)
지지 육합의 합화(合化) 여부도 "오직 하나의 음이 하나의 양을 보고 하나의 양이 하나의 음을 봐야만 합이 된다.(一陰一陽之配合, 夫婦之道)"는 논리에 의거하여 천간합의 경우에 준하여 판단한다.

(2) 충(沖)

① 천간 충

수리역학 매화역수에서 충은 부정적인 의미로 작용한다. 그리고 명리에서 충으로 인정하지 않는 특별한 충이 수리역학 매화역수에 있다. 그것은 辰未 충이다. 辰未 충이 어떤 원리에 의해서 어떤 이유로 충으로 인정되는지 알 수는 없다. 다만 충의 효력은 일반적으로 천간 충이나 지지 육충과 마찬가지로 부정적인 작용을 하는 것으로 본다. 즉 수리역학 매화역수는 합을 제외하고 형, 충, 파, 해, 원진의 작용을 모두 나쁘게 해석한다.

甲庚_沖   乙辛_沖   丙壬_沖   丁癸_沖

충(衝, 沖)은 방위상 180도 서로 마주보며 위치하여 정면으로 충돌하는 관계이다. 천간 충은 甲庚, 乙辛, 丙壬, 丁癸로서 음과 음 또는 양과 양으로 금목상충(金木相沖)과 수화상충(水火相沖)하는 것이다.

7번째 닿는 천간으로부터 정면 충극을 받으므로 칠충(七沖)이라고도 한다. 천간은 순서상 6번째 닿는 천간과 합하고, 7번째 닿는 천간으로부터 정면 충극(沖剋)을 받으므로 육합칠충(六合七沖)이라고 한다.

방위상 정면으로 대치하지 않으면서 음과 음 양과 양으로 극하는 관계인 戊甲, 己乙, 庚丙, 辛丁, 壬戊, 癸己는 충과 같이 정면으로 부딪치는 게 아니고 빗겨나 측면으로부터 극하는 것이므로 충 보다는 상호 대결과 충돌의 변화 작용이 약하다.

충하면 갑자기 뜻밖에 움직이게 되는 일이 생긴다(이사, 이직, 사직, 유학, 이민, 별거, 이혼 등). 갑작스런 변동으로 인해 혼란이 야기되고 뜻밖의 사건, 사고가 생길 수 있으므로 충되는 운에서는 매우 신중하고 조심스럽게 처신해야 한다.

운에서 와서 충이되면 운의 육신이나 물상과 관련된 것이 원인 제공자이다. 용신(用神)은 충을 두려워하고 기신(忌神)은 충이 되면 좋다.

충을 화해(和解)시키는 법(예: 甲庚이 충할 때 壬이나 癸를 얻는 경우)과 충을 제(制)하는 법이 있다.(예: 甲庚이 충할 때 丙이나 丁을 얻는 경우)

② 지지 충

寅申_沖 巳亥_沖 子午_沖 卯酉_沖 辰戌_沖 丑未_沖[7]

지지의 충도 천간의 충과 마찬가지로 양끼리 만나거나 음끼리 만나서 음양이 부조화될 뿐만 아니라 기질이 상반되는 오행인 木과 金, 火와 水가 각기 동과 서, 남과 북의 방위에서 정면 대치하는 것으로서, 180도 서로 마주 보며 정면충돌하여 상극보다 더욱 큰 변화를 초래하는 작용을 말한다.

그러므로 지지충은 寅卯辰 동방목국과 申酉戌 서방금국간, 巳午未 남방화국과 亥子丑 북방수국간의 상충이다. 개별적으로는 子午, 丑未, 寅申, 卯酉, 辰戌, 巳亥가 상충한다.

지지도 천간과 마찬가지로 순서상 7번째 닿는 지지와 충이 된다. 그러므로 지지충도 칠충(七沖)이다.

충하면 움직인다(動). 그러므로 지지충은 이동, 분리, 변동, 파괴, 등을 의미한다. 기본적으로 기반, 터전의 붕괴이므로 갑작스런 사고, 사업부도, 질병, 수술, 사별, 살상, 관재 송사 등으로 파란이 따르는 경우가 많다.

천간충과 마찬가지로 충하면 갑자기 뜻밖에 움직이게 되는 일이 생긴다(이사, 이직, 사직, 유학, 이민, 별거, 이혼 등) 갑작스러운 변동으로 인해 혼란이 야기되고 뜻밖의 사건, 사고가 생길 수 있으므로 충되는 운에서는 매우 신중하고 조심스럽게 처신해야 한다. 운에서 와서 충이 되면 운의 육신이나 물상과 관련된 것이 원인 제공자이다.

충하는 자가 유력하면 능히 제거하는 힘이 있는데, 흉신을 제거하면 이롭고 길신을 제거하면 불리하다. 운에서 "왕자가 세자를 충하면 쇠자는 뽑혀버리고 쇠신이 왕신을 충하면 왕신이 발기(반격)한다(旺者沖衰, 衰神沖旺, 旺神發)",-『적천수』 지지(地支)

辰戌丑未 사고지(四庫支)의 경우 충이 되어야만 과연 그 안에 저장된 천간을 꺼내 활용할 수 있는지에 관한 여부를 두고 아직 정설이 없으나 『적천수』에서 상호 모순된 견해를 제시한 것이 논란의 발단이다.

"사고(辰戌丑未)의 충도 역시 마땅한 바도 있고 그렇지 못한 바도 있다. 살펴보건대 3월(辰)의 乙木과 6월(未)의 丁火는 비록 퇴기(退氣) 이지만 만약(乙木과 丁火가) 사령하였다면 용신(用神)이 될 수도 있는데 충이 되어 손상을 받으면 쓸 수가 없는 것이다. 이른바 묘고(墓庫)는 충을 만나야 발휘된다는 것은 후세 사람들의 잘못이다."[8]

---

7) 寅申 양지충, 巳亥 음지충, 子午 양지충, 卯酉 음지충, 辰戌 양지충, 丑未 음지충이다.

"인신사해는 생방이니 충동되는 것을 꺼리고, 진술축미는 사고이므로 충이 되어 열리는 것이 마땅하다."[9]

寅申 충, 巳亥 충: 생지 충, 역마 충, 관재(官災), 교통사고, 주거, 직업변동 많다. 소득없이 바쁘다. 형권, 병권, 숙살지권을 갖는 직업(군인, 경찰, 법관, 의사, 약사)에 인연이 많다.
子午 충, 卯酉 충: 왕지 충, 도화 충, 주색(酒色)으로 재앙, 바람기로 인한 남녀 간의 애정 갈등.
辰戌 충, 丑未 충: 붕충(朋沖), 친구, 형제간에 재산분쟁, 배신, 사기, 토지에 관련된 관재구설(官災口舌), 송사(訟事) 다툼.

---

8) 『적천수』 地支, "至於四庫之沖, 赤有宜不宜(...)
9) 『적천수』 地支, "寅申巳亥生方也, 忌沖動, 辰戌丑未四庫也, 宜沖則開."

(3) 지지 형(刑)

寅巳申, 丑戌未, 子卯, 辰辰, 午午, 酉酉, 亥亥

지지형이 구성되는 원리는 먼저 지지 삼합과(三合)과 방합(方合)의 교제에서 찾을 수가 있다. 지지 삼합이 서로 생조(生助)하는 지지 방합과 만나면 그 기세가 지나치게 강왕(强旺) 해져서 오히려 형살(刑殺)이 작용한다는 뜻에서 지지의 형이 비롯된다.

모든 사물은 너무 강하면 오히려 꺾이기 쉽고(太剛則折), 가득차면 반드시 덜어지고(滿則招損), 정도가 지나침은 도리어 미치지 못한 것과 같다(過猶不及)는 자연의 이치에서 지지형이 생겨나는 것이다. 그러므로 형(刑)은 생명을 다루는 숙살지권(肅殺之權 : 法警檢軍醫藥刀, 金融), 깍아내고 덜어내며 변형시키는 가공(加工)과 관련이 많다.

申子辰 水局이 寅卯辰 동방 木을 만나면 왕한 목이 더욱 왕강해지므로 중화(中和)를 잃어버려서 申은 寅을 형하고, 子는 卯를 형하고, 辰은 辰 자신을 형하는 것이다.

寅午戌 火局이 巳午未 남방 火를 만나면 왕한 화가 더욱 왕강해지므로 중화를 잃어버려서 寅은 巳를 형하고, 午는 午 자신을 형하고, 戌은 未를 형하는 것이다.

巳酉丑 金局이 申酉戌 서방 金을 만나면 왕한 金이 더욱 왕강해지므로 중화를 잃어버려서 巳는 申을 형하고, 酉는 酉 자신을 형하고, 丑은 戌을 형하는 것이다.

亥卯未 木局이 亥子丑 북방 水를 만나면 왕한 木이 더욱 왕강해지므로 중화를 잃어버려서 亥는 亥 자신을 형하고, 卯는 子를 형하고, 未는 丑을 형하는 것이다.

즉 삼합하는 오행이 방합의 자리로 돌아가면 더욱 강황해져서 그 절도를 잃기 때문에 형벌을 받게 된다는 논리이다.

寅申과 丑未가 상충(相沖)에 속하는 것을 제외하면 寅巳, 巳申, 丑戌, 戌未는 삼형(三刑)이 되고[10] 子卯는 상형(相刑)이 되고 辰午酉亥는 자형(自刑)이 된다.

그리고 巳와 申이 합이 되면서 서로 형이 되는 것은 어째서인가? 申 중의 水가 도리어 申金을 낳은 어머니인 巳火를 극하는 관살이 결국 되므로 巳와 申은 형이 되는 것이다.

寅巳申 삼형: 역마살형, 매사에 속전속결, 성급하게 덤벼들었다가 후회, 실속없이

---

10) 寅申과 丑未는 충도 되고 형도 되고, 巳申은 육합도 되고 형도 되는 의미가 함께 있다.

동분서주, 교통사고, 감금, 구속, 관재수(관재수), 여자는 본인이 생업에 종사(남편 복 없다)

丑戌未 삼형: 백호살형, 붕형(朋刑), 사고, 관재, 형제, 친구, 동료에게 배신, 사기, 횡령, 부동산으로 사기, 송사, 평소 친한 사이였는데 사소한 금전, 이해관계 또는 권리 다툼으로 인하여 불신, 배신, 사기, 다툼, 여자는 부부 불화 또는 이별 등으로 고독.

子卯 형: 도화살형, 남녀간의 애정문제, 자식문제, 불륜, 간통, 성욕, 등으로 인한 관재, 구설, 시비, 성병, 생식기(자궁, 방광, 비뇨기, 전립선) 질환, 마약, 약물중독, 음독(飮毒)

辰辰, 午午, 酉酉, 亥亥 자형(自刑): 남에게 말 못 할 고민이 많다. 양자택일의 갈등, 신체 불구, 정신박약, 쌍둥이

(4) 파(破), 해(害), 원진(怨嗔)

파(破): 子酉, 丑辰, 寅亥, 卯午, 巳申, 戌未 / 변동, 정리, 파괴, 교정

해(害): 子未, 丑午, 寅巳, 卯辰, 申亥, 酉戌 / 육합을 방해하는 충 되는
　　　글자 ⇒ 방해, 원망.

양지(陽支)는 역행하여 4번째, 음지(陰支)는 순행하여 4번째 지지가 파가 된다.
파(破)는 변동이나 정리, 파괴, 교정 등을 의미한다.

해(害)는 지지 육합을 충으로 방해하는 글자이다. 예를 들면 子丑합이 되는 丑未
충으로 합을 방해하는 未는 子와 해가 되고, 子午충으로 합을 방해하는 午는 丑
과 해가 된다. 그러므로 해는 일의 성사를 방해하여 원망이 생기는 의미를 내포
한다.

파와 해는 충이나 형만큼 사주를 움직이는 힘이 강하지는 않다. 그러나 파, 해로
인하여 충, 형이 동하거나 사주 오행이 편중되어 있거나 조후가 안 되어 있을 때
는 영향이 있다.

원진(怨嗔, 元嗔, 元辰)은 충하는 지지의 전후(前後) 바로 다음 지지이다. 양지(陽
支)는 충한 후 순행(順行)하여 바로 다음에 만나는 관계가 원진이고, 음지는 충한
후 역행하여 바로 다음에 만나는 관계가 원진이다. 따라서 원진은 충하고 나서
만나는 것이므로 싸움을 하고 나서 그 앙금으로 서로 미워하고 원망하는 것이다.

子는 陽이므로 午를 충하고 나서 순행하여 未를 곧바로 만나므로 子未가 원진이
다.

丑은 陰이므로 未를 충하고 나서 역행하여 午를 곧바로 만나므로 丑午가 원진이
다.

寅은 陽이므로 申을 충하고 나서 순행하여 酉를 곧바로 만나므로 寅酉가 원진이
다.

卯는 陰이므로 酉를 충하고 나서 역행하여 申을 곧바로 만나므로 卯申이 원진이
다.

辰은 陽이므로 戌을 충하고 나서 순행하여 亥를 곧바로 만나므로 辰亥가 원진이
다.

巳는 陰이므로 亥를 충하고 나서 역행하여 戌을 곧바로 만나므로 巳戌이 원진이
다.

충은 충돌을, 삼합은 화합을 의미한다는 점을 고려해 볼 때 원진은 충돌과 화합

사이에서 번뇌하고 갈등하는 의미를 함축하고 있다. 음양의 결합을 상징하는 남녀 간의 궁합에서 대개 충은 기피되고 삼합은 선호된다. 그래서 원진은 함께 있으면 미워지고(충) 헤어져 있으면 그리워지는(삼합) 이중적 의미로 인식되고 있다.

그러므로 원진의 작용은 애증(愛憎)의 교차(交叉)로 나타난다. 육친 간에 서로 미워하고 원망하며 증오하여 서로를 적대시하는 형국이다. 그래서 불화, 반목, 갈등, 별거, 이별, 이혼, 고독 등을 나타내지만 정작 헤어지면 다시 또 그리워져 보고 싶어하는 극단적인 감정의 이중 구조를 보여준다. 명(命)에 원진이 있거나 운(運)에서 원진을 만나는 해에는 인덕이 없고, 배은망덕한 일을 당하며 육친 간에도 무정해지고 정신적 갈등의 골이 더욱 깊어진다고 한다. 항간에서 원진살은 띠 즉 생년지(生年支)를 기준으로 비교 평가하는 경우가 많은데 그렇다면 생년지보다는 생일지지, 즉 일지(日支)의 원진이 영향력이 크다고 유추할 수 있다. 또한 일시(日時)에 원진이 있으면 부부간은 물론 자식과의 불화도 암시한다고 볼 수 있다. 왜냐하면 사주명리에서는 일(日)은 나 자신과 배우자에 해당하고, 시(時)는 자식과 후손에 해당한다고 인식하기 때문이다.

위와 같이 합과 극(형,충,파,해,원진)의 원리에 관해서 살펴보았다.

위 사항은 사주학을 공부하는 사람이라면 반드시 학습해야 할 내용이다. 학문적인 의미에서뿐만 아니라 실제 통변에 많이 활용할 수 있기 때문이다. 그러나 수리역학 매화역수에서는 이러한 복잡한 원리까지 이해할 필요가 없다. 단순하게 합은 좋고, 극(형,충,파,해,원진)은 나쁘다 정도로만 이해를 한다면 통변에 전혀 문제가 없을 것이다. 결국 어려운 내용을 공부하기 위해 많은 시간을 낭비할 필요가 없다는 뜻이다. 한두 번 정도 읽어 보는 정도로 이해를 하면 되겠다.

그러나 반드시 암기해야 할 사항이 있다. 수리역학매화역수 만의 특별한 합(丑寅, 辰巳, 未申, 戌亥) 4개와 辰未충, 午酉파, 辰午, 원진에 관해서는 꼭 기억해야 할 것이다. 이들이 어떤 원리에 의해 충이 되고, 파가 되는지 근거를 제시할 수는 없다. 그러나 실제 통변에서 그러한 작용을 하게 되어 명리학과 차이가 생긴다는 점을 이해하길 바란다. 다음은 합,충,형,파,해, 원진에 따른 각각의 달에 관한 길흉의 관계를 표로 설명하고자 한다.

※ 참고문헌 『정선명리학강론』

■ 일지별 길흉(吉凶)대조표

일지(日支)	길(吉)한 달	흉(兇)한 달
寅	1, 5, 9.	4, **7**, **8**, 10.
卯	2, 6, 9, 10.	3, 5, **7**, **8**, 11.
辰	7, 8, 11.	**2**, **3**, **5**, **6**, **9**, **10**, 12.
巳	4, 8, 12.	1, 7, **9**, **10**.
午	1, 5, 6, 9.	2, **11**, **12**.
未	2, 5, 6, 10.	9, **11**, **12**.
申	3, 7, 11.	**1**, **2**, 4, 10.
酉	3, 4, 8, 12.	**1**, **2**, 5, **8**, **9**, 11.
戌	1, 2, 5, 9.	**3**, **4**, 6, 8, 12.
亥	2, 6, 10.	1, **3**, **4**, 7.
子	3, 7, 11, 12.	2, **5**, **6**, 8.
丑	4, 8, 11, 12.	3, **5**, **6**, 9.

위 표와 같이 길(吉)한 달은 삼합이나 육합에 해당하는 달이고, 흉(凶)한 달은 삼형, 충, 파, 해, 원진, 등에 해당하는 달이다. 특히 두 달이 연속해서 극(형,충, 파,해,원진)에 해당하는 달에는 불운으로 작용할 가능성이 더 크다.

따라서 일주 별로 어느 달에 주의해야 하고 어느 달에 적극적으로 행동해야 하는 지는 생극(生剋) 관계를 잘 살펴봐야 한다.

2장 수리의 기본성격

1. 평생 기본수의 성격

1) 평생기본수 1수리

숫자 1의 의미는 태어난다는 뜻의 생(生)이다. 태어난다는 의미는 무(無)에서 유(有)가 된다는 의미이다. 그래서 생기가 넘치고 에너지가 풍부하다. 그리고 지도자의 기질을 가지고 있는 수리이다. 명리학에서 壬水의 특성과 같다.

『"壬水는 강과 바다, 호수와 같으니 만물의 생장에 꼭 필요하며 사람과 동, 식물이 먹고 자라는 물이다. 형체가 있으나 수시로 변하고 유동성이 있어 흘러가되 아래로만 흐른다.
임(壬)은 임신(妊娠)하는 것으로 음양이 교잡하는 것이며 만물이 회임(懷妊)하면 종자가 되어 싹이 나오는 것이다. 임(壬)은 '女 + 壬'으로 아이를 밴다는 뜻을 갖는다. 임수로 태어난 사람은 지혜로우며 속마음을 드러내지 않고 능란한 수완과 순발력, 적응력이 뛰어나다."』

평생기본수 1字의 가장 큰 특징은 항상 새로운 것을 추구한다는 점이다. 그래서 남자는 바람기가 있다. 남녀 공통으로 지혜롭고, 환경 적응력이 뛰어나며 리더십이 있다.
사주의 日干이 양간(甲,丙,戊,庚,壬)에 해당하는 사람의 성격은 적극적이고 긍정적인 면이 강하다. 그러나 일간이 음간(乙,丁,己,辛,癸)에 해당하는 사람은 소극적이고 내성적인 성격을 갖는다. 남녀 공통으로 하나로 만족하지 못하는 성격이다. 그래서 많은 것을 추구하기 때문에 식복이 타고 난 사람이다. 그뿐만 아니라 다중교제, 다중취미, 등으로 변화가 많고 바쁘다. 따라서 많은 사람을 상대하는 일을 하면 좋다.
운(運)에서 수리1이 왔을 때는 貴人을 만나거나 새로운 일이 생길 수 있다. 귀인으로서는 이성, 자녀, 부인, 손녀, 손자, 임신, 친구, 경쟁자, 등을 뜻하고, 새로운 일은 사업, 동업, 직장취업 등 다양하다.
운(運)에서 1자의 수리가 오게 되면 이와 같은 인연이나 일이 생긴다는 뜻이다. 그리고 합이 되는 달에 맺어진 인연이나 사업은 좋은 쪽으로 발전하게 된다. 그러나 극(형, 충, 파, 해, 원진)이 되는 달에 맺어진 인연이나 사업은 부정적으로 본다. 따라서 새로운 인연을 맺거나 새로운 일을 시작하려면 합이 되는 달을 선택하는 게 좋다.

수리1의 작용에 있어서 귀인의 의미는 연령대에 따라서 조금씩 해석이 달라진다. 물론 자기와 가장 가까운 주변 사람을 귀인으로 볼 수 있으나 나이에 따라 귀인의 의미가 달라지고 극이 되는 달에 만나게 된 사람은 귀인이 아니라 배신자로 돌변할 수도 있다. 결국 합이 되는 달에 만나게 되는 사람은 자신에게 도움이 될 수 있는 관계로 보고 극이 되는 달에 만나는 사람은 갈등으로 이어질 수 있는 사람으로 이해하면 되겠다.

20대의 경우 : 이성이나 결혼 상대자 또는 친구 등
30대의 경우 : 결혼 상대자, 자식 출산, 임신, 사업 동반자 등
40대의 경우 : 결혼 상대자, 부부 문제(이혼), 부모 사망, 자식 문제 등
50대의 경우 : 자식 결혼, 동생의 결혼, 손자, 손녀, 등
60대의 경우 : 손자, 손녀, 집안의 경사, 부모 사망, 이성의 문제도 생길 수 있다.

귀인의 의미는 위와 같다. 따라서 운에서 1자의 수리가 왔을 때는 먼저 귀인을 생각하면 된다. 합이 되는 달은 좋은 인연으로 만남이 성사되고 극이 되는 달은 반대로 이혼, 배신, 갈등으로 이어질 수 있으므로 어떤 방향으로 운이 흐르게 되는지를 잘 보고 상담해야 한다. 1, 6, 9, 수리가 운에서 오게 되면 결혼을 할 수 있는 좋은 운으로 보기도 하고 반대로 이혼을 할 수 있는 나쁜 운으로 보기도 한다.

2) 평생기본수 2수리

숫자 2의 의미는 기둥(柱)을 뜻한다. 보스보다는 주로 참모의 역할을 하는 사람이다. 그리고 천간의 丁火와 같은 성격으로서 정이 많고, 자신의 속마음을 쉽게 노출하지 않는다. 丁火는 종교적인 성향이 강하다.

『"丁火는 丙火처럼 맹렬하지는 않으나 어둠을 밝히는 등불처럼 원만하고 중정(中正)한 덕이있다. 심지와 불꽃으로 태우는 불이며 용광로와 같은 인공불로서 쇠를 녹이는 역할도 한다. 정(丁)은 만물이 건장하고 충실한 모양이며 다 큰 장정(壯丁)이다. 정화로 태어난 사람은 어둠을 밝게 하는 문명(文明)의 불이며, 예술적 재능이 풍부하고 어둠 속에서 인도하는 일을 잘하므로 종교와 인연이 깊다. 겉모습은 부드러운 성격이나 내심은 급하다."』

평생기본수 2수리는 참모형으로서 세심하고, 계획을 잘 세우는 논리적인 면이 있다. 남녀 공통으로 새로운 아이디어를 창출하고 그것을 여러 차례 반복 실험하면서 실제 행동으로 옮기는 일이 많다. 따라서 생각이 많아서 갈등하기 쉽고 결단력이 부족하다.

2수리를 가진 사람이 陽 일간(日干)에 해당하면 밝고, 명랑한 성격이고, 陰 일간(日干)일 경우에는 내성적인 성향이 강하다. 그래서 어떤 계획을 세우고도 빨리 행동으로 옮기지 못하고 갈등한다.

2수리는 음수(陰水)이므로 주는 것보다 무엇이든 받으려는 성향이 강하다. 그러나 정이 많아서 어려운 처지에 있는 사람을 도울 줄도 알고 자신의 고집보다 남의 생각을 할 줄 아는 성격이다. 남녀 모두 소심하면서 완벽을 추구하는 성격이다.

운(運)에서 2수리가 왔을 때는 어떤 변화와 변동이 생긴다. 어떤 변화가 생길지는 각각의 수리를 봐야 알 수 있다. 주로 이사, 직장변동, 사업변경, 학생은 유학, 부부 이혼이나 결혼과 같은 변화가 생긴다. 년과 월이 합이 되는 일주는 변화, 변동으로 좋은 일이 생긴다. 그러나 년과 월이 극이 되는 일주는 변화, 변동으로 인해 불운을 겪을 수 있으니 변화해서는 안 된다. 즉 현재 상태를 유지하는 게 좋다.

3) 평생기본수 3수리

숫자 3의 의미는 鬼를 뜻한다. 鬼는 눈에 보이지 않는 영혼이라는 뜻으로 그만큼 특별한 재능을 가졌거나 두뇌가 총명한 사람을 말한다. 즉 영혼이 들어 있는 수리이다. 3수리의 특성은 甲木과 같다.

『"큰 나무로 곧고 강하며 열매를 맺거나(果實樹) 건축에 쓰이는 재목(棟梁材)이며 불을 때는 땔감 나무(火木)이다. 갑은 씨앗에게 싹을 트는 것으로 만물이 껍질을 쪼개고 나오는 것이다. 갑목으로 태어난 사람은 위로 뻗어 오르려는 나무의 속성을 닮아 다른 사람의 지배나 간섭받는 것을 싫어하고 자존심이 강하여 자기가 앞장서서 통솔해야 직성이 풀린다. 앞으로만 나아가고 독선적이며 고집이 세다."』

甲木은 살아있는 생명체를 뜻한다. 큰 나무에는 神이 들어 있다. 따라서 3字의 수리를 가진 사람은 종교와 관련이 깊다. 그래서 심리적 갈등이 많다. 그리고 앞에 나서려는 성향이 강해서 항상 일등을 추구한다.

3수리에는 영(靈)이 들어있어서 합이 되면 神이 도와주기 때문에 최고 좋은 운이 찾아온다. 그러나 극이 되면 망하게 한다. 극이 될 때는 우울증을 겪게 되고 심할 경우 자살까지 한다. 그래서 극단적인 수리라고 한다.

3수리가 陽 일간(日干)이면 적극적인 성격으로 충동적이고 말보다 행동이 앞서는 사람이다. 陰 일간은 실리를 추구하는 성격이다. 3字 수리는 영(靈)이 들어 있으므로 성직자, 목사, 신부, 무속인, 역술인, 등 활인업에 종사하면 좋다.

甲木은 위로 성장하려는 성향이 강하고 한 번 부러지면 일어나지 못한다. 우두머리의 성향과 자존심이 강하다. 그래서 성격이 예민하므로 3字의 수리를 가진 사람에게 자존심 상하는 말을 하면 안 된다. 그래도 3수리를 가진 사람은 정이 많다.

주도수 3字 수리 즉 鬼가 왔을 때는 극단적인 모습으로 양분된다. 먼저 鬼가 좋은 모습으로 작용할 때는 조상이 도와준다는 표현을 사용한다. 그러니까 합이 되는 일주는 시험에 합격하거나 승진하거나 집안에 경사가 생긴다. 그만큼 鬼는 뜻하지 않게 횡재나 출세와 같은 일이 생기게 한다.

그러나 극이 되는 일주는 鬼가 나쁘게 작용하여 '귀신 곡할 일이 생긴다.' 전혀 예상하지 못한 뜻밖의 일이 발생하게 된다. 가출, 이혼, 파산, 사망, 등과 같은 불행한 일이 생겨서 심리적인 갈등으로 정신을 차리지 못한다. 우울증 같은 질병에 시달리다가 자살까지 하는 일도 생긴다.

결국 3字의 수리를 가진 사람은 이런 과정을 겪어야 하므로 종교를 믿거나 철학과 관련된 공부를 하는 게 좋다.

특히 申酉 일주는 첫 번째 대운이 3자로 시작되고, 寅申충, 寅酉 원진으로 극이 되므로 태어나는 순간부터 불운을 겪게 되는 경우가 많다. 즉 장애를 가지고 태어나거나 태어나는 순간 가족 중에 누가 사망하는 일도 생긴다. 반대로 합이 되는 일주는 아주 영특한 사람이다.

4) 평생기본수 4수리

숫자 4의 의미는 안정과 여유이다. 4자의 수리는 남자와 여자의 성격이 서로 다르다. 남자는 과묵하고 말이 없는 편이다. 그리고 느긋한 성격으로 중간의 위치를 차지한다. 그러나 여자는 적극적이고 활동적이다. 그러한 성격으로 여장부라는 말을 듣는다. 가정에서 가장 역할을 한다. 4수리는 辛金의 성격과 가깝다.

『"辛金은 庚金을 녹여서 만든 제련된 금속으로 예리한 칼이고 바늘이며 정밀한 기계이다. 화초를 베는 역할을 하며 보석과 같아서 빛을 발한다. 녹슬지 않게 해야 하며 깨끗이 닦고 씻어서 빛을 내야 한다. 辛은 만물이 무성하게 자라면 제재를 당하므로 힘들고 괴로운 것이다. 그래서 辛은 매울 辛으로서 '맵다, 고생하다,'라고 하는 뜻을 갖는다. 辛金으로 태어난 사람은 섬세하고 예민하며 자기주장이 강하고 냉정하며 주사, 침을 놓는 의약(醫藥)에 종사하는 경우가 많다."』

4수리의 남자는 군자(君子)와 같은 성품으로 매사에 침착하고, 여유가 있는 성격이다. 남의 말도 잘 들어주고 삶도 안정적이다. 그러나 여자는 적극적이고 활동적이다. 따라서 사회활동을 하는 경우가 많고 지도자의 길로 가는 경우도 많다. 이러한 성격으로 4수리를 가진 여자는 과부나 혼자 사는 경우가 많다. 명리학의 괴강살(魁罡殺)과 같다.

운에서 4수리가 오면 심리적으로 안정과 관련된 일이 생긴다. 즉 합이 되는 일주는 무슨 일이든 안정과 여유를 가지고 추진하면 된다. 그러나 극이 되는 일주는 모든 일을 다음으로 미루고 안정을 취하는 게 좋다. 심리적 갈등과 불안한 상태가 되므로 올바른 판단을 하기 어렵다.

5) 평생기본수 5수리

숫자 5수리는 경파(驚破)라는 단어를 사용한다. 놀랄 경(驚) 깨어질 파(破)로서 깜짝 놀라는 일이 생기거나 과격한 행동으로 잘못되는 일이 발생한다는 뜻이다. 따라서 정신적으로나 물질적인 면에서 크게 불행한 일이 생길 수 있다. 명리학의 戊, 己土의 특성과 관련이 있는데 수리역학 매화역수는 9진법을 사용하므로 土의 성격으로 보면 된다.

『 "戊토는 높은 산과 넓은 평야와 같아 큰 나무가 자랄 수 있는 토양이 되며 바람을 막아주고 추위를 막아주며 물길을 막는 제방 역할을 한다. 모든 것을 수용하고 정지시키며 발생하고 내보낸다. 정적이며 고요하나 내면에서는 모든 변화가 이루어진다(靜中動) 무(戊)는 무성(茂盛)함이니 만물이 무성한 것이다. 무토로 태어난 사람은 중후하고 과묵하며 믿음직스럽고 단단하며 외고집이 강하다. 厂(기슭 엄) + 戈(창과), 포용력이 있으나 때로는 공격적이다.
"己土는 논밭의 흙이므로 곡식을 기르는 터전이 되며 정원과 화단으로 화초를 기르는 땅이 된다. 무토는 메마르고 뜨거우나, 기토는 촉촉이 젖은 듯하며 기름지고 부드러운 흙으로 문전옥답(門前沃畓)이다. 기(己)는 벼리(紀, 실마리)이니 만물에 형체가 있음은 벼리로 표시하여 알 수 있는 것이다. 己土로 태어난 사람은 어질고 따스한 인정과 신의가 있으나 고집이 세고 환경에 잘 적응하나 소극적이며 안정을 추구한다." 』

5字의 수리를 가진 사람은 앞, 뒤를 가리지 않고 과격하게 행동을 하는 경우가 있다. 그래도 의리는 있다. 土와 관련이 있어서 장기적으로 부동산에 투자하면 좋다. 5자 수리는 부자가 될 수 있는 요건을 갖추고 있으나 너무 성격이 과격하고 급하여 실패하는 경우가 많다. 따라서 陽干의 5수리 보다 陰干의 5수리가 실속이 있다.

운에서 5자 수리가 오면 과감한 투자나 과격한 행동을 할 수 있다. 따라서 폭력같은 과격한 행동으로 사건, 사고를 일으키는 경우도 발생한다. 운에서 5자 수리가 와서 년과 월이 합이 되는 일주는 9자 문서가 합이 되는 달에 부동산에 투자하면 좋다. 그때는 과감하게 투자하여 이익을 취할 수 있다.

그러나 극이 되는 달에 충동적으로 행동하다가 망하는 경우가 발생한다. 따라서 극이 되는 일주는 여유를 가지고 기회를 잘 봐야 한다.

운에서 5자가 오면 투기의 財도 된다. 부동산 투자, 증권, 주식, 금, 은, 보석의 거래 등으로 부(富)를 추구할 수 있다. 9문서가 합이 되는 달에 구매하는 게 좋고, 침착성을 발휘하여 극이 되는 달을 피해라.

6) 평생기본수 6수리

숫자 6수리는 官(벼슬)을 뜻하는 글자이다. 즉 관, 명예, 승진, 행운에 관련된 수리이다. 따라서 평생 수리가 6자인 사람은 공무원이 아니더라도 평생 직장생활을 할 수 있다. 그래서 6자 수리는 천직이 있는 사람이다. 그리고 6수리의 특성은 癸水에 가깝다,

『 "癸水는 개울 물, 빗물, 이슬과 같은 물이므로 유약하나 태양(丙)을 가릴 수 있고 제련된 기물(辛)을 녹슬어 못쓰게 한다. 아래로 향하는 물의 기본 성질을 지니되 수증기, 구름, 비처럼 하늘과 땅을 연결하는 성질도 있다. 따라서 변화도 많다. 계(癸)는 겨울에 땅이 이미 평평해져서 만물을 헤아릴 수 있는 것이다. 癸水로 태어난 사람은 영리하고 섬세하고 조용하며 마음이 약하여 내면에는 감정변화가 많다". 』

6수리를 가진 사람의 성격은 과감하게 앞에 나서기보다 뒤에서 조종하는 스타일이다. 자기 명예를 지키기 위해서 법에 어긋난 짓을 잘하지 않는다. 따라서 일을 직접 실행하지 않고 뒤에서 시키기 때문에 같이 사는 사람은 피곤할 수 있다. 6수리는 그만큼 완벽함을 추구하고 결벽증이 생길 수 있다. 그러나 명예를 추구하고 원칙적이다.

6수리가 운에서 왔을 때는 관, 명예, 승진, 행운과 관련된 일이 생긴다. 합이 되는 일주는 시험에 합격하거나 승진할 수 있다. 그러나 극이 되는 일주는 관재구설이나 사건, 사고를 당할 수 있다. 극이 되면 편관(偏官)의 작용을 한다. 따라서 몸을 다칠 수 있고 질병에 노출될 수 있는 위험도 있다.

7) 평생기본수 7수리

숫자 7수리는 퇴식(退食)이라고 한다. 밥그릇을 물리친다는 뜻으로 건강이 약해지거나 의욕 상실을 가져올 수 있다. 그리고 7수리를 가진 사람은 맏아들, 맏며느리 역할을 하는 사람으로서 희생적인 요소를 내포하고 있다. 따라서 건강에 문제가 생길 수 있고, 재물에 불리함이 있고, 관운이 약해서 공직생활에 잘 맞지 않는다. 7자는 丙火와 같은 특성을 가진다,

『 "丙火는 태양 빛과 같으니 식물을 기르고 동물이 살아갈 수 있게 하며 따뜻하게 해서 추위를 녹이는 공이 매우 크다. 심지와 불꽃으로 태우는 불이 아니라 태양과 같이 만물을 비추어 밝게 빛나게 하고, 생장하게 하는 불이다. 병(丙)은 만물이 밝게 빛나서 분명하게 드러나는 것이다. 丙火로 태어난 사람은 화려한 것을 좋아하며 허세가 있고 불처럼 성급하나 예의를 존중하며 솔직 담백하고 명랑, 활발하다". 』

7字 수리에는 남을 위해 봉사하라는 의미가 담겨 있다. 따라서 힘이 들기 때문에 건강의 악화나 의욕의 상실이 따를 수 있다. 특히 寅,巳,申,亥, 일주는 건강의 악화로 인해서 장애를 입을 수도 있다.
평생 수리가 7자인 사람은 어렸을 때 대부분 잔병을 앓게 된다. 그리고 태양처럼 비추어주고 베풀어야 할 운명이므로 인덕이 약하다. 평생 수리의 경우 포국도 첫 번째 칸에 있으면 몸의 상태가 좋지 못하고 두 번째 칸에 있으면 관운(官運)이 약하다. 만약 공직에서 크게 출세한다고 하더라도 오래가지 못한다. 따라서 전문 직이나 활인업(活人業) 방면으로 진출하는 게 좋다. 실제로 자연 치유학자가 많다.
운에서 7자 수리가 오면 건강이 나빠질 수 있다. 7자 수리는 다른 수리와 다르게 합이 돼도 건강에 문제가 생기고 의욕이 저하된다. 그리고 손재가 발생할 수도 있다. 다만 합이 되는 일주는 그 정도가 약하게 지나간다.
극이 되는 일주는 쉬는 게 방책이다. 돈을 추구하게 되면 망하게 되고, 심리적으로 안정하지 못하고 의욕이 저하되어 건강이 나빠진다. 공부하거나 쉬게 되면 그 화가 줄어든다. 돈을 추구하게 된다면 번 돈만큼 병원에 가져다주게 된다. 주도수 7자의 수리가 오는 해에는 배신자도 생길 수 있다. 명리학에서 편인(偏印)과 같은 역할을 한다.

8) 평생기본수 8수리

숫자 8수리는 재물을 뜻한다. 재물은 돈, 증권, 집, 토지, 금, 은, 보석, 등의 동산뿐만 아니라 부동산도 포함한다. 그리고 이 수리에 해당하는 사람은 재물을 추구하기 때문에 한 푼 두 푼 저축할 줄 아는 근면성을 가진다. 8수리는 乙木과 같은 특성을 가진다.

『 "乙木은 화초나 넝쿨과 같으니 건축의 재목이 되지는 못하지만 아름다운 모양을 간직하여 감상과 소유의 대상이 된다. 외면상 부드럽고, 유순하나 생명력이 무척 강하다. 을(乙)은 만물이 처음 생겨나오는 것으로 굽은 싹이 아직 곧게 펴지지 않은 것이다. 을목으로 태어난 사람은 외유내강(外柔內剛)하여 베어도 또 자라나는 잡초와 같은 근성이 있어 심한 고난도 잘 견딘다. 기회 포착에 능하고 타협적이다. 모나지 않고 어떤 환경에서도 잘 적응한다" 』

8字의 수리는 재물 복이 있다. 명리학에서 육친으로 정재(正財)와 같은 역할을 하므로 근면하고 검소하다. 8수리가 陽干이면 재물을 취하거나 소비하는 데 있어서 과감한 면이 있어서 큰 사업이 가능하다. 그러나 陰干에 해당하면 저축성이 강하여 검소하여 소규모의 사업이 적합하다.

운에서 8자의 수리가 오면 재물과 관련된 일이 생긴다. 즉 돈이 들어오거나 나가게 되는 경우가 많다. 세운과 월운 그리고 일주가 합이 되면 돈이 들어오게 되고, 극이 되면 돈이 나가게 된다. 물론 재물과 관련이 있으므로 돈이 들어와도 일반적이지 않은 상태의 돈이 나갈 수 있다. 그리고 운에서 8字 수리가 들어 오면 재물에 대한 욕심이 강해져서 돈을 벌고자 하는 마음이 강하게 발동한다.

9) 평생기본수 9수리

숫자 9수리는 문서(文書)와 공부를 뜻한다. 그리고 9자의 수리 안에는 6자에 해당하는 관, 명예, 승진, 행운, 등이 모두 내포되어 있다. 따라서 9자의 수리가 합이 되면 크게 발전할 수 있고, 극이 되면 큰 불행을 겪을 수 있다. 9수리는 庚金과 같은 특성을 가진다.

『 "경금은 제련되지 않은 무쇠 덩어리며 큰 바위와 같아 큰 나무를 자르고 물을 샘솟게 한다. 가공되지 않은 무쇠인지라 뜨거운 불로 제련되어 쓸모 있는 기물(器物)이 되기를 가장 원한다. 경(庚)은 견고하고 강한 모양이니 만물이 수렴하여 결실이 있는 것이다. 庚金으로 태어난 사람은 강직하고 직선적이며 의지가 굳고 적극적이다. 엄격한 살기(殺氣)를 지니므로 군인, 경찰, 검찰에 종사하는 경우가 많다." 』

 9수리는 가장 자존심이 강한 수리이다. 평생 운명수 4자 수리의 여자와 9자 수리의 여자는 자존심이 너무 강해서 과부가 많다. 그만큼 여자의 매력보다 지기 싫어하는 고집과 무뚝뚝함 그리고 활동적인 성격이 강하다. 남녀를 불문하고 9수리는 자수성가하는 형이다.
운에서 9수리가 왔을 때는 문서나 공부 그리고 계약과 관련된 일이 생긴다. 문서는 부동산 문서뿐만 아니라 시험 성적표, 합격증, 진단서, 여권, 각종 증명서 등을 포함한다. 합이 되는 일주는 시험에 합격하거나 승소, 여행, 부동산 매매로 인한 이익 등 각종 문서적인 면에서 좋은 일이 생긴다. 그러나 극이 되는 일주는 불합격, 사업실패, 퇴사, 부부 이혼, 사망, 등과 같이 불행한 일을 겪게 된다. 9수리가 깨졌을 때 가장 큰 타격을 입는다.

 인용, 참고문헌 『정선명리학강론』

2. 수리의 간명에 관한 방법

수리역학 매화역수에는 81개의 포국도가 있다.

평생 기본수가 1자의 수리부터 9자의 수리까지 있고, 운의 흐름에 따라 9년을 주기로 순행하기 때문이다. 그리고 1부터 9까지의 수리가 뜻하는 의미가 각각 다르다. 그뿐만 아니라 합과 극(형,충파,해,원진)의 논리에 따라 긍정적으로 작용하기도 하고, 반대로 부정적으로 작용하기도 한다.

그러함에도 특별한 숫자로 조합된 수리가 있다. 이를 특별 수리라고 하는데 먼저 특별 수리는 반드시 암기할 필요가 있다. 왜냐하면 특별 수리는 합과 극을 떠나서 모든 일주에게 길운으로 작용할 수 있고, 반대로 합과 극을 떠나서 모든 일주에게 흉하게 작용할 수도 있기 때문이다. 특별 수리에는 고정된 의미를 가진 수리가 있는데 이런 특수한 의미를 먼저 해석하고 나머지 관계는 일반적인 수리와 같이 조합해서 해석하면 된다.

따라서 특별 수리의 의미를 먼저 알아야 한다. 그래야 현재 내담자의 상태가 어떤 상태에 놓여 있는지 쉽게 알 수 있고 상담을 순조롭게 할 수 있기 때문이다. 특별 수리를 학습하게 되면 한층 적중률을 높일 수 있다. 즉 특별 수리를 학습하게 되면 상담이 훨씬 쉬워질 것이다.

그렇다면 이제부터는 실전에 필요한 상담의 기술을 갖추어야 할 차례이다. 지금까지 용어의 정의와 포국도에 관해 학습하였으므로 이를 활용하여 상담하는 기술을 익히는 것이다. 특별 수리를 학습하는 것도 수리역학 매화역수 간명법의 방법론 중 하나이다. 다음은 수리역학 매화역수를 활용한 상담의 방법론을 논하고자 한다.

1) 평생 기본수의 기본성격을 말한다.

평생 기본수의 숫자와 일간(음,양)을 살펴서 내담자의 성격을 분석한다. 성격에 관한 간명은 사주의 일주만 정확히 알아도 쉽게 상담할 수 있다. 따라서 수리역학 매화역수에 관한 성격의 분석은 사주를 보충하는 수단으로 활용하는 게 좋다. 성격에 관한 사항은 포국도의 첫 번째 칸에 나와 있는 평생 기본수를 보고 상담하면 된다.

내담자의 성격을 알게 되면 상담을 그만큼 쉽게 할 수 있다. 성격에 관해서는 사주의 일주만 알아도 되는데 왜 굳이 수리역학 매화역수 까지 활용하느냐? 라고 의문을 가질 수도 있다. 그러나 인간의 운명에 관한 상담은 특정 학문 하나만으로 해결할 수는 없는 것이다. 그래서 다양한 학문이 발달하게 된 것이다. 그것이 명리학과 수리역학 매화역수를 같이 공부해야 하는 이유이기도 하다.

2) 주도수를 보고 직업이나 해당하는 운을 풀어준다.

주도수는 포국도의 두 번째 칸에 위치한다. 대운의 주도수는 직업과 관련이 많다. 물론 직업도 사주를 보면 알 수 있겠지만 수리역학 매화역수의 주도수로도 직업을 추론할 수 있다. 따라서 사주를 보충하는 수단으로 활용하면 더 효율적인 상담이 가능하다.

만약 세운에 관해 알고자 할 때는 지난해의 운을 비롯하여 최소 3년간의 운세를 봐주는 게 좋다. 세운은 81 포국도를 살펴서 각각의 수리를 연결해서 상담한다. 112의 수리를 예로 들자면 '신생, 신생, 변화'가 되는데 이것을 연결해서 풀이를 할 수 있어야 한다. 즉 새로운 귀인이 와서 새로운 귀인으로 인해 변화가 생긴다. 라고 해석할 수 있겠다. 모든 수리를 이와 같은 방식으로 풀이할 수 있어야 한다.

그리고 새로운 변화를 하는 게 좋은지, 나쁜지, 그 결과에 대해서는 각자의 일주와 수리를 대입하여 합이 되면 긍정적으로 판단하고, 극(형, 충, 파, 해 원진)이 되면 부정적으로 상담해 주면 된다. 이처럼 긍정과 부정으로 나눠서 확실하게 상담할 수 있는 간명법이 수리역학매화역수이다.

주도수에 관해서는 1부터 9까지의 수리가 행운(行運)에서 어떻게 작용하는지 학습하는 게 좋다. 만약, 행운(行運)에서_

주도수 1자가 오게 되면 새로운 사람을 만나거나 새로운 일을 할 수 있다는 뜻이다.

주도수 2자는 변화, 변동을 뜻한다. 따라서 해당하는 해에는 직장이나 가정 또는 하는 일과 관련해서 어떤 변화, 변동이 생길 수 있다는 뜻이다.

주도수 3은 심리적 갈등을 뜻하는데 鬼가 작용하게 되므로 좋게 풀리면 조상의 도움으로 크게 좋은 일이 생기고 나쁘게 풀리면 망하게 되는 경우가 생긴다. 그래서 극단적인 수리라고 한다.

주도수 4자가 오면 안정하라는 뜻이다. 합이 되는 일주는 안정적으로 무슨 일이든 추진하면 되고 극이 되는 일주는 현재 상태를 유지하는 게 좋다.

주도수 5자가 오면 과감해진다. 투기의 財라고도 하는데 이때 합이 되는 일주는 과감하게 부동산에 투자하면 좋다. 그러나 과격한 성격으로 경파(驚破)가 생길 수 있다. 즉 사고를 치거나 사고를 당할 수 있다는 뜻이다.

주도수 6자가 오게 되면 관, 명예, 승진, 행운과 관련된 일이 생길 수 있다. 일단 좋게 풀리면 정관처럼 작용하여 직장에 취업도 할 수 있고 승진도 할 수 있어서 좋다. 그러나 극이 되는 일주는 칠살(七煞)의 작용을 하므로 몸을 다칠 수 있고 질병에 노출될 우려도 있다.

주도수 7자가 오게 되면 가장 먼저 건강에 신경 써야 한다. 자신이 아프지 않으면 가족 중에 누군가가 아플 수 있다. 그리고 7자를 퇴식이라고 하는데 이 운에는 별로 좋은 일이 생기지 않는다. 다만 사람들에게 인기를 받을 수는 있다. 따라서 건강에 신경 쓰고 재물을 추구하는 것보다는 베푸는 삶을 사는 게 좋다.

주도수 8자가 오면 재물을 추구하고자 하는 욕구가 강해진다. 따라서 이 운에는 합이 되는 일주는 재물의 취득이 쉽다. 그러나 극이 되는 일주는 오히려 나가는 돈이 생길 수 있다. 따라서 투자는 극이 되는 달을 피하고, 합이 되는 달에 투자하는 게 좋다.

주도수 9자가 오면 문서와 관련된 일이 생긴다. 9자 수리의 문서 안에는 관(官)도 같이 들어 있으므로 다른 수리의 재물이나 명예보다 복이 더 크다.

위와 같이 주도수가 어떤 숫자인가만 알아도 그해 무슨 일이 생길지 어느 정도 예측할 수 있다. 그리고 주도수 1, 6, 9 수리에는 결혼할 확률이 높다. 반대로 이혼을 할 수 있는 확률도 높아진다.

사주명리학에서 형, 충, 파, 해, 원진이 꼭 부정적으로만 작용하는 게 아니다. 어떤 경우에는 긍정적으로 작용하기도 한다. 그러나 수리역학 매화역수에서 형, 충, 파, 해, 원진은 모두 부정적으로 작용한다. 앞에서 말했듯이 형, 충, 파, 해, 원진을 편의상 극(尅)이라고 칭하겠다. 또한 깨진다는 표현으로도 같이 사용하게 될 때가 있다.

모든 일주에 수리를 대입하여 합이 되는 경우를 제외하고, 극이 되는 수리는 모두 부정적으로 본다. 다만 원진의 의미는 먼 곳을 뜻하기도 한다. 또한 8자 수리인 재(財)가 극을 당할 때는 돈이 나간다는 표현을 쓴다. 그런데 꼭 나쁜 용도로 돈이 나간다는 의미보다 학비를 내거나 임대 보증금과 같은 좋은 용도로 나갈 때도 있다. 따라서 돈이 나간다는 의미는 사기를 당하는 등 꼭 나쁜 일을 생각할 게 아니라 일반적이지 않은 일로 돈이 나갈 수 있다고 보면 된다.

3) 특별 수리를 찾는다.

수리에 따라 특별하게 고정된 의미를 가진 경우가 있다. 이들 수리는 합과 극을 떠나서 좋게 작용하는 경우와 나쁘게 작용하는 경우가 있다. 따라서 특별 수리라는 말을 사용한다. 특별 수리는 고정된 의미를 먼저 알아야 한다. 그리고 나중에 일반적인 수리처럼 조합해서 해석하면 된다. 수리역학 매화역수는 특별 수리만 철저히 암기한다면 한 해의 운을 쉽게 파악할 수 있다. 특별 수리는 다음과 같다.

4) 81포국도의 의미 이해하기(특별수리)

123, 213.

이별, 헤어짐을 뜻한다. 이들 수리가 운에서 오게 되면 해당하는 시기에 이별, 헤어짐으로 인해 어떤 변화가 생긴다. 먼저 가족, 형제, 친구, 동료, 등과 헤어질 수 있고, 노인과 환자는 이 운에 사망할 수도 있다. 그러나 합이 되는 일주는 헤어졌던 사람을 다시 만나게 되는 때도 있으므로 신중한 해석이 필요하다.

145, 415.

안정과 여유에 관한 수리이다. 이들 수리가 운에서 오게 되면 합이 되는 일주는 모든 일이 순조롭게 잘 풀리고 심리적으로 안정이 된다. 따라서 극이 되는 일주도 크게 나쁘지 않으나 두 달이 연속해서 깨지게 될 때는 일반 수리처럼 해석해야 한다.

156, 516.

이들 수리를 혁명수(革命數)라고 한다. 이들 수리가 운에서 오면 과감하게 어떤 변화를 시도할 수 있다. 합이 되는 일주는 명예가 상승하는 등 혁명에 성공할 수 있으나 두 달이 연속해서 극이 되는 일주는 실패한다.

189, 819.

이들 수리를 대길수(大吉數)라고 한다. 운에서 이들 수리가 오면 귀인, 財, 명예, 중에서 최소한 어느 하나는 성취할 수 있다고 본다. 다만 극이 되는 달을 피하고 합이 되는 달을 찾아서 일을 실행하는 게 좋다.

279, 729.

건강에 문제가 생길 수 있는 수리이다. 그리고 성공하고자 하는 욕구는 강하나 성취하기 힘든 수리이다. 뜻대로 이루어지기 힘든 수리라는 뜻이다. 2자와 7자의 수리는 火(丙丁)를 뜻하고, 9자의 수리는 金을 뜻한다. 火剋金으로 결실을 얻고자 하나 생각처럼 쉽게 이루어지지 않는다는 뜻이다. 따라서 마음의 안정을 취하고 현재 상태를 유지하는 게 좋다.

336, 극단적인 수리.

이 수리는 상문살이라고 한다. 길흉(吉凶)이 극단적인 수리이다. 운에서 이 수리가 왔을 때 합이 되는 일주는 모든 일이 순조롭게 풀린다. 일명 삼삼하게 풀린다. 그러나 극이 되는 수리는 망하게 된다. 상문살의 작용으로 사망하거나 크게 다치거나 망하게 된다는 수리이다. 3자는 鬼를 뜻하고, 鬼가 도와주면 크게 발전할 수 있으나 鬼가 극을 하게 되면 그것만큼 큰 피해를 입는다.

369, 639.
이들 수리를 관재구설수라고 한다. 운에서 이들 수리가 오게 되면 송사와 같은 일들이 생기고 구설이나 시비가 따른다는 뜻이다. 따라서 합과 극을 떠나서 모두 부정적으로 작용한다. 그러함에도 불구하고 합이 되는 일주는 명예와 문서를 취할 수 있는 등 꼭 나쁜 일만 생기는 게 아니므로 일반 수리처럼 각각의 수리를 분석해 볼 필요가 있다.

393, 933.
이들 수리를 상문살이라고 한다. 운에서 이들 수리가 오게 되면 누가 죽을 수도 있다는 수리이다. 만약 상문이 나지 않으면 죽을 만큼 힘든 문서를 가지게 된다는 표현도 한다. 그래서 합과 극을 떠나서 흉하게 작용하는 수리이다. 이들 수리에는 대부분 상문을 겪거나 힘든 상황을 맞이하게 된다. 그러나 모든 사람에게 이런 현상이 생기는 게 아니다. '조심해야 한다.'라는 정도의 의미로 이해하면 된다.

459, 549.
이들 수리를 안정수(安定數)라고 한다. 운에서 이들 수리가 오게 되면 모든 일이 무난하게 풀린다는 뜻이다. 합이 되는 일주뿐만 아니라 극이 되는 일주도 크게 나쁘지 않다. 그러나 두 달이 연속해서 깨지거나 주도수의 오행이 극을 할 때는 일반 수리와 같이 분석해 볼 필요가 있다.

573, 753.
이들 수리를 대흉수(大凶數)라고 한다. 이들 수리가 운에서 오게 되면 가장 나쁜 운으로 본다. "귀신 곡하게 놀라는 일이 생겨서 밥그릇을 엎는다"라는 표현을 쓰는 사람도 있다. 그만큼 합과 극을 떠나서 흉으로 작용하는 수리이다. 특히 鬼가 극을 할 때 이들 수리가 오게 되면 몹시 큰 화를 당한다. 그러나 포국도 첫 번째 줄에 오는 357, 753의 수리는 오히려 좋다고 본다. 81포국도는 두 번째 줄과 네 번째 줄을 잘 살펴서 그해의 길흉의 정도와 다음 해의 운을 대비할 수 있어야 한다.

696, 966.

이들 수리는 명예와 행운에 관한 수리이다. 운에서 이들 수리가 오게 되면 한 단계 더 성장하거나 명예가 상승한다. 대부분 합과 극을 떠나서 발전할 수 있는 수리이다. 그러나 두 달 연속해서 극을 당하는 수리는 오히려 나쁘게 작용할 수도 있다. 즉 '官'이 치면 칠살의 작용을 한다. 건강에 문제가 생길 수 있고, 관재와 관련된 일도 생길 수 있다.

999, 여행수.

이 수리를 여행수(旅行數)라고 한다. 먼 곳으로 떠난다는 의미이다. 운에서 이 수리가 오게 되면 합이 되는 일주는 좋은 일이 생겨서 해외로 발령이 날 수도 있다. 또는 먼 곳으로 이사나 여행을 할 수도 있다. 그러나 극이 되는 일주는 나쁘게 작용한다. 즉 문서가 떠나므로 인해 크게 불행한 일이 생길 수도 있다. 따라서 신중하게 해석할 필요가 있다.

191, 911

특별 수리가 아니더라도 운에서 올 때 특별하게 해석해야 할 수리가 있다. 이들 수리는 대부분 나쁘게 작용하는 경우가 많다. 191, 911, 수리는 귀인의 문서나 새로운 문서로 인해 갈등이 따른다. 즉 귀인과 이별하거나 헤어질 수 있고 주변이 원수로 돌변할 수 있는 수리이다. 두 번째 줄에 213, 123, 수리가 들어 온다. 다만 합이 되는 일주는 만날 수도 있다.

134, 314.

운에서 이 수리가 오면 평생 기본수 1자와 3자의 수리에서 가장 나쁘게 작용한다. 모든 일주가 합과 극을 떠나서 전반기 6개월 동안 불운이 이어진다. 포국도 두 번째 줄을 보면 이들 수리는 573, 753, 수리로 연결된다. 따라서 길흉을 판단할 때는 포국도의 두 번째 줄에 어떤 수리가 들어 있는지 잘 살펴야 할 필요가 있다.

257, 527.

운에서 이 수리가 올 때는 평생 기본수 2자와 5자의 수리에서 가장 나쁘게 작용한다. 전반기 6개월 동안 나쁘게 작용한다. 이들 수리는 두 번째 줄에 933, 393, 상문살이 들어오기 때문이다.

281, 821.

운에서 이 수리가 올 때는 평생 기본수 2자와 8자의 수리에서 전반기 6개월 동안 모든 일주가 나쁘게 작용한다. 두 번째 줄에 393, 933, 수리가 들어 온다.

347, 437.

운에서 이 수리가 올 때는 평생 기본수 3자와 4자의 수리에서 전반기 6개월 동안 힘들게 작용한다. 두 번째 줄에 123, 213. 수리가 들어 온다. 즉 이별, 헤어짐의 수리가 따라온다. 그러나 합이 되는 일주는 헤어진 사람과 만나기도 한다.

461, 641.

운에서 이 수리가 오게 되면 전반기 6개월 동안 나쁘게 작용한다. 두 번째 줄에 573, 753. 대흉의 수리가 들어 온다.

483, 843.

운에서 이 수리가 올 때는 평생 기본수 4자와 8자의 수리에서 1년 동안 되는 일이 별로 없다. 이 수리는 財운이 왔다고 해서 좋게 생각해서는 안 된다. 후반기에 네 번째 줄에서 933, 393, 수리가 들어 온다.

584, 854

운에서 이 수리가 올 때는 합과 극을 떠나서 전반기 6개월 동안 나쁘게 작용한다. 財운이 왔다고 해서 좋게 생각해서는 안 된다. 두 번째 줄에 933,393, 상문살이 들어 온다.

674, 764.

운에서 이 수리가 오게 되면 전반기 6개월 동안 나쁘게 작용한다. 두 번째 줄에 123, 213, 수리가 들어 온다. 특히 건강이나 퇴식의 문제가 발생하게 된다. 그러나 합이 되는 일주는 헤어진 사람을 만나기도 한다.

797, 977.

운에서 이 수리가 오게 되면 퇴식(退食)의 문서를 뜻한다. 평생 기본수 7자와 9자의 수리에서 가장 나쁘게 작용한다. 포국도 두 번째 줄에 573, 753의 수리가 연결된다. 따라서 합과 극을 떠나서 모든 일주가 전반기 6개월 동안 힘들게 보낸다.

5) 다섯째, 두 달이 연속 깨지는 달을 잘 살펴야 한다.

두 달이 연속해서 극이 되는 달에는 흉의 작용이 발생할 가능성이 크고 어떤 사고를 당하거나 사망할 수 있는 확률이 높다.

寅卯(1,2)월에는 申酉 일주가 사건, 사고를 많이 당한다.
辰巳(3,4)월에는 戌亥 일주가 사건, 사고를 많이 당한다.
午未(5,6)월에는 子丑 일주가 사건, 사고를 많이 당한다.
申酉(7,8)월에는 寅卯 일주가 사건, 사고를 많이 당한다.
戌亥(9,10)월에는 辰巳 일주가 사건, 사고를 많이 당한다.
子丑(11,12)월에는 午未 일주가 사건, 사고를 많이 당한다.

6) 대운과 세운의 수리를 함께 살펴봐야 한다.

대운은 좋은데 세운이 나쁠 수 있고, 세운이 좋은데 대운이 나쁠 수 있다. 그리고 대운과 세운 모두 좋거나 나쁠 수도 있다. 따라서 대운의 해당 수리와 세운의 해당 수리를 잘 살펴서 상담에 임해야 한다.

대운이 일주와 합이 될 때는 해당하는 수리에 따른 운이 좋게 작용한다. 즉 대운에서 9자 문서 운이 들어왔다면 문서적인 측면에서 좋다는 뜻이다. 그러나 대운의 기간 9년 동안이 모두 좋다는 의미는 아니다. 대운은 좋은데 세운이 나쁘다면 문서적인 측면에서 그 해는 나쁘게 작용한다. 물론 세운이 좋으면 더 좋게 작용하는 것이다.

그리고 일단 세운이 일주와 합이 되는 때는 그해에는 좋다고 할 수 있는데 모든 달이 좋게 작용하는 게 아니다. 따라서 각각의 달을 일주와 합이 되는지, 극이 되는지 잘 살펴서 상담해야 할 것이다.

7) 주도수의 오행과 해당하는 달의 오행을 살펴야 한다.

주도수의 오행이 어느 특정한 달을 극하게 될 때는 그달에는 운이 좋지 않다고 본다. 즉 070, 009, 수리로 연결될 때 火剋金으로 9자 수리가 극을 당한다. 이럴 때는 그 화가 더 크다. 다만 주도수 오행의 극을 받더라도 일주와 합이 된다면 크게 나쁘게 볼 필요는 없다.

마지막으로 본 저자가 명리를 접하게 된 지 벌써 10년이 넘었다. 그동안 대학원에서 명리에 관한 연구 논문도 발표하였고, 내담자를 상대로 상담도 해 보았다. 이와 같은 경험을 통해 느낀 게 있다. 명리 상담사들이 너무 권위적이라는 사실이다. 일반 상담심리사들은 몹시 친절한데 왜 명리 상담사들은 위풍당당(威風堂

堂)한지 모르겠다. 모든 상담은 내담자에게 희망을 줄 수 있어야 한다. 겁을 주어서는 안 된다는 뜻이다. 내담자의 대부분은 힘든 상황을 모면할 생각으로 철학관을 찾는다. 명리 상담사들이 친절했으면 하는 바람이다.

3장 행운(行運)에 관한 운명적 해석

1. 세운(歲運)을 보는 법

세운을 보는 법은 해당하는 보고자하는 년(年)의 일주와 세운의 천간과 지지를 살펴서 어떤 육친이 합이 되는지, 극(형,충,파,해,원진)이 되는지 먼저 살펴봐야 한다. 만약 천간이 합이 되었는데 지지에서 극이 되었다면 합해져서 깨진 형국이므로 그해의 운은 좋지 못하다고 본다. 따라서 천간과 지지가 모두 합이 되면 좋으나 천간은 생각이고 지지는 현실이므로 천간이 극이 되었더라도 지지가 합이 되었다면 그해의 운은 좋다고 본다. 즉 결과가 좋은 것이다. 물론 천간과 지지가 모두 극이 되었다면 그해의 운은 좋지 못하다. 그렇다면 합이 되면 그해의 운이 모두 좋고, 극이 되면 그해의 운이 모두 나쁜 것이냐? 그것은 아니다. 일주와 세운이 극이 되더라도 각각의 일주를 12달에 대입하여 합이 되는 달이 있다면 그 달에는 운이 좋은 쪽으로 작용하므로 수리에 맞게 일을 실행하면 된다. 아무리 나쁜 운이 들어왔다고 하더라도 1년 중에서 4개월은 좋게 작용한다. 물론 각각의 일주에 따라 길흉의 크기가 다를 수 있다. 또한 일진(日辰)이라는 게 있어서 극이 되는 달에도 좋은 날이 있는 것이다.

【예시 1】 癸卯년의 乙未 일주의 운세

시	일	월	년	歲
○	乙	○	○	癸
○	未	○	○	卯

천간에서 水生木으로 인성의 도움을 받는다. 지지에서는 卯未, 반합으로 합이 되어 있다. 癸卯년의 乙未 일주는 천간에서 생을 받고 지지에서 합이 되었으므로 일단 좋은 운이 들어와 있다. 그러나 각각 12달의 운을 살펴봐야 한다. 왜냐하면 1년의 운이 좋다고 해서 그해에 속하는 12달의 운이 모두 좋은 것은 아니다. 각각의 일주마다 4달은 합이 되어 좋고, 4달은 비견이므로 보통이고, 4달은 극(형,충,파,해,원진)이 되어 좋지 못하다.

따라서 일주와 세운이 합이 되었더라도 각각의 달에 일주를 대입해서 합이 되는 달과 극이 되는 달을 구분해야 한다. 합이 된 달에는 각각의 수리에 맞는 좋은 운을 기대할 수 있다. 그러나 극이 되는 달에는 해당 수리로 인해 불운을 겪을 수 있다. 따라서 모든 일은 합이 되는 달에 적극적으로 추진하는 게 좋다. 그리고 극이 되는 달에는 모든 일을 합이 되는 달로 미루거나 실행하지 않는 게 좋다.

【예시 2】癸卯년의 丁酉 일주의 운세

시	일	월	년	歲
○	丁	○	○	癸
○	酉	○	○	卯

천간에서 丁癸 沖이 되어 있고 지지에서도 卯酉 沖이 되어 있다. 천충지충(天沖地沖)의 형국이다. 이런 경우는 어떤 변화를 예견할 수 있다. 그런데 그 변화가 수리역학 매화역수에서는 모두 나쁘게 작용한다고 본다. 이런 경우 명리학에서는 합으로 인한 변화뿐만 아니라 충으로 인한 변화, 변동의 경우도 좋은 쪽으로 작용하는 경우가 있다.

그러나 수리역학 매화역수에서는 합은 무조건 좋은 작용을 하고 극(형,충파,해,원진)은 무조건 나쁘게 작용하는 것으로 본다. 하지만 1년 12달이 모두 나쁜 것만은 아니다. 그래서 丁酉 일주를 각각의 달에 대입해서 분석해 봐야 한다. 酉 일주의 경우에는 매년 1, 2월에 나쁘게 작용한다. 그러나 3, 4월에는 좋은 작용을 한다. 따라서 일주와 각각의 달을 살펴서 어떤 수리가 합이 되는지 극이 되는지를 살펴보아야 그해의 운세를 알 수 있다.

• 다음은 운을 풀이하는 방법이다.
먼저 평생 수리(생월+생일+1)와 세운의 주도수(생월+생일+나이)를 알아야 한다. 그리고 평생 수리와 주도수를 이용해서 포국도를 만들어야 한다.
만약 평생 수리가 1자이고, 주도수도 1자라고 가정한다면 첫줄 포국도는 '112'다 다음은 **81 포국도를 참조하면** 336, 999, 448 구성을 자연스럽게 찾을 수 있다 < ※ **81 포국도_참조**>

• 만들어진 포국도의 수리에 각각의 뜻을 붙인다.

1(귀인), 1(귀인), 2(변화)가 된다. 그리고 이들을 서로 연결해서 문장을 만든다. 즉 귀인, 귀인, 변화, 라는 단어를 합해서 '귀인이 와서 귀인으로 인해 변화가 생긴다.'라는 어문(語文)을 만들 수 있다.

이와 같은 정보를 활용해서 변화하면 좋은지, 하지 말아야 하는지는 각각의 달에 일주를 대입한 후 합이 되는 일주는 변화하는 게 좋다. 그러나 극이 되는 일주는 변화하지 않는 게 좋다. 꼭 변동할 수밖에 없는 상황이라고 한다면 극이 되는 달을 피해서 합이 되는 달에 변화하면 된다. 대부분의 일주는 3개월 중에서 한 달 또는 두 달이 깨진다. 예외적으로 방합이나 비견으로 모두 깨지지 않는 일주도 있다. 그리고 두 달이 연속해서 극이 되는 일주는 불운의 정도가 크다.

• 합이나 극(형,충,파,해,원진) 보다 수리가 먼저이다.

무슨 말이냐? 하면 특별히 흉(凶)한 수리가 있는 반면에 좋은 수리도 있다. 예를 들어 세운에서 134 수리가 왔다고 가정한다면 753으로 연결된다. 이때는 鬼가 와서 극을 하는 형국이므로 합과 극(형, 충, 파, 해, 원진)을 떠나서 모든 일주가 힘든 시기를 보내게 된다. 즉 753의 수리는 대흉(大凶)을 뜻하는 수리이다.

또한 세운에서 145의 수리가 왔을 때는 안정된 상황을 뜻하고, 이에 해당하는 달은 여유로워서 무난하게 보낼 수 있다. 즉 145의 수리는 안정과 여유가 주도하는 수리이다. 그래서 145 수리 때 5자에 극이 되는 일주가 있다고 하더라도 두 달이 연속해서 깨지는 달이 아니라면 좋은 쪽으로 작용할 수도 있다. 그날의 일진에 따라서 좋게 놀랄 수도 있고 나쁘게 놀랄 수도 있는 것이다. 따라서 수리가 어떤 수리인지 먼저 살펴보아야 한다.

寅申巳亥 일주는 寅巳申亥 월에 극이 되고, 子午卯酉 일주는 卯午酉子 월에 극이 되고, 辰戌丑未 일주는 辰未戌丑 월에 극이 된다.

예를 들어 甲寅, 丙寅, 戊寅, 庚寅, 壬寅, 일주는 寅月에 比肩이고, 巳月에 寅巳 刑, 申月에 寅申 沖, 亥月에 寅亥 害가 된다.

그리고 일주 별로 申酉(1,2월), 戌亥(3,4월), 子丑(5,6월), 寅卯(7,8월), 辰巳(9,10월), 午未(11,12월), 등이 각각의 달에 이 순서에 따라 두 달이 연속으로 깨진다. 위 일주들은 해당하는 달에 극(형, 충, 파, 해, 원진)을 당하게 되므로 좋지 못한 일이 생길 수 있다.

반대로 두 달이 연속해서 좋은 일주가 있다. 戌(1,2월), 酉(3,4월), 午未(5,6월), 辰(7,8월), 卯(9,10월), 子丑(11,12월) 등이 각각의 달에 두 달이 연속으로 합이 된다. 따라서 해당하는 일주는 해당하는 달에 각각의 수리에 따른 좋은 운을 기대할 수 있다. 다음은 81 포국도를 활용해서 세운의 운세 보는 방법을 설명하고자 한다.

2. 81포국도의 해석

1) 평생기본수 1수리 _ 81포국도 평생기본수1.

평생 기본수 1수리는 항상 새로운 것을 추구하여 취미도 다중취미, 다중교제, 에너지 충만으로 많은 사람을 상대하는 일이 좋다. 대인관계가 좋고 독립심과 자립심이 강해서 자수성가할 수 있다. 먹고 살 복은 타고났다고 한다. 壬水의 특성을 가지며 우두머리의 기질을 가지고 있다.

❀ 1, 1, 2(신생, 신생, 변화) ‣ 81포국도 평생기본수1, 주도수1.

'**주도수 1**' 수리가 행운에서 오게 되면 생生, 귀인貴人, 새로운 동반자, 새로운 일을 뜻하므로 이와 관련된 일들이 생길 수 있다. 즉 112 수리의 해에는 모든 것이 귀인이나 새로운 일과 관련해서 생긴다는 뜻이다. 귀인의 의미는 나이별로 다를 수 있는데 다음과 같다.

20대 : 이성 친구, 임신
30대 : 이성 친구, 새로운 동반자, 출산.
40대 : 명예
50대 ~ 60대 : 집안의 경사

평생 기본수가 1자인 사람이 주도수 1자의 해를 맞이하게 될 때는 새로운 것과 인연이 생긴다. 새로운 사람을 만나게 되거나 새로운 일을 할 수 있게 된다. 따라서 이러한 운이 들어오는 해에는 '무엇을 한번 해 볼까?'하는 생각이 강하게 든다. 학생은 이성 교제, 미혼의 남녀는 결혼, 직장인은 자리 이동, 사업가는 영업의 확장, 등과 같은 일이 발생할 수 있다.
그렇다면 귀인을 만나거나 새로운 일을 하게 되면 결과가 좋은 쪽으로 작용하게 될지, 반대로 나쁜 쪽으로 작용하게 될지, 그 여부에 관해서는 각자의 운을 살펴봐야 알 수 있다. 그리고 언제 이동하는 게 좋을지는 합과 극이 되는 달을 살펴서 상담해 줘야 한다.

貴 1 水	貴 1 水	變 2 火
寅	卯	辰
鬼 3 木	鬼 3 木	官 6 水
巳	午	未
文 9 金	文 9 金	文 9 金
申	酉	戌
安 4 金	安 4 金	財 8 木
亥	子	丑

선천수 ‣ 1,6_水 2,7_火 3,8_木 4,9_金 5,10_土
주도수 ‣ 1_生,貴 2_變 3_鬼 4_安 5_驚破 6_官 7_退食 8_財 9_文

• 1(귀인), 1(귀인), 2(변화)

새로운 귀인이 나타나서 새로운 변화를 준다. 그런데 주도수가 합이 되는 일주는 새로운 변화가 좋은 측면으로 작용하게 되고, 주도수가 극(형, 충, 파, 해)이 되는 일주는 나쁜 방향으로 작용하게 된다.

따라서 합이 되는 일주(戌)는 이성의 만남도 있을 수 있고, 새로운 변화로 인해 발전적인 측면도 따른다. 그러나 극(형, 충, 파, 해, 원진)이 되는 달에 만난 사람은 귀인이 아니라 경쟁자, 사기꾼과 같은 갈등의 요소가 될 수 있는 사람이다.

변화해도 되느냐? 라고 묻는다면, 합이 되는 달(月)에 변화해라. 즉 戌 일주라면 1, 2월에 변화하는 게 좋고, 酉 일주라면 3, 4월에 변화하는 게 좋다. 극(형, 충, 파, 해, 원진)이 되는 달은 피해라. 따라서 해당 일주를 각각의 달에 대입하여 합이 되는지, 극이 되는지를 살펴봐야 알 수 있다.

• 3(鬼), 3(鬼), 6(官)

합이 되는 일주는 삼삼하게 풀린다. 반대로 극이 되는 일주는 상문살이다. 상문살의 의미는 누가 죽는다는 뜻이다. 그러나 꼭 죽는다는 게 아니라 아프거나, 다치거나, 좋지 않은 일이 생길 수 있다는 뜻이다.

이 수리에 합이 되는 일주(午,未)는 새로운 사람과의 만남이나 새로운 환경의 변화로 새로운 활력을 되찾고 의욕이 충만할 수 있다.

극이 되는 일주는 심리적 갈등이 대두되며 안정을 추구하기 힘들다. 즉 형, 충, 파, 해, 원진이 되면 몸이 아프거나 다칠 수 있다. 또는 사기를 당할 수도 있다. 따라서 336의 수리는 충, 형, 파, 해 원진이 되면 상문살이 되고, 합이 되면 삼삼하게 풀린다는 표현을 사용한다.

학생은 심리적 갈등으로 공부에 지장을 초래하고, 직장인은 직장변동으로 갈등하고, 사업가는 새로운 사업계획의 변경 등으로 갈등을 겪는다. 따라서 극이 되는 일주는 변동하지 마라. 다만 합이 되는 일주는 승진, 명예, 행운, 등이 따른다.

• 9(문서), 9(문서), 9(문서)

문서가 떠난다는 뜻이다. 은하철도 999라는 표현을 사용하듯이 먼 곳으로 이동을 할 수 있는 운이다. 이 수리에 문서가 깨지는 게 가장 큰 흉(凶)이다.

합이 되는 일주(辰 일주등)는 문서적으로 적극적인 활동을 하는 게 좋다. 금전과 명예에 대한 욕구가 분출되며 결실로 이어진다.

합이 되면 승진해서 해외 근무를 할 수도 있고 자리의 변동이 생길 수도 있다. 주도수가 1자이므로 귀인과 함께 여행을 떠나는 일이 생길 수도 있다.

그러나 극(형, 충, 파, 해, 원진)이 되면 지방 발령이나 좌천 또는 퇴사하게 된다. 따라서 운의 흐름이 좋지 못하다면 미리 먼 곳으로 여행을 다녀오는 것도 하나의 방편이 될 수 있다.

• 4(안정), 4(안정), 8(財)

안정된 상태에서 안정된 재물이 들어온다. 그런데 합이 되는 일주는 돈이 들어오나 극이 되는 일주는 안정이 깨지고 돈 나갈 일이 생긴다.

따라서 합이 되는 일주는 자신의 능력을 발휘해라. 새로운 변화에 대한 욕구로 활동 영역을 확장 시키는 상황이다. 그러나 극이 되는 일주는 안정을 취하고 현실을 고수하면서 주의하라.

항상 한 해를 마무리하는 포국도 마지막 줄에서는 다음 해에 어떤 수리가 오는지를 잘 살펴야 한다. 112 수리 다음으로 123, 134, 수리로 이어지므로 불운에 대비해야 한다.

'**주도수 2**'는 변화, 변동, 갈등을 뜻하는 수리다. 그런데 평생 기본수 1자인 사람이 주도수 2자의 해를 맞이하게 될 때는 이별, 헤어짐과 같은 변화와 변동이 생긴다.

이 수리를 가진 내담자가 상담하러 왔다면 먼저 무엇을 변화하려고 하는지 살펴라. 부부 문제로 왔다면 이혼하러 왔다는 걸 쉽게 알 수 있다. 학생이라면 학교를 그만두려고 한다는 걸 알 수 있다.

그리고 이사나 퇴사 등 이별, 헤어짐의 의미는 신분이나 직업에 따라 모두 다르다. 따라서 직업이나 신분에 맞는 상담을 해야 한다.

【예시】

시	일	월	년	歲
○	癸	○	○	癸
○	酉	○	○	卯

癸卯년에 123 수리를 가진 癸酉 일주, 부인이 찾아왔다면 천간은 비견이고, 지지가 충이다. 부부궁이 충이 되었으므로 이혼에 관한 상담을 하러 왔구나, 라고 예측할 수 있다. 123 수리에 찾아온 내담자에게는 먼저 작년(112수리 때)에 누구를 만났는지 물어보라. 그러면 남편과의 이별인지 새로 만난 사람과 이별인지 알 수 있다.

貴 1 水	變 2 火	鬼 3 木
寅	卯	辰
安 4 金	驚 5 土	文 9 金
巳	午	未
安 4 金	驚 5 土	文 9 金

申	酉	戌
文 9 金	鬼 3 木	鬼 3 木
亥	子	丑

선천수 ﹥ 1,6_水 2,7_火 3,8_木 4,9_金 5,10_土
주도수 ﹥ 1_生,貴 2_變 3_鬼 4_安 5_驚破 6_官 7_退食 8_財 9_文

• 1(귀인), 2(변화), 3(鬼)

이별 헤어짐의 수리이다. 귀신 곡하게 이별하거나 헤어진다. 여기서 주도수 2(변화)는 1(귀인)과의 변화, 변동을 뜻한다. 즉 귀인과의 이별이다.

합이 되는 일주는 반대로 귀인을 만난다. 주도수 2(변화)와 합이 되는 일주(戌,亥 일주)는 뜻밖의 귀인을 만나기도 한다. 재결합, 직장취업, 직장을 변동해도 좋다. 오히려 많은 사람과의 왕래가 이루어진다. 이별인지, 만남인지를 알기 위해서는 일주와 세운이 합인지, 극인지, 먼저 살펴보고, 또한 수리와 일주가 합이 되는지를 살펴서 판단해야 한다.

극이 되는 일주는 이혼, 퇴직, 이별, 주위가 원수로 변한다. 노인과 환자는 사망할 수도 있는 수리이다. 이 수리에서 이혼을 막으려면 부부가 멀리 떨어져 있게 하라. 寅巳申亥 일주는 4월까지 피해 있어라. 형, 충, 파, 해, 원진, 등이 끝나면 결합해라. 123 또는 213 수리는 이별 또는 헤어짐을 의미한다. 서로 비슷한 뜻으로 작용을 하게 된다.

• 4(안정), 5(驚破), 9(문서)

주도수 2자(변화)에서 5자 수리의 뜻은 집, 부동산, 투기의 財와 관련된 변화를 의미하므로 이사, 부동산 매매, 등과 같은 변화가 생길 수 있다.

합이 되는 일주는 5土가 좋은 일이 생겨서 놀란다는 뜻이다. 따라서 부동산, 이사, 투자, 등과 관련하여 안정된 상태에서 과감하게 문서와 명예를 취할 수 있다. 그래서 합이 되는 달에 변동해야 한다. 따라서 子,午,卯,酉 일주는 4월에 변동하고, 寅,巳,申,亥 일주는 5월에 변동해야 한다.

극(형, 충, 파, 해, 원진)이 되는 일주는 9(문서)가 빠져나간다. 辰戌丑未 일주는 변동으로 459 수리에서 戌未刑이 된다. 그래서 문서를 잃어버린다. 따라서 459 수리에서 刑이 되는 일주는 변동하지 마라. 만약 변동하면 손실을 보거나 법적인 문제가 생길 수도 있다.

• 4(안정), 5(驚破), 9(문서)

앞 달의 수리와 같이 똑같은 459 수리로서 寅巳申亥 일주는 4(안정)가 깨지고, 5(놀라는 일)와 9(문서)는 깨지지 않는다. 따라서 안정을 바탕으로 뜻을 펼쳐나갈 수 있다. 그리고 子午卯酉 일주는 5(경파)가 깨진다. 나쁜 일로 놀라는 일이 생길 수 있다. 그래서 변화하면 안 된다.

따라서 극이 되는 일주(酉,戌)는 합이 되는 달에서 안전하게 변화해라. 즉 극이 되는 달을 피해라. 酉 일주는 8월에 酉酉 자형, 9월에 酉戌 害가 되어 크게 깨진다. 합이 될 때는 과감하게 하고 극이 될 때는 그달을 피해서 안전하게 변화해라.

• 9(문서), 3(鬼), 3(鬼)

이 수리는 상문살이다. 주도수가 2(변화)라서 남의 집 상문이다. 즉 주도수가 1자이면 내 집에서 생기는 상문이고 2자의 상문은 변동의 상문이라 남의 집 상문일 가능성 크다.

합과 극을 떠나서 933 수리는 상문에 해당하고, 만약 상문이 생기지 않으면 심리적 갈등의 문서를 가지게 된다. 즉 죽을 만큼 힘든 문서를 가지게 된다.

이 수리가 왔을 때 남의 상가(喪家)에 가게 되면 병을 얻을 수 있다고 한다. 특히 午未 일주는 11월, 12월이 극이 되므로 상문을 가지 않는 게 좋다.

그리고 이 운에서 빌려준 돈은 받지 못하게 된다. 보이스 피싱과 같은 사기를 당하거나 귀신 곡할 만큼 어려운 일을 당하게 된다. 따라서 이 수리에는 현재 상태를 유지하고 어떤 일이든 추진하지 마라.

'주도수 3'은 鬼, 심리적 갈등, 망하게 함의 뜻을 가진다. 평생 기본수가 1자인 사람이 운에서 3자가 올 때는 심리적 갈등이 극대화(極大化)하게 된다. 즉 鬼가 와 있다. 그래서 갑자기 뜻하지 않은 일이 생긴다. 전혀 생각지도 않았던 종교, 철학, 역학 쪽으로 관심이 간다. 그래야 살 수 있다. 1자 수리에서 가장 나쁜 수리이다. 합이 되는 일주도 6월까지 깨진다. 학생은 가출, 성적하락, 부부는 고부 갈등으로 문제가 생기고, 사업가는 파산으로 가장 큰 타격을 입는다. 그래서 이 수리에는 아무 일도 하지 않고 쉬는 게 좋다. 만약 평생 수리라면 극이 되는 일주는 장애자(障碍者)가 될 수도 있다.

수리역학 매화역수에 따른 운의 흐름을 보면 일반적으로 2년이 나쁘면 2년은 좋은 운이 온다. 모든 사람의 운의 흐름은 2년을 주기로 좋고 나쁨으로 바뀌는 경우가 많다. 따라서 내담자가 힘든 시기에 놓여 있다면 2년만 견디라는 말을 하면 된다.

이와 같은 운에는 가능하면 일을 다음 해로 미루는 게 좋다. 다음 수리가 145 수리이다. 힘든 시기를 극복하였으므로 좋은 운이 도래하는 것이다. 따라서 항상 포국도의 두 번째 줄을 보고 길, 흉을 판단하고, 마지막 줄을 보고 다음 해의 운을 참고할 줄 알아야 한다.

貴 1 水	鬼 3 木	安 4 金
寅	卯	辰
驚 5 土	退 7 火	鬼 3 木
巳	午	未
財 8 木	貴 1 水	文 9 金
申	酉	戌
驚 5 土	變 2 火	退 7 火
亥	子	丑

• 1(귀인), 3(鬼), 4(안정)

鬼가 왔다. 이 수리 때는 죽는 사람, 신을 받는 사람, 종교를 믿는 사람이 생긴다. 심리적으로 안정하지 못하고 감정이 앞서기 때문에 손재수가 따를 수도 있다. 이 수리 때는 종교, 철학, 역학, 공부가 잘된다.

이 수리에 스님에게 가면 부처님에게 기도하라고 하고, 무당에게 가면 신을 받으라고 한다. 이 수리에는 합과 극을 떠나서 모든 일주가 깨진다. 사업가가 가장 크게 당한다.

그다음 관직에 있는 사람이다. 가능하면 6개월 동안 쉬어라. 아무 일도 하지 않고 쉬면 괜찮다. 그리고 1자(귀인)의 鬼라서 정신없이 결혼까지 할 수가 있다. 그러나 이 수리에 결혼하는 것은 결과가 좋지 못하다.

후반기 819 수리부터 풀린다. 따라서 전반기에는 건강관리에 신경 쓰고 안정을 취해라. 그냥 쉬는 게 좋다. 평생 수리와 세운의 수리가 134 수리로 겹치게 되면 신을 받는 경우가 많다.

• 5(驚破), 7(퇴식), 3(鬼)

이 수리가 81 수리 중에서 가장 흉한 수리이다. 7자는 丙火이므로 조급하다. 그래서 귀신 곡하게 놀라는 일이 생겨서 밥그릇을 엎는다. 평생 수리라면 극이 되는 일주는 장애자가 될 수도 있다. 학생은 가출할 수 있고, 직장인은 상사와 갈등이 생기고, 사업가는 부도난다. 부부간에는 고부 갈등으로 문제가 생긴다.

이 수리에는 합과 극을 불문하고 사업실패, 퇴사, 심리적 갈등과 생활 의욕의 권태, 의욕 저하, 건강까지 나빠진다. 따라서 현재 상태를 유지하고 쉬는 게 좋다. 욕심을 부리면 더 나락으로 떨어진다.

寅巳申亥 일주는 4월에 좋지 않은 일로 놀라는 일이 생기고, 子午卯酉 일주는 5월에 건강에 문제가 생기고, 辰戌丑未 일주는 6월에 鬼가 발동하여 뜻밖의 좋지 못한 일이 생긴다.

• 8(財), 1(귀인), 9(문서)

鬼가 왔다고 해서 영원히 죽이지 않는다. 이때부터 좋아진다. 재산과 귀인 그리고 문서가 들어오는 운이다. 최소한 어느 하나는 들어온다.

그래서 합이 되는 일주는 귀인을 만나게 되고, 財와 문서, 명예까지 취하게 된다. 그러나 전반기 때의 충격으로 복이 그다지 크지는 않다. 그동안의 충격에서 벗어나 안정을 찾을 수 있는 계기로 삼아라.

극(형, 충, 파, 해, 원진)이 되는 일주는 돈이 나갈 수 있고, 귀인이 아니라 악연이 될 수 있고, 문서로 인한 큰 손실이 따를 수 있으니 현재 상태를 유지하는 게 좋다. 특히 酉 일주는 1(귀인)과 9(문서), 두 달이 깨진다. 이처럼 극이 되는 달에 만나는 사람은 귀인이 아니라 배신자가 될 수 있다. 사기, 배신, 등으로 갈등의 요인이 될 수 있으니 만남에 신중하라.

• 5(驚破), 2(변화), 7(퇴식)

과감한 변화로 퇴식을 맞이한다. 따라서 변화하지 말고 현재 상태를 유지하는 게 좋다. 추진하는 일은 다음연도까지 미루고, 심리적 불안이 초래되기 쉬우므로 현실에서 벗어나는 게 좋다.

주도수 3자가 들어오는 해의 7자(퇴식)는 합이든 극이든 건강에 문제가 생긴다. 辰,戌,丑,未 일주는 12월에 극이 되므로 특별히 건강에 주의해야 한다. 7자는 의욕 상실이다. 그러나 쉬면 반대로 건강회복이다.

주도수 3자가 5자를 木剋土하고 있다. 일주와 10월이 극이 되고, 또 주도수의 오행과 10월의 오행이 상극하면 그 화가 더 크다. 따라서 좋지 못한 일로 놀라는 일이 생길 수 있으므로 寅巳申亥 일주는 특별히 주의해야 한다.

🌸 1, 4, 5(신생, 안정, 驚破) ▸ 81포국도 평생기본수1, 주도수4

'**주도수 4**'는 안정과 여유를 뜻한다. 평생 기본수가 1자인 사람이 운에서 4자가 오면 심리적으로 안정되고 여유로운 해가 된다. 학생은 시험합격, 성적상승, 사업가는 사업 확장, 남녀 간에는 이성의 도움, 승진, 행운, 등 안정된 상태에서 각각의 수리에 따라 한 단계 더 발전할 수 있다.

이 수리부터 운이 상승하고, 평생 수리라고 한다면 아주 좋다. 마음의 안정과 여유가 생기는 수리이다. 하지만 아무리 좋은 수리라고 해도 극이 되면 나쁘게 작용하므로 합과 극의 원리를 잘 이해하여 상담에 임해야 한다.

貴 1 水	安 4 金	驚 5 土
寅	卯	辰
官 6 水	文 9 金	官 6 水
巳	午	未
鬼 3 木	官 6 水	文 9 金
申	酉	戌
貴 1 水	貴 1 水	變 2 火
亥	子	丑

• 1(귀인), 4(안정), 5(驚破)

이 수리는 안정과 여유를 뜻한다. 4자(안정)가 합이 되는 일주는 1(귀인)을 이성으로 볼 수도 있다. 따라서 이성의 도움도 따르고 대인관계도 크게 좋아질 수 있다. 합이 되면 안정을 바탕으로 실리를 추구할 수 있다. 만약 5(驚破)가 깨졌다고 해도 일진이 좋다면 수리가 좋아서 좋게 놀라는 일이 생길 수도 있다. 주도수 4자와 5자 수리가 土生金으로 상생의 관계이다.

다만 극이 되는 달을 피하고 합이 되는 달에 추진하라. 극이 되는 일주는 안정을 취해라.

• 6(官), 9(문서), 6(官)

안정된 상태에서 명예와 문서가 왔다. 수리 중에서 가장 좋은 수리이다. 합이 되면 한 단계 더 성장할 수 있다. 시험합격, 승진, 행운, 사업 확장, 문서, 명예, 등으로 한 단계 더 올라갈 수 있는 계기가 된다. 그래서 합이 되는 달에 일을 추진해라.

극이 되는 일주(子丑)는 관이 칠살(七殺)로 변한다. 좋은 수리이지만 극이 되는 일주에게는 관, 문서, 행운이 아니다. 학생은 공부하지 않고, 일반인은 직장을 나오거나 몸이 아플 수도 있다. 따라서 寅申巳亥 일주는 寅巳申亥 월을 피해서 일을 추진하고, 子午卯酉 일주는 卯午酉子 월을 피해서 일을 추진해라.

• 3(鬼), 6(官), 9(문서)

369, 639 수리는 관재구설에 관한 수리이다. 안정하지 못해서 관재(官災)가 왔다. 주도수가 어떤 수리인가에 따라 관재의 의미가 조금씩 달라진다. 만약 앞 달인 696 수리에서 승진했다면 시기나 질투와 관련해서 관재(官災)가 온다. 그래서 이 수리가 왔을 때는 자랑하지 말고 남의 일에 관여하지 않는 게 좋다. 즉 명예와 연관하여 생기는 관재(官災)이므로 독선적인 행동보다는 주위와의 융합이 필요하다.

• 1(귀인), 1(귀인), 2(변화)

귀인이 두 명이 왔다. 주도수 4(안정)에서 달을 달리하여 두 사람의 귀인이 쌍으로 왔다. 미혼이라면 결혼 상대자로도 볼 수 있다. 그러나 쌍으로 와 있어서 합이 되는 달에 만났던 사람도 충이 되는 달에 바로 깨질 수 있다.

합이 되는 일주는 새로운 이성을 만날 수 있고, 사업가는 사업을 확장하거나 또 다른 사업을 할 수 있다. 귀인을 어느 달에 만났느냐를 잘 구별해서 판단해야 한다.

따라서 극이 되는 일주는 배신자, 사기꾼, 등 악연으로 갈등의 요소가 될 수 있는 사람이다. 즉 이성의 문제가 복잡해질 수 있다. 삼각관계에 빠지거나 먼저 만났던 사람과 헤어질 수도 있다. 그래서 충이 되는 달에는 만나지 않아야 한다.

'**주도수 5**'는 혁명, 혁신, 대변혁, 쿠데타. 등을 뜻한다. 평생 기본수가 1자인 사람이 운에서 5자가 오면 혁명, 혁신, 개혁, 쿠데타, 대변혁과 같은 일을 추진하는 등 성격이 과감해진다.

이 수리에는 이사하거나 명예를 추구하고 싶어진다. 깜짝 놀랄 일이 생기는 운인데 합이 되면 좋은 일로 놀라고 충이 되면 나쁜 일로 놀란다. 이 수리가 평생 수리라면 땅에 투자하면 좋다.

5자 수리는 토를 의미하고, 또한 투기의 財로서 큰 재물로 보기도 한다. 그래서 평생 수리라면 부동산에 투자하면 장기적으로 이익을 창출할 수 있고, 세운일지라도 합이 되는 달에 투자하게 되면 나중에 이익을 창출할 수 있다.

貴 1 水	驚 5 土	官 6 水
寅	卯	辰
退 7 火	變 2 火	文 9 金
巳	午	未
退 7 火	變 2 火	文 9 金
申	酉	戌
官 6 水	文 9 金	官 6 水
亥	子	丑

• 1(귀인), 5(驚破), 6(官)

과감한 혁명, 혁신, 대변혁의 운이 왔다. 156, 516 수리는 서로 성격만 다를 뿐이지 혁명, 혁신, 대변혁의 의미를 뜻한다. 그래서 주도수 5자가 왔으면 먼저 놀라는 일이 생긴다는 것을 예견해야 한다. 합이 되는 일주는 자신의 능력을 표출한다.

그러나 극이 되는 일주는 개혁에 실패한다. 감옥에 가는 일도 생길 수 있고, 심리적으로 불안해져서 건강에도 문제가 생길 수 있다. 3개월 중에서 2달이 깨지면 실패한다.

• 7(퇴식), 2(변화), 9(문서)
밥그릇을 엎는 변화의 문서이다. 오방산신난동수(五方山神亂動數)라고 하여 그만큼 혼란스러운 상황을 뜻한다. 그래서 심리적으로 안정하기 어렵다. 마음은 火剋金 으로 문서를 취하려고 하나 뜻대로 잘 이루어지지 않는다.

어떤 수리가 오던 가장 먼저 주도수의 뜻을 이해하고, 그다음 각각의 수리에 일주를 대입해서 합과 극의 관계를 살펴야 한다. 그리고 마지막으로 주도수와 수리의 오행을 살펴봐야 한다.

이 수리에서 첫 번째 순서는 주도수 5자가 왔으니까 "과감하게 놀라는 일이 생긴다."라는 의미를 먼저 이해한다. 두 번째 해당 수리인 7자(퇴식)의 수리와 일주가 합이 되는지 극이 되는지 살펴본다. 그리고 마지막으로 5자(주도수)와 7자(퇴식)의 오행 관계를 살펴야 한다. 4월에 7자(퇴식)의 운이 왔으나 火生土로 5자(주도수)를 生하는 관계이다. 따라서 오행의 관계가 상극의 관계가 아니므로 죽을 만큼의 퇴식은 아니다.

寅,申,巳,亥, 일주는 4월에 모두 퇴식으로 깨진다.
子,午,卯,酉, 일주는 5월에 모두 변화, 변동으로 깨진다.
辰,戌,丑,未, 일주는 6월에 모두 문서가 깨진다.

만약 이 수리가 평생 운이라고 한다면 寅申巳亥 일주는 퇴식으로 7년이 깨지고, 子午卯酉 일주는 변화, 변동으로 2년이 깨진다. 그리고 辰戌丑未 일주는 문서가 9년 동안 깨진다.

일반적으로 좋은 운은 오래 지속될수록 좋고 나쁜 운은 짧게 끝나는 게 좋다. 그렇지만 이 수리에서는 퇴식으로 7년이 깨지는 寅申巳亥 일주의 피해가 가장 크다. 왜냐하면 문서는 9년이 깨지더라도 세운에서 좋은 문서 운이 오면 그 해에 좋은 문서를 취할 수 있기 때문이다.

그러나 7자는 합이 돼도 퇴식이 된다. 그리고 7자를 타고 난 사람은 몸 상태가 안 좋은 사람이다. 그래서 활인업을 하는 게 좋고, 변화하지 말고 현재 상태를 유지해야 한다.

• 7(퇴식), 2(변화), 9(문서)
앞 달과 마찬가지로 밥그릇을 엎는 변화의 문서가 왔다. 뜻하는 대로 잘 이루어지기 힘든 수리이다. 그리고 이 수리는 어느 줄에 서 있느냐에 따라 吉凶의 차이가 있다.

寅申巳亥 일주는 7월에 다시 퇴식으로 깨진다. 子午卯酉 일주는 8월에 변화 변동으로 깨진다. 그리고 9월에 辰戌丑未 일주가 문서로 깨진다. 평생 수리라고 한다면 대운에서 문서가 깨지더라도 세운에서 문서가 합하게 되면 좋은 문서를 취할 수 있는데 寅申巳亥 일주는 건강에 문제가 생기므로 가장 불운할 수 있다.

따라서 극이 되는 일주인 寅申巳亥는 7월에 건강 주의하고, 子午卯酉는 8월에 변화, 변동하지 마라, 그리고 辰戌丑未 일주는 문서를 주의해야 한다. 주도수 5자의 729 수리는 심리적으로 안정하지 못하고 쓰러지는 일도 생긴다. 무속인에게 가면 神을 받으라고 한다. 6개월 동안 뜻대로 일이 잘 풀리지 않는다.

• 6(퇴식), 9(변화), 6(문서)

관, 명예, 행운의 수리다. 여기부터 빛을 보게 된다. 시험 보는 학생에게 아주 좋다. 합이 되는 달에 일을 실행해라. 5자의 관, 명예, 행운이므로 땅에 투자하는 게 좋다. 아주 좋은 수리이지만 극이 되는 일주는 몸이 아프거나 관재구설이 생길 수 있다.

🌸 1, 6, 7(신생, 官, 退食) ▸ 81포국도 평생기본수1, 주도수6

'**주도수 6**'은 官, 명예, 승진, 행운의 뜻을 가진다. 평생 기본수 1자인 사람이 운에서 6자가 오면 官, 명예, 행운, 승진과 같은 일이 생긴다. 특히 이 수리는 직업에 맞게 해석해야 한다. 학생은 공부가 잘되고, 사업가는 손님이 많이 찾아와서 사업이 잘된다.

합이 되는 일주는 취업이나 승진 그리고 건강도 좋아진다. 그러나 극이 되는 일주는 건강에 주의하는 게 좋다. 학생은 공부 안 되고, 심리적 갈등으로 부모와 다툴 수도 있다. 평생 수리라고 한다면 주도수의 자리는 직업과 관련이 있어서 공직으로 진출하는 게 좋다.

주도수 1,6,9, 수리에는 결혼할 확률이 높다. 그러나 반대로 이혼할 수 있는 확률도 높다. 따라서 합이 되는 달에는 긍정적으로 해석하고 극이 되는 달은 부정적으로 해석해야 한다. 특히 송사와 관련된 일은 절대 극이 되는 달을 피하는 게 좋다.

貴 1 水	官 6 水	退 7 火
寅	卯	辰
財 8 木	安 4 金	鬼 3 木
巳	午	未
變 2 火	退 7 火	文 9 金
申	酉	戌
變 2 火	財 8 木	貴 1 水
亥	子	丑

• 1(귀인), 6(官), 7(退食)

官운이 왔다. 그해의 운에서 주도수 6자가 들어오면 관, 명예, 승진, 행운에 관련된 일이 생긴다. 따라서 이 수리가 들어 오고 합이 되는 일주는 자신의 능률이 표출된다. 다만 합이 되는 일주도 3월에는 7자(퇴식)가 들어오므로 건강에 주의

해야 한다. 수리가 먼저이므로 합과 극을 떠나서 아플 수 있다.

만약 이 수리가 평생 수리라고 한다면 7자에 건강 문제가 생긴다. 그래서 초등학교 때 몸이 아플 수밖에 없다. 특히 극이 되는 辰戌丑未 일주는 더 안 좋다. 그 중에서도 辰 일주는 卯辰 害와 辰辰 自刑으로 6자와 7자가 연속으로 깨진다. 따라서 辰 일주는 미리 건강 검진을 받아 보는 게 좋다

• 8(財), 4(안정), 3(鬼).

 조상의 도움으로 재물이 안정되게 들어온다. 합이 되는 일주는 주위의 모든 여건이 따라준다. 뜻하지 않던 재물이 주위로부터 들어와 활력을 갖게 한다. 특히 午未, 일주는 깨지는 게 없어서 좋다.

극이 되는 일주는 귀신 곡하게 안정이 안 되고 재물이 나간다. 학생은 공부가 되지 않고 사업가는 돈이 나간다. 특히 4월에 寅巳申亥 일주는 관(七煞)이 쳐서 나가는 돈이 생길 수 있다. 그래서 미리 학비나 좋은 일에 돈을 쓰는 것도 방편이 된다.

• 2(변화), 7(퇴식), 9(문서).

변화, 변동으로 퇴식의 문서가 온다. 특히 주도수가 水剋火로 2,7, 수리의 오행을 극한다. 특히 寅卯, 일주는 7, 8월에 2, 7, 수리와 극의 관계에 놓이고 또한 주도수의 오행이 2, 7, 수리와 상극관계이다. 따라서 7, 8월에는 변동하지 않는 게 좋다. 2,7, 수리에서 깨지더라도 9자 수리에서 합이 되면 모두 회복할 수 있다.

특히 寅卯, 일주는 두 달이 연속 깨져서 가장 크게 당한다. 이 수리는 우환이 먼저 들어오고 난 후 나중에 문서 운이 들어온다. 퇴식의 운에서는 모든 일주가 건강에 유의해야 한다.

• 2(변화), 8(財), 1(귀인).

귀인과 재물이 들어온다. 합이 되는 일주는 새로운 변화를 모색하게 되고 재물적인 측면에서 여유가 따른다.

그러나 극이 되는 일주는 오히려 돈이 나가고 배신을 당한다. 귀인이 아니라 악연으로 이어질 수 있다. 특히 午未, 일주는 두 달이 연속으로 깨진다. 午未, 일주에게는 귀인이 아니라 배신자이다. 그리고 나가는 돈이 생길 수 있으므로 변화, 변동하지 말고 현재 상태를 유지하는 게 좋다.

🌸 1, 7, 8(신생, 退食, 財) ▸ 81포국도 평생기본수1, 주도수7

'**주도수 7**'은 퇴식, 의욕 저하, 건강 문제, 배신자 등을 뜻하고 사람을 잃을 수도 있다. 그래서 평생 기본수 1자인 사람이 운에서 7자가 올 때는 퇴식(退食), 의욕 저하, 건강에 관한 문제가 제일 큰 관심사가 된다.

이 수리에 놓인 사람에게는 미리 건강 검진부터 받아 보라고 해라. 취업도 잘 안 되는 수리이다. 그리고 배신자도 따를 수 있으니 인간관계에 있어서 신중함이 필요하다. 그래도 1자에 7자는 다른 숫자의 수리보다 괜찮다.

왜냐하면 두 번째 줄에 966의 수리가 오기 때문이다. 그리고 운에서 7자 수리가 왔음에도 건강하다면 가족 중에 누군가가 아플 수 있다.

貴 1 水	退 7 火	財 8 木
寅	卯	辰
文 9 金	官 6 水	官 6 水
巳	午	未
官 6 水	鬼 3 木	文 9 金
申	酉	戌
退 7 火	退 7 火	驚 5 土
亥	子	丑

• 1(귀인), 7(退食), 8(財).

퇴식(退食)으로 돈이 나가고 사람도 잃을 수 있다. 이 수리가 오게 되면 미리 건강 검진을 받아 보라고 해라. 그래도 1자의 7자(퇴식)는 다른 숫자보다 피해가 작다. 두 번째 줄에 966 수리가 오기 때문이다.

평생 기본수 1, 3, 5자의 경우는 운에서 7자가 오게 되더라도 다른 수리보다 피해가 그다지 크지 않다. 가장 크게 당하는 평생 기본수는 9자 수리이다. 즉 9자 수리에서 977 때 가장 크게 당한다. 그래도 3월에 합이 되는 일주는 돈이 들어온다. 申 일주, 子 일주는 申子辰 삼합이 이루어진다.

이 수리에서 申酉 일주는 두 달이 깨지므로 가장 크게 당한다. 만약 평생 수리라고 한다면 申酉 일주는 태어나자마자 이 수리에 당한다. 누가 죽거나 크게 아플 수 있다. 그러니까 申酉 일주들은 정초에 산사에 찾아가서 108배를 하는 게 좋다. 자신을 위해서 기도해라. 그러면 3월에는 財運이 들어와서 돈이 들어온다.

• 9(문서), 6(官), 6(官).
官과 명예와 문서 운이 왔다. 그래도 7(퇴식)의 문서라서 다른 숫자의 966 수리보다 관, 명예, 문서가 크지 않다. 합이 되는 일주에게는 좋은 수리이지만 극이 되는 일주는 직장을 그만두거나 관재 구설이 올 수도 있다. 특히 戌 일주는 3월과 4월에 辰戌 沖, 巳戌 怨嗔으로 연속 깨진다. 따라서 공부 하는데 돈을 쓰는 게 방편이 될 수도 있다.

• 6(官), 3(鬼), 9(문서).
관재 구설의 수리이다. 7자의 관재 구설이라 사람도 잃을 수 있고 배신자도 따른다. 천간이 比肩, 劫財일 때는 친구가 배신한다. 그래서 남의 일에 관여하지 마라. 합이 되는 일주는 승진, 명예, 행운이 따를 수 있으나 관재 구설의 수리라서 숭진 후에 시기, 질투가 따른다.
寅卯 일주는 항상 7, 8월이 깨지므로 더욱 주의할 필요가 있다. 만약 여자의 경우 평생 수리에서 세 번째 줄에 369, 639, 수리가 오게 되면 이혼할 확률이 80%라고 생각해야 한다.

• 7(退食), 7(退食), 5(驚破).
주도수 7자에 775의 수리가 왔다. 퇴식(退食) 운에 또 퇴식(退食)의 수리이므로 갑자기 놀랄 수 있는 일이 생긴다. 학생은 공부 안 되고, 만약 6자 수리에서 재수했다면 7자 수리에서 다시 삼수하는 수리가 된다. 7자는 오행으로 불이라서 의욕이 충만하지만 7자는 관운이 없어서 삼수하게 된다. 사업가는 손님이 안 온다. 노인은 병원에 입원하거나 사망할 수도 있다. 따라서 있는 자리에서 떠나라, 그래야 죽음을 면할 수 있다.
주도수 7자에 775 수리 때는 합과 극을 떠나서 모든 일주가 건강에 주의해야 한다. 특히 평생 기본수 7자가 주도수도 7자가 들어오고 775 수리가 될 때는 건강이 크게 무너질 수 있다.

'주도수 8'은 財物을 뜻한다. 평생 기본수 1자인 사람이 운에서 8자가 올 때는 돈과 재물에 관한 일이 생긴다. 財生官으로 명예까지 따르고 재물을 취하고자 하는 의욕이 강해진다. 그래서 가장 좋은 수리이다.

특히 건강, 생명, 목숨과 관계가 없어서 좋다. 원래 가장 안 좋은 수리가 지나가고 나면 그다음은 좋은 수리가 온다. 그래서 힘든 시기에 처한 사람에게는 2년만 참으라고 하면 된다.

이렇게 좋은 수리지만 극이 되는 일주는 불운이 따른다. 만약 평생 수리라면 寅巳申亥 일주는 寅巳 刑, 巳申 刑, 등으로 배신자도 따르고 사람도 잃어버린다. 子午卯酉 일주는 재물이 나간다. 그래서 남의 돈만 만진다. 辰戌丑未 일주는 문서가 나간다. 그래도 행운의 수리로서 刑,沖,破,害가 걸리더라도 죽지는 않기 때문에 다른 수리보다 좋다.

평생 수리라면 子午卯酉 일주는 모두 8(재물)이 깨지므로 일생(一生)에 들어오는 돈이 적다. 은행의 돈 같은 남의 돈만 만진다. 그래도 주도수 8자는 재물과 관련이 있으므로 은행원, 보험회사원, 증권회사, 경리사원, 등 돈을 만지는 직업을 선택하면 좋다.

貴 1 水	財 8 木	文 9 金
寅	卯	辰
貴 1 水	財 8 木	文 9 金
巳	午	未
貴 1 水	財 8 木	文 9 金
申	酉	戌
鬼 3 木	官 6 水	文 9 金
亥	子	丑

• 1(귀인), 8(財), 9(문서)

귀인이 도와서 재물과 문서를 얻는다. 합이 되는 일주는 재물과 명예가 따르며 귀인, 재물, 문서 중 최소한 어느 하나는 얻는다. 그러나 寅申巳亥 일주는 1월, 4월, 7월, 10월에 극이 되어 배신자가 따르고, 子午卯酉, 일주는 2월, 5월, 8월, 11월에 극이 되어 돈이 나가고, 辰戌丑未, 일주는 3월, 6월, 9월, 12월에 극이 되어 문서가 나간다.

• 1(귀인), 8(財), 9(문서).

귀인이 도와서 재물과 문서를 얻는다. 합이 되는 일주는 명예와 승진의 기회도 따르며 귀인, 재물, 문서 중 최소한 어느 하나는 얻는다. 그러나 寅申巳亥 일주는 4월, 7월, 10월에 극이 되어 배신자가 따르고, 子午卯酉, 일주는 5월, 8월, 11월에 극이 되어 돈이 나가고, 辰戌丑未, 일주는 6월, 9월, 12월에 극이 되어 문서가 나간다.

만약 이 수리가 평생 수리라고 한다면 결혼을 두세 번 할 수도 있다. 즉 1자(귀인)와 극이 되는 일주는 이성이 자주 생기므로 그 영향을 받을 수도 있다.

• 1(귀인), 8(財), 9(문서).

귀인이 도와서 재물과 문서를 얻는다. 합이 되는 일주는 명예와 승진의 기회도 따르며 귀인, 재물, 문서 중 최소한 어느 하나는 얻는다. 그러나 寅申巳亥 일주는 7월, 10월에 극이 되어 배신자가 따르고, 子午卯酉, 일주는 8월, 11월에 극이 되어 돈이 나가고, 돈을 빌려주고도 못 받는다. 그리고 辰戌丑未, 일주는 9월, 12월에 극이 되어 문서가 나간다.

그래도 이 수리가 평생 수리라고 한다면 재물과 관련된 수리이므로 돈복이 있고 귀인의 도움도 따른다.

• 3(鬼), 6(官), 9(문서).

재물(돈) 때문에 오는 관재 구설이다. 8자(재물) 수리에 369 수리는 돈을 벌려다가 관재 구설이 생길 수 있다. 그리고 189 대길수의 수리이므로 만약 이때 상문을 당하게 된다면 호상(好喪)으로 장수한 사람이 죽게 되는 경우가 많다.

❀ **1, 9, 1(신생, 문서, 신생) ‣ 81포국도 평생기본수1, 주도수9**

주도수 9는 문서를 뜻한다. 평생 기본수 1자인 사람이 주도수 9자의 해를 맞이하게 될 때는 문서와 관련된 일이 생긴다. 하지만 이 수리는 가장 무서운 수리이다. 왜냐하면 두 번째 줄에서 213 수리가 들어 온다. 즉 귀인의 문서와 이별, 헤어짐을 뜻한다.

그리고 문서와의 이별이 가장 크게 화를 당한다. 이 수리 때는 합과 극을 떠나서 이별 헤어짐의 영향이 발생한다. 그래서 수리가 먼저다. 라는 말을 한다. 학생은 학교와 이별, 부부는 이혼, 직장인은 퇴직, 사업가는 부도가 난다. 평생 수리라면 어렸을 때 부모와 이별, 헤어지거나 유학을 떠날 수도 있다.

작년 189 수리에서 가장 좋은 시기를 보냈다면 191 수리에서는 급격히 추락한다. 작년에 들어왔던 재물이 이 수리에서 나갈 수도 있다. 전반기 6개월 동안 아무 일도 하지 말고 쉬는 게 좋다.

貴 1 水	文 9 金	貴 1 水
寅	卯	辰
變 2 火	貴 1 水	鬼 3 木
巳	午	未
驚 5 土	安 4 金	文 9 金
申	酉	戌
財 8 木	驚 5 土	安 4 金
亥	子	丑

• 1(귀인), 9(문서), 1(귀인).

양쪽에 귀인의 문서, 새로운 문서가 왔다. 따라서 양쪽 문서를 놓고 갈등하게 된다. 어느 문서를 버릴까? 이혼하든가 죽든가 그래서 가장 무서운 수리다. 합과 극을 떠나서 다음에 오는 213 수리 때문에 이별, 헤어지게 된다.

• 2(변화), 1(귀인), 3(鬼).

이별, 헤어짐, 주위가 원수로 돌변한다. 이 수리는 합이 되는 수리도 이별, 헤어짐의 영향을 받게 된다. 다만 합이 되는 일주는 한 사람과 헤어지고 새로운 사람을 만날 수도 있다. 그래서 午未, 일주처럼 깨지지 않는 일주는 상담할 때 물어봐서 어느 쪽으로 작용하는지 잘 살펴봐야 한다. 그리고 이별, 헤어짐을 막기 위해서는 미리 헤어져 있게 해라. 부부를 미리 분리해 놓는 것이다.

• 5(경파), 4(안정), 9(문서).

안정된 문서를 취할 수 있도록 과감하게 행동하라. 이 시기부터 안정권에 든다. 그래서 합이 되는 일주는 과감하게 투자하면 된다. 그러나 극이 되는 달을 피하고 합이 되는 달에 실행하라. 즉 寅申巳亥 일주는 7월에 寅申 沖, 巳申 刑, 등으로 깨지므로 9월에 추진하라. 子午卯酉 일주는 8월을 피해서 추진하고, 辰戌丑未 일주는 9월을 피해서 실행하면 된다. 아주 좋은 수리이지만 극이 되는 달은 불운이 될 수 있다.

• 8(財), 5(경파), 4(안정).

돈과 부동산이 안전하게 들어온다. 합이 되는 일주는 자기의 뜻을 성취할 수 있다. 주도수 9자(문서)에 8자(財)와 5자(부동산)는 많은 돈과 부동산이다. 그러나 극이 되는 달을 피하고 합이 되는 달에 실행해라. 寅巳申亥 일주는 10월에 극이 되므로 11월에 부동산을 사면 되고, 子午卯酉는 11월에 극이 되므로 미리 앞당겨서 10월에 부동산을 사면 된다.

❀ '수리 1'의 핵심 요약

1자 수리의 특성	다중취미, 다중교제, 에너지 충만, 새로운 것 추구, 식복이 있고, 많은 사람을 상대하는 일에 잘 맞다. 운에서 1자가 오면 귀인을 만나거나 새로운 일을 추구할 수 있다.
흉(凶) 운	• 123수리(이별, 헤어짐) 전반기 때 이별, 헤어짐, 후반기 때 상문살. • 134수리(鬼) 鬼의 작용으로 심리적 불안, 습과 췬에 관계없이 모든 사람이 힘들다. • 191수리(양쪽 貴人 문서) 양쪽 문서를 놓고 갈등하게 된다. 문서와의 이별이다. (이혼, 이별, 직장 퇴사, 부도 등)
길(吉) 운	• 189수리(대길수) 귀인을 만나게 되고, 재물과 문서적인 측면에서 발전할 수 있다. 귀인, 재물, 문서 중에서 최소한 어느 하나는 취할 수 있는 운이다. 극이 되는 일주도 그다지 큰 화를 입지 않는다.

2) 평생 기본수 2수리 _ 81포국도 평생기본수2

주柱, 변화變化, 변동變動, 갈등을 뜻하는 수리이다. 丁火와 같아서 자신의 생각을 외부로 잘 노출 시키지 않는 성격이다. 그리고 소심하고 세밀하여 무엇을 집중적으로 연구하거나 깊게 파고드는 성격이다. 이러한 성격으로 바둑 같은 것도 잘 둔다고 한다. 평생 수리의 경우 직업의 변동이 심하다.

🌸 2, 1, 3(변화, 신생, 鬼) › 81포국도 평생기본수2, 주도수1

'주도수 2'는 변화, 변동의 뜻을 가진다. 평생 기본수가 2자인 사람이 주도수 1자의 해를 맞이하게 될 때는 첫 번째 수리부터 이별 헤어짐이다. 123, 213 수리는 이별, 헤어짐을 뜻하는 수리로서 새로운 사업이나 환경의 변화를 추구하게 된다. 이 수리 때 아이가 태어나면 부부가 이혼한다. 그리고 이 수리는 나이에 따라 상담이 달라져야 한다. 젊은 부부는 이혼, 40대는 직장변동, 노인과 환자는 죽음과 관련해서 상담하러 오는 경우가 많다. 1,6,9 수리에 결혼도 하고 이혼도 할 수 있다. 특히 극이 되는 때 결혼을 하면 이혼하게 되는 경우가 많다.

變 2 火	貴 1 水	鬼 3 木
寅	卯	辰
驚 5 土	安 4 金	文 9 金
巳	午	未
驚 5 土	安 4 金	文 9 金
申	酉	戌
鬼 3 木	文 9 金	鬼 3 木
亥	子	丑

선천수 › 1,6_水 2,7_火 3,8_木 4,9_金 5,10_土
주도수 › 1_生,貴 2_變 3_鬼 4_安 5_驚破 6_官 7_退食 8_財 9_文

• 2(변화), 1(귀인), 3(鬼).

이별, 헤어짐이다. 대운이나 세운이 좋다고 하더라도 그해의 운이 극이 되면 이혼하게 되는 경우가 많다. 이 수리는 나이에 따라 상담이 달라져야 한다. 주도수가 1자이므로 귀인과의 이별이다. 귀인은 동반자, 새로운 일, 동업자도 된다. 따라서 젊은 부부는 이혼, 중년층은 직장변동, 노인과 환자는 사망과 관련된 상담이다. 그러나 합이 되는 일주는 만나기도 한다. 즉 亥卯未 일주는 주도수와 합이 된다.

따라서 일주와 귀인이 합이 되는지를 살피고 해당하는 해의 운과 일주가 합이 되는지를 살펴서 어떻게 작용할지 판단해야 한다. 특히 申酉 일주는 1,2월이 깨지므로 귀인과 이별하게 되고 주변 사람이 원수로 돌변할 수 있다.

• 5(驚破), 4(안정), 9(문서).

과감하게 안정된 문서를 취하라. 5자에 합이 되는 巳酉丑 일주는 부동산, 이사, 각종 투자, 등 과감하게 실행해 나가는 게 좋다. 다만 좋은 수리라고 하더라도 극이 되는 일주는 극이 되는 달을 피해서 합이 되는 달에 안정적으로 투자하는 게 좋다.

寅巳申亥 일주는 5월에 투자하고, 子午卯酉, 일주는 5월을 피해서 합이 되는 달에 투자하고, 辰戌丑未 일주는 6월을 피해서 합이 되는 달에 안정적으로 투자하는 게 좋다.

• 5(驚破), 4(안정), 9(문서).

5자가 운에서 오게 되면 부동산이나 투기의 財가 된다. 그리고 549 수리는 좋은 수리이다. 따라서 합이 되는 일주는 부동산, 이사, 각종 투자에 과감하게 추진하는 게 좋다. 이 수리에는 부동산과 문서가 같이 들어 있다.

그러나 극이 되는 일주는 안정을 도모함이 좋으며 문서적인 변화, 변동은 고난이 따를 수 있으니 성급하게 서두르지 말고 시간적인 여유를 가지고 합이 되는 달에 투자하는 게 좋다.

• 3(鬼), 9(문서), 3(鬼).

상문살이다. 합과 극을 떠나서 누가 죽는다는 수리이다. 젊었을 때는 죽음보다 수술, 입원, 사기를 당할 수 있다. 즉 죽을 만큼 힘든 일을 겪을 수 있다는 뜻이다. 장남에게 이 수리가 오면 부모가 사망한다. 따라서 이 수리에는 서로 헤어져 사는 게 좋다.

'**주도수 2**'는 변화, 변동, 갈등을 뜻한다. 평생 기본수가 2자인 사람이 운에서 또 2자가 오면 변화, 변동이 두 번 들어오는 형국이다. 따라서 이 수리 때는 어떤 변화를 추구하게 된다.

평생 수리라고 한다면 살아가는 동안 삶의 변화, 변동이 잦다. 그래서 변화가 많은 직업을 갖는 게 좋다. 그래도 아주 좋은 수리이다. 명예와 관운 그리고 재물이 따르는 수리이다.

주도수 2자의 999 수리는 변화로 인한 여행수이므로 항상 마음이 현실에 안주하지 못한다. 그래서 다른 생각을 하게 된다. 가장 좋은 방편은 해외로 나가는 것인데 환경이 허락하지 않는다면 지방에 거처를 마련해 두고 옮겨 다니는 삶을 사는 것도 좋은 방편이 될 수 있다.

變 2 火	變 2 火	安 4 金
寅	卯	辰
官 6 水	官 6 水	鬼 3 木
巳	午	未
文 9 金	文 9 金	文 9 金
申	酉	戌
財 8 木	財 8 木	退 7 火
亥	子	丑

• 2(변화), 2(변화), 4(안정).

두 번 연속 변화, 변동하라. 현재 상태에서 탈피하라는 뜻이다. 그래서 항상 변화가 많다. 합이 되는 일주는 안정하지 못하던 상태에서 변화를 통해 침체한 국면을 탈피할 수 있다. 따라서 현재 상태에서 과감히 탈피하여 새로운 도약을 해라. 극이 되는 일주는 합이 되는 달에 안정적으로 변화해라. 특히 4자(안정)는 안정하라는 뜻인데 극이 된 상태에서 변화하게 되면 나쁜 결과를 초래할 수 있다.

• 6(官), 6(官), 3(鬼).

신(鬼)이 도와서 관운이 연속 들어왔다. 합이 되는 일주는 명예의 상승이다. 귀(鬼)가 좋은 쪽으로 작용하게 되면 가장 크게 발전하고 나쁘게 작용할 때는 가장 크게 망한다. 그래서 긍정적인 작용을 할 때는 조상이라는 표현을 쓰고, 부정적으로 작용할 때는 귀(鬼)라는 표현을 사용한다.

합이 되는 일주는 한 가지에 만족할 수 없는 상태이며 의욕적인 일의 추진과 변화의 연결로 인해 주위의 여건이 자신을 안정할 수 있는 상황이 된다. 극이 되는 일주는 좋은 일주 일지라도 질병이나 사고를 당할 수 있으니 합이 되는 달에 추진하라.

• 9(문서), 9(문서), 9(문서).

문서의 여행수이다. 주도수 2자의 여행수라서 변화를 해서 해외로 나갈 수 있다. 변동의 문서이므로 마음이 현실에 안주하지 못하고 항상 다른 생각을 하게 된다. 따라서 여러 곳으로 옮겨 다니면서 살면 된다. 극이 되는 일주는 문서가 떠나게 되므로 그 화가 크다.

• 8(財), 8(財), 7(退食).

재물과 재물이 뒤따른다. 그러나 퇴식도 왔으므로 건강에 주의해야 한다. 합이 되는 일주는 금전적인 유통으로 소득이 따르며 생활에 의욕과 활력을 되찾으며 안정을 추구하게 되는 시기이다.

극이 되는 일주는 재물이 나갈 수 있다. 특히 午未, 일주는 두 달이 연속 깨지므로 부동산, 주식과 같은 투자는 하지 않는 게 좋다. 그리고 7자에 특별히 건강 조심해야 한다.

'**주도수 3**'은 鬼, 심리적 갈등, 망하게 함의 뜻을 가진다. 항상 鬼가 오면 심리적으로 갈등이 생긴다. 평생 기본수가 2자인 사람이 운에서 3자가 오면 어떤 정신적인 변화와 함께 심리적 갈등이 생긴다. 주도수에 鬼가 왔으므로 종교, 철학, 역학, 등에 관심을 가진다. 또한 그러한 공부를 하는 게 좋다.

그래도 평생 수리라고 한다면 박사가 많이 나오는 수리이다. 그래서 좋은 수리다. 노후로 갈수록 좋아지기 때문이다. 일단 鬼가 오면 심리적 갈등이 생긴다. 즉 변덕스럽다.

21 귀인의 변동이 있다.

23 정신적인 변동이 있다.

　활인업과 관련이 있어서 박사가 많이 나오는 수리다.

25 부동산에 변동이 있다. 이사, 매매, 땅과 관련이 많다.

26 직장에 변동이 있다.

變 2 火	鬼 3 木	驚 5 土
寅	卯	辰
退 7 火	財 8 木	官 6 水
巳	午	未
安 4 金	驚 5 土	文 9 金
申	酉	戌
安 4 金	退 7 火	變 2 火
亥	子	丑

• 2(변화), 3(鬼), 5(驚破).

변화와 함께 鬼가 왔다. 3자가 합이 되는 일주는 조상의 도움으로 놀랄 만큼 좋은 일이 생긴다. 그러나 극이 되는 일주는 심리적 갈등이 생기므로 변화를 추구하지 말고 현재 상태를 유지하는 게 좋다.

주도수 3자는 극단적인 수리이므로 좋게 작용할 때는 가장 좋고 나쁘게 작용할 때는 가장 나쁘다. 극이 되는 일주는 鬼가 작용하므로 뜻대로 이루어지는 게 없다. 그래서 종교를 믿거나 역학, 활인업 같은 것을 해야 좋다.

• 7(퇴식), 8(財), 6(官).

조상의 도움으로 명예와 재물을 성취한다. 합이 되는 일주는 鬼의 도움이 있으니 과감하게 변화를 통해서 명예와 재물을 추구해도 된다. 그러나 일주에 따라 4월에 사고를 당하거나 아플 수 있고 5월에 돈이 나갈 수 있다.

주도수의 오행을 각각의 12달에 대입해서 합이 되는지 극을 하는지 살펴봐야 한다. 주도수 3자와 7자(퇴식)의 관계는 상생의 관계이므로 극이 되더라도 크게 당하지는 않는다.

• 4(안정), 5(驚破), 9(문서).

안정을 바탕으로 과감하게 문서를 취한다. 459, 549 수리는 무난한 수리이다. 그래서 합이 되는 일주는 주위와의 유대관계가 원만히 이루어지는 가운데 점진적으로 도약할 수 있다.

극이 되는 일주는 합이 되는 달에 안정적으로 추진해라. 즉 子午卯酉 일주는 8월에 놀라는 일이 생길 수 있으므로 그달을 피해서 합이 되는 달에 추진하는 게 좋다.

• 4(안정), 7(퇴식), 2(변화).

변화로 인해 안정이 깨지고 퇴식을 당한다. 주도수가 3자라서 정신적인 안정을 추구하지만 다소 생활 여건이 순조롭지 못해 심리적 갈등이 따른다. 따라서 건강 조심하고 현재 상태를 유지하는 게 좋다. 특히 午未 일주는 두 달이 연속 깨진다. 따라서 변화는 다음 해로 미루는 게 좋다.

✿ 2, 4, 6(변화, 안정, 官) ▸ 81포국도 평생기본수2, 주도수4

'**주도수 4**'는 안정과 여유를 뜻한다. 평생 기본수가 2자인 사람이 운에서 4자의 해가 오면 안정하라는 뜻이다. 따라서 이 수리에는 심리적으로 안정되고 여유롭다. 그만큼 좋은 수리다. 그러나 모든 일주는 4개월이 깨지게 되어 있고, 최고 좋은 수리일지라도 극이 되는 달에는 흉한 작용이 된다.

만약 평생 수리라고 한다면 안정된 직장을 가질 수 있다. 46은 안정된 직장을 뜻하고 평생 수리일 경우 평생 안정된 직장을 가질 수 있다는 뜻도 된다. 그래서 수리가 좋고 나쁨은 평생 수리를 기준으로 한다. 1,6,9, 숫자의 수리가 많아서 결혼도 가능하다.

變 2 火	安 4 金	官 6 水
寅	卯	辰
財 8 木	貴 1 水	文 9 金
巳	午	未
財 8 木	貴 1 水	文 9 金
申	酉	戌
文 9 金	官 6 水	官 6 水
亥	子	丑

• 2(변화), 4(안정), 6(官).

안정된 상태에서 직장의 변화를 해도 좋다. 물론 직장의 변동뿐만 아니라 이사라든가 개업, 집 매매와 같은 변동도 된다. 극이 되는 일주는 성급하지 말고 합이 되는 달에 변화하면 된다.

• 8(財), 1(귀인), 9(문서).

재물, 귀인, 문서적으로 뜻을 이룬다. 대길수의 수리이다. 직장, 사업, 학문, 이성에 있어서도 일이 순조롭게 이루어진다. 극이 되는 일주는 들어오는 재물이 아니라 나가는 돈이다. 따라서 寅巳申亥 일주는 4월과 7월을 피해라. 子午卯酉 일주는 새로운 인연으로 인해 갈등이 생길 수 있다. 辰戌丑未 일주는 들어오는 문서가 아니라 나가는 문서이다.

• 8(財), 1(귀인), 9(문서).

재물, 귀인, 문서적으로 뜻을 이룬다. 직장, 사업, 학문, 이성에 있어서도 일이 순조롭게 이루어진다. 그러나 극이 되는 일주는 들어오는 재물이 아니라 나가는 돈이다. 그리고 귀인이 아니고 배신자가 따른다. 들어오는 문서가 아니라 나가는 문서이다.

819, 189, 수리는 대길수를 뜻하는 수리이다. 이렇게 좋은 수리도 극이 되는 달에는 불리할 수 있다. 따라서 일주와 수리를 각각 대입해서 합과 극의 관계를 잘 파악해야 한다.

• 9(문서), 6(官), 6(官).

문서뿐만 아니라 명예와 행운까지 따른다. 최고의 명예로운 수리다. 학생은 시험에 합격할 수 있고 직장인은 한 단계 더 성장할 수 있는 수리다. 그러나 극이 되면 官이 칠살(七殺)로 변한다. 특히 66이 겹치면 병이 온다. 그리고 직장도 나올 수 있다.

✿ 2, 5, 7(변화, 驚破, 退食) ▸ 81포국도 평생기본수2, 주도수5

'**주도수 5**'는 驚破, 놀라는 일, 과감한 행동을 뜻한다. 운에서 오면 투기의 財도 된다. 평생 기본수가 2자인 사람이 운에서 주도수 5자가 오면 부동산의 변화나 깜짝 놀라는 일이 생긴다. 그뿐만 아니라 평소보다 성격이 과감해진다.

그리고 투기의 財도 되므로 투기를 해도 좋다. 따라서 합이 되는 일주는 과감하게 투자하고 극이 되는 일주는 과격하면 안 된다. 극과 극의 수리다. 사건, 사고로 이어질 수 있다. 평생 수리일 경우 933 수리에서 누가 죽거나 아파서 장애를 입게 되는 수리이다. 부동산과 관련이 많은 수리다.

과격한 숫자인 3,5,7 수리가 모두 들어있어서 그만큼 파란(波瀾)이 많은 수리이다. 특히 鬼가 333으로 연속 이어지므로 우울증과 같은 정신적인 질병으로 몸이 아플 수 있다.

變 2 火	驚 5 土	退 7 火
寅	卯	辰
文 9 金	鬼 3 木	鬼 3 木
巳	午	未
鬼 3 木	官 6 水	文 9 金
申	酉	戌
驚 5 土	驚 5 土	貴 1 水
亥	子	丑

• 2(변화), 5(驚破), 7(退食).

과감하게 변화를 시도한다. 합이 되는 일주는 변화로 혁신을 할 수 있다. 따라서 합이 되는 일주는 두 달이 합이 될 때 부동산에 투자하라. 그러나 7자는 합이 돼도 아프다. 학생은 공부가 안된다.

극이 되는 일주는 깜짝 놀랄 일이 생기게 되고 그것으로 인해 퇴식(退食)을 맞는다. 즉 과격한 변화로 퇴식(退食)을 맞이한다. 따라서 이 수리가 오게 되면 안정을 취하고 과격해서는 안 된다.

• 9(문서), 3(鬼), 3(鬼).

심리적인 불안이 오고 문서가 나간다. 즉 상문살이다. 주도수 5자에 상문이라서 갑자기 죽을 수 있다. 집안에 초상이 나지 않으면 죽을 만큼 힘든 일이 생긴다. 사업부도, 퇴직, 사기를 당하거나 심리적 불안이 가중된다. 특히 교통사고 조심해야 한다. 子丑, 일주는 5, 6월에 두 달 연속으로 鬼가 작용하여 심하면 사망할 수도 있다.

• 3(鬼), 6(官), 9(문서).

관재구설수이다. 정신적 갈등이 온다. 이 수리에서 관재구설은 앞 933 수리에서 누가 사망하였는지, 사업이 망했는지, 교통사고가 났는지, 사기를 당했는지, 등 어떤 유형에서 오는 관재구설인지 먼저 살펴봐야 한다.

진짜 사망이 있었다면 유산에 따른 갈등이나 보험사와의 관재구설이 생길 수 있다. 즉 유형에 따라 관재구설이 다르다.

辰戌丑未 일주는 9월에 부동산 문서를 취득해서는 안 된다. 부동산 문서는 보기만 하고 계약은 551 수리 때 결정해라. 더 좋은 문서가 나온다.

• 5(驚破), 5(驚破), 1(貴).

놀라는 일이 연속으로 들어왔다. 합이 되는 일주는 투기의 財가 된다. 따라서 땅에 투자하면 좋다. 극이 되는 일주는 현실적으로 안정을 추구해야 한다. 그런데 5자라서 과감하게 일을 저지를 수 있다. 귀인으로 인해 놀라는 일이 생길 수 있으므로 극이 되는 일주는 인간관계에 신중해야 하고 현재 상태를 유지하는 게 좋다.

🌸 2, 6, 8(변화, 官, 財) ▸ 81포국도 평생기본수2, 주도수6

'**주도수 6**'은 官, 명예, 행운, 승진의 뜻을 갖는다. 평생 기본수가 2자인 사람이 운에서 주도수 6자가 오면 관, 명예, 행운, 승진에 관련된 일이 생긴다. 즉 직장이나 하는 일의 변화를 뜻한다.

따라서 취업하기 좋은 수리다. 평생 수리라면 공직으로 진출하거나 정치를 하면 좋다. 특히 대운과 세운이 겹치게 되면 최상의 수리가 된다. 대운과 세운에서 좋은 수리가 겹치게 되면 더 좋게 작용하고, 나쁜 수리가 겹치게 되면 더 나쁘게 작용한다.

그러나 극이 되는 일주는 명예가 추락한다. 관이 치면 칠살이 되므로 구속될 수도 있다. 특히 辛酉 일주는 2, 6, 두 개가 연속해서 깨지기 때문에 8세 때까지 힘든 과정을 거쳐야 한다.

학생이라면 시험합격, 입학, 등 좋게 작용할 수 있고, 공부가 잘된다. 그러나 극이 되는 일주는 공부가 안되고 심리적으로 갈등하게 된다.

變 2 火	官 6 水	財 8 木
寅	卯	辰
貴 1 水	驚 5 土	官 6 水
巳	午	未
退 7 火	變 2 火	文 9 金
申	酉	戌
貴 1 水	安 4 金	驚 5 土
亥	子	丑

• 2(변화), 6(官), 8(財).

직장의 변화로 명예와 재물을 취한다. 합이 되는 일주는 변화로 혁신을 할 수 있다. 그러나 극이 되는 일주는 관의 변화로 재물이 나간다. 특히 辛酉 일주는 2, 6, 두 개가 깨지므로 두 달을 피해서 3월에 변화하는 게 좋다. 아무리 수리가 나빠도 깨지는 달만 피하면 화를 면할 수 있다. 따라서 1, 2월에 변화하지 않으면 3월에 재물을 취할 수 있다.

• 1(귀인), 5(驚破), 6(官).

官으로 혁명 혁신한다. 과감하게 능률을 표출한다. 이 수리에는 인간성이 돌변한다. 합이 되는 수리는 성공할 수 있고, 극이 되는 일주는 실패한다. 두 개가 합이 되고 어느 하나가 극이 되더라도 성공한다.

특별 수리이므로 혁명, 혁신을 먼저 해석한 후 각각의 수리를 살펴봐야 한다. 寅巳申亥 일주는 귀인이 아니므로 사람을 조심해야 한다. 子午卯酉 일주는 나쁜 일로 놀라는 일이 생길 수 있다. 辰戌丑未 일주는 직장 문제가 생길 수 있다.

• 7(退食), 2(변화), 9(문서).

생각처럼 일이 잘 풀리지 않는 수리다. 정신적으로 안정이 안 된다. 문서의 변동으로 인한 퇴식이므로 어떤 수리든 변화하면 안 된다. 따라서 건강에 신경 쓰면서 현재 상태를 유지하는 게 좋다.

특히 주도수가 水剋火로 다시 극을 하므로 똑같은 729 수리라도 질병의 정도가 훨씬 심각하다. 주도수의 극을 받지 않는다면 최소한 죽음은 면할 수 있다. 따라서 寅卯 일주는 건강에 특별히 주의할 필요가 있다.

• 1(귀인). 4(안정), 5(驚破)

귀인이 와서 기쁘게 놀랄 일이 생긴다. 귀인이 생기며 안정을 바탕으로 뜻을 성취할 수 있다. 극이 되는 일주는 귀인이 아니라 배신자이다. 귀인과 갈등의 원인이 될 수 있다. 학생은 268 수리에 재수하면 279 수리에 삼수까지 하게 된다.

다음 해의 수리가 279 수리이다. 따라서 가능하면 이 수리에서 일을 마무리하는 게 낫다.

❀ 2, 7, 9(변화, 退食, 문서) ㆍ 81포국도 평생기본수2, 주도수7

'**주도수 7**'은 退食. 질병을 뜻한다. 평생 기본수가 2자인 사람이 운에서 주도수 7자가 오면 퇴식(退食)으로 질병에 노출될 수 있다. 몸이 아프고 의욕이 저하된 다. 7자는 합과 극을 떠나서 모두 질병으로 이어진다. 특히 丙火 일주는 인삼을 먹으면 안 된다.

평생 수리라면 반드시 지병이 있고 유산을 물려줘도 지키지 못한다. 그뿐만 아니라 사람도 잃는 수리이고 대부분 이혼하는 수리다. 또한 관운이 없어서 활인업을 해야 하는 수리다.

그리고 寅巳申亥 일주는 2자가 많아서 일생동안 변화가 많고, 子午卯酉 일주는 7자가 많아서 신병(身病)에 시달리게 되고. 辰戌丑未 일주는 9년 동안 문서가 깨진다.

그러나 문서의 경우는 대운에서 깨지더라도 세운이 좋게 들어오면 좋은 문서를 취할 수 있다. 따라서 이 수리는 子午卯酉 일주가 가장 나쁘다.

變 2 火	退 7 火	文 9 金
寅	卯	辰
變 2 火	退 7 火	文 9 金
巳	午	未
變 2 火	退 7 火	文 9 金
申	酉	戌
官 6 水	鬼 3 木	文 9 金
亥	子	丑

• 2(변화), 7(退食), 9(문서).

생각처럼 일이 잘 풀리지 않는 수리이다. 이 수리가 오면 먼저 아픈 사람이 있는 지 물어봐야 한다. 본인이 아프지 않으면 가족 중에 누군가가 아플 수 있다. 火가 강해서 심장병, 뇌출혈 같은 질병에 주의해야 한다. 노인과 환자는 사망할 수도 있다.

寅巳申亥 일주는 변화하지 않는 게 좋고, 辰戌丑未 일주는 문서를 주의해라. 특히 子午卯酉 일주는 일 년 내내 건강에 문제가 발생할 수 있다.

• 2(변화), 7(退食), 9(문서).
279 수리가 연속해서 들어온다. 子午卯酉 일주가 가장 크게 당한다. 정신을 차리기 어렵다. 학생은 공부 안되고 사업가는 침체기가 된다. 그러나 이 수리에서도 크게 문제 되지 않는 직업이 있다. 육체노동자들이다. 농부나 막일을 하는 사람들은 그다지 피해가 크지 않다. 공직자, 직장인, 사업가 등이 힘들어하는 수리이다.

• 2(변화), 7(退食), 9(문서).
대책 없는 짓을 하여 관재구설이 따른다. 아무일도 하지 않고 그냥 쉬는 게 좋은 수리이다. 이 수리에 화를 면할 수 있는 사람은 육체노동자뿐이다. 농업이나 노동 같은 육체노동을 하게 되면 건강을 지킬 수 있다. 사업가나 직장 생활자가 가장 크게 화를 입는다.

• 6(官), 3(鬼), 9(문서).
주도수 7자의 관재구설은 법정 소송까지 이어질 수 있다. 따라서 단순한 관재구설이 아니다. 주도수 7자 수리에는 배신자도 따른다. 부부는 이혼, 별거를 할 수 있는 수리이다. 이 수리에서는 부부를 분리하는 방법이 하나의 방편이 될 수도 있다.

❀ 2, 8, 1(변화, 財, 귀인) ‣ 81포국도 평생기본수2, 주도수8

'**주도수 8**'은 돈과 재물을 뜻한다. 평생 기본수가 2자인 사람이 운에서 주도수 8 자가 오면 재물에 대한 의욕이 강해진다. 주도수 8자는 財이므로 합이 되는 일주 는 큰 재물을 취할 수 있다. 반대로 극이 되는 일주는 많은 돈이 나갈 수 있다. 평생 수리라면 많은 유산을 받을 수 있는 수리다. 그러함에도 2자 수리에서 가장 나쁜 수리이다. 상문살과 관재구설 수리가 이어지므로 사업에도 불리하다. 따라 서 합과 극의 관계를 잘 살펴야 한다. 전년도 279 수리에서 수술을 한 사람이 281 수리에서 사망할 수도 있다.

變 2 火	財 8 木	貴 1 水
寅	卯	辰
鬼 3 木	文 9 金	鬼 3 木
巳	午	未
官 6 水	鬼 3 木	文 9 金
申	酉	戌
變 2 火	變 2 火	安 4 金
亥	子	丑

• 2(변화), 8(財), 1(귀인).
재물과 귀인이 생기는 변화가 온다. 자신의 능력을 발휘하여 재물을 취한다. 따라서 합이 되는 일주는 새로운 만남이나 새로운 일로 인해 재물을 취하는 등 생활에 활력을 갖게 되지만 극이 되는 일주는 배신자가 따르고 큰 재물이 나간다.

• 3(鬼), 9(문서), 3(鬼).
財와 관련해서 鬼 때문에 오는 상문이다. 이 수리에 財가 있는 부모가 죽으면 유산을 남겨준다. 279 수리에서 수술을 한 사람이 281 수리에서 죽을 수도 있다.

문서 양쪽으로 鬼가 에워싸고 있다. 즉 鬼가 왔으므로 정신적 갈등이 생기게 되고 사망진단서와 같은 문서를 뜻한다.

· 6(官), 3(鬼), 9(문서).
369, 639 수리는 관재구설에 관한 수리다. 돈 때문에 생기는 관재구설이다. 주도수 8자가 왔으므로 재물에 대한 욕구가 강해지고 돈 때문에 관재구설이 따른다. 만약 393 수리에서 사망하지 않았다면 639 수리에서 사망할 수도 있다. 다만 합이 되는 일주는 조상의 도움으로 官과 재물을 성취할 수 있다. 따라서 모든 수리를 나쁘게 볼 게 아니다.

· 2(변화), 2(변화), 4(안정).
변화, 변동이 연속으로 들어왔다. 합이 되는 일주는 이사나 직업변동을 할 수 있다. 변화를 통해서 안정을 찾고 뜻을 성취할 수 있다. 극이 되는 일주는 손실이 따를 수 있으니 현재 상태를 유지하고 변화하지 마라.

🌸 **2, 9, 2(변화, 문서, 변화)** ▸ 81포국도 평생기본수2, 주도수9

'**주도수 9**'는 문서를 뜻하는데 그 속에는 官. 명예가 같이 들어 있다. 평생 기본수가 2자인 사람이 운에서 주도수 9자가 오면 문서의 변화와 관련된 일이 생긴다. 그래서 2자 수리에서 가장 좋은 수리다. 전년도 281 수리는 돈이 나가는 수리이고 292 수리에는 돈이 들어오는 수리다.

279, 281, 수리에서 퇴식(退食)과 상문으로 깨졌다면 292 수리는 사업을 하기 좋은 수리다. 따라서 279 수리 때 상담을 하게 된다면 2년 후인 292 수리 때 시작하라고 해라. 평생 수리라면 고위직까지 승진할 수 있는 가장 좋은 수리다. 이수리는 관록, 명예, 행운까지 따르는 수리다.

變 2 火	文 9 金	變 2 火
寅	卯	辰
安 4 金	變 2 火	官 6 水
巳	午	未
貴 1 水	財 8 木	文 9 金
申	酉	戌
退 7 火	貴 1 水	財 8 木
亥	子	丑

· 2(변화), 9(문서), 2(변화).

양쪽에 변화로 인한 문서가 와 있다. 변화로 문서를 취할 수 있으므로 최고의 능력을 발휘할 수 있는 수리다. 이 수리 때는 결혼해도 좋고, 사업도 하기 좋은 수리이니까 공부보다 돈을 벌어야 한다.

· 4(안정), 2(변화), 6(官)

안정된 상태에서 의욕을 가지고 행동으로 옮길 때 안정된 상태에서 명예가 따른다. 따라서 합이 되는 일주는 과감한 변화로 한 단계 더 성장할 수 있다. 그러나 극이 되는 일주는 안정적으로 변화해라. 특히 子丑, 일주는 두 달이 연속 깨진다. 두 달이 깨지면 다 망친다. 따라서 아무 일도 하지 말고 공부를 하는 게 좋다.

· 1(귀인), 8(財), 9(문서)

귀인이 와서 財와 문서적으로 뜻을 이룬다. 새로운 귀인이 생기고, 돈과 문서에 이로움이 생긴다. 일 년 12달이 문서와 관련이 있다. 그러나 극이 되는 일주는 귀인이 아니라 배신자다. 특히 寅卯, 일주는 두 달이 깨진다.

· 7(退食), 1(귀인), 8(財)

귀인이 와서 재물을 준다. 합이 되는 일주는 새로운 이성의 만남으로 경제적인 안정을 취할 수 있다. 그러나 7자는 합과 극을 떠나서 건강 조심해야 한다. 특히 午未, 일주는 귀인이 아니라 배신자가 따른다.

🌸 '수리 2' 의 핵심 요약

2자 수리의 특성	세밀하다. 생각이 많다. 우두머리보다 참모의 역할에 적합하다. 정이 많다. 운에서 2자가 오게 되면 어떤 사물에 대해 변화, 변동하고 싶은 욕구가 생긴다.

흉(凶) 운	• 213수리(이별, 헤어짐)
	  전반기 때 이별, 헤어짐, 후반기 때 상문살.
	• 257수리(驚破)
	  전반기 상문살, 후반기 551 수리 때 극이 되는 일주는 갑자기 좋지 않은 일로 놀라는 사건이 생길 수 있다.
	• 279수리(退食)
	  의욕 상실, 건강 불안, 退食의 작용으로 뜻하는 바를 이루기 힘들다.
	• 281수리(財)
	  전반기 때 상문살, 주도수가 재물 운이 왔어도 극이 되는 일주는 큰 재물을 잃을 수 있다.

길(吉) 운	• 292수리(양쪽 변화의 문서) 문서의 변화 운이 들어 왔다. 사업하기 좋고, 승진할 수 있는 수리다.

3) 평생 기본수 3수리 _ 81포국도 평생기본수3

'평생 기본수 3'은 鬼, 심리적 갈등, 망하게 함의 뜻을 가진다. 따라서 3자는 영혼이 들어 있어서 종교나 활인업에 잘 맞는다. 무척 영리하고 재능이 뛰어난 사람이 많으나 직선적인 성격이다. 3자는 극과 극의 수리이므로 영재와 장애자가 많다.

✿ 3, 1, 4(鬼, 신생, 안정) ▸ 81포국도 평생기본수3, 주도수1

'주도수 1'은 새로운 일이나 귀인을 뜻한다. 평생 기본수가 3자인 사람이 운에서 주도수 1자가 오면 귀인과 관련하여 심리적으로 불안을 느낀다. 특히 314 수리는 3자 수리에서 가장 나쁜 수리다.

134, 314 수리는 鬼로 인해 심리적 갈등이 온다. 합이든 극이든 모두 鬼가 발동하므로 6개월 동안 깨지게 된다. 사업가는 망하게 되고, 직장인은 퇴사, 환자는 건강이 무너지는 수리다. 따라서 6개월 동안은 죽은 듯이 살아야 한다. 귀신 곡하게 사건, 사고가 발생하는 수리다. 평생 수리라면 314, 573, 수리 때(23세)까지 나쁘다. 3자는 종교, 철학, 개종에 관심이 많은 수리이다. 그런 쪽으로 관심을 가져야 좋다. 평생 수리에서 3자에는 장애자(障碍者)가 많다.

鬼 3 木	貴 1 水	安 4 金
寅	卯	辰
退 7 火	驚 5 土	鬼 3 木
巳	午	未
貴 1 水	財 8 木	文 9 金
申	酉	戌
變 2 火	驚 5 土	退 7 火
亥	子	丑

선천수 ▸ 1,6_水 2,7_火 3,8_木 4,9_金 5,10_土

주도수 ▸ 1_生,貴 2_變 3_鬼 4_安 5_驚破 6_官 7_退食 8_財 9_文

• 3(鬼), 1(귀인), 4(안정).

鬼와 함께 귀인이 왔다. 귀인은 첫째 배우자, 둘째 이성, 셋째 새로운 사업의 동반자이다. 합이 되는 일주는 귀인을 만나 새로운 일을 도모할 수 있다. 그러나 753 수리에서 깨지므로 새로운 일을 도모하지 마라. 귀인으로 인한 오해나 구설이 생겨서 현재 상태를 유지하기 어렵다. 따라서 합이든 극이든 안정을 취해야 한다.

• 7(退食), 5(驚破), 3(鬼)

가장 크게 흉(凶)한 수리다. 합이든 극이든 심리적 갈등이 대두되고 망하게 된다. 학생은 공부 안 하고, 사업가는 부도, 부부는 이혼, 노인과 환자는 사망, 모두가 능력의 한계를 느끼게 되는 수리다.

이성 간에는 잠시 떨어져 있는 게 방편이 된다. 일 년의 수리일 때는 갑자기 어떤 사건이 터지고 평생 수리라면 학생은 가출하고 부부는 이혼하는 수리다. 가장 가까운 사람이 배신자가 된다. 사건, 사고의 유형도 다양하게 발생한다.

• 1(귀인), 8(財), 9(문서)

귀인이 와서 財와 문서적으로 뜻을 이룬다. 즉 대길수이다. 따라서 점진적으로 발전한다. 그러나 아무리 수리가 좋아도 극이 되는 일주는 나쁘게 작용하므로 합이 되는 달에 추진해야 한다. 대 흉수인 753, 573 수리의 뒤에 오는 189 수리는 50%의 영향력을 발휘한다.

• 2(변화), 5(驚破), 7(退食).

귀인이 와서 과감한 변화로 외부에서 뜻을 성취할 수 있다. 합이 되는 일주는 귀인의 도움에 따라 자신의 능력이 점진적으로 전환될 수 있다. 그러나 극이 되는 일주는 과감한 변화로 퇴식이다. 따라서 변화, 변동으로 놀라는 일이 생기거나 건강이 나빠진다.

🌸 3, 2, 5(鬼, 변화, 驚破) ▸ 81포국도 평생기본수3, 주도수2

'**주도수 2**'는 변화, 변동의 뜻을 가진다. 평생 기본수가 3자인 사람이 운에서 주도수 2자의 해가 오면 변화, 변동과 관련된 일이 생긴다. 즉 무엇인가 변화하고 싶은 마음이 든다.

지난해(314)의 귀인 때문에 변화하게 된다. 합이 되는 달에 변화하고 극이 되는 달은 피하라. 2, 5, 수리이므로 부동산의 변화이다. 따라서 이사, 부동산 매매와 같은 변화가 생긴다.

鬼 3 木	變 2 火	驚 5 土
寅	卯	辰
財 8 木	退 7 火	官 6 水
巳	午	未
驚 5 土	安 4 金	文 9 金
申	酉	戌
退 7 火	安 4 金	變 2 火
亥	子	丑

• 3(鬼), 2(변화), 5(驚破).

집, 부동산, 투기의 財를 변화, 변동하게 된다. 지난해의 귀인 때문에 변화한다. 합이 되는 일주는 외부적인 변화로 새로운 혁신을 추구할 수 있다. 극이 되는 달을 피해서 자기의 능력만큼 투자해라. 그리고 극이 되는 일주는 변화, 변동으로 인해 놀라는 일이 생기므로 변화하지 마라.

• 8(財), 7(退食), 6(官).

財와 명예가 따른다. 다만 7자가 왔으니 건강에 유념하라. 합이 되는 일주는 명예가 상승하게 되고 재물도 따른다. 극이 되는 일주는 직장을 퇴사하고 돈이 나간다. 그래도 주도수와 퇴식이 같은 오행이므로 질병의 정도가 크지 않다.

• 5(驚破), 4(안정), 9(문서).

안정적인 수리이다. 마음의 여유를 갖고 현실에 대처해라. 그러나 극이 되는 일주는 문서가 깨진다. 아무리 좋은 수리일지라도 극이 되는 달은 피해야 한다.

9월에는 주도수의 오행이 문서를 극한다. 따라서 9자와 극이 되는 일주는 더욱 사건, 사고에 주의해야 한다. 火剋金으로서 변화로 인해 문서가 극을 당하므로 외부 활동 중에 발생하는 사건, 사고를 뜻한다.

• 7(退食), 4(안정), 2(변화).

주도수 2자 변화, 변동에 계절의 수리에도 2자 변화, 변동이 왔다. 따라서 계속된 변화의 추구로 안정이 퇴식(退食)을 당하게 될 수 있다. 즉 안정이 깨진다. 특히 극이 되는 일주는 건강이 나빠진다.

🌸 3, 3, 6(鬼, 鬼, 官) ▸ 81포국도 평생기본수3, 주도수3

'**주도수 3**'은 鬼, 심리적 갈등을 뜻한다. 평생 기본수가 3자인 사람이 운에서 주도수 3자가 오면 일주에 따라 극과 극으로 달라진다. 합이 되는 일주는 삼삼하게 풀리는 수리이다. 그러나 극이 되는 일주는 상문살이 된다.

운에서 鬼가 올 때는 심리적 갈등이 생긴다. 그리고 합이 되는 일주는 긍정적으로 작용하므로 아주 좋은 일이 생기고, 극이 되는 일주는 크게 나쁜 일이 생긴다. 만약 평생 수리라고 한다면 鬼가 와서 죽을 만큼 힘들다. 한번 죽었다가 깨어난다고 생각하면 된다.

鬼 3 木	鬼 3 木	官 6 水
寅	卯	辰
文 9 金	文 9 金	文 9 金
巳	午	未
文 9 金	文 9 金	文 9 金
申	酉	戌
鬼 3 木	鬼 3 木	官 6 水
亥	子	丑

· 3(鬼), 3(鬼), 6(官).

鬼가 와서 심리적 갈등으로 안정을 갖지 못한다. 즉 상문살이다. 가출을 하는 등 방향 전환을 하는 수리이다. 다만 합이 되는 일주는 삼삼하게 풀리므로 극단적인 수리다. 官으로 진출하거나 승진할 수 있다. 鬼가 오면 철학, 사상, 종교에 의존하고 싶어지고 또한 그런 쪽으로 가야 좋다.

· 9(문서), 9(문서), 9(문서).

鬼가 도와주면 최고의 문서가 된다. 합이 되는 일주는 조상의 도움으로 문서나 명예적인 측면에서 크게 발전하는 수리다. 따라서 적극적인 자세로 임하라. 그러나 극이 되는 일주는 문서가 떠난다. 문서가 깨지는 게 가장 큰 피해다. 3월에 6자로 인해서 승진했다면 6-999 수리는 승진 후 해외나 지방 근무를 뜻한다. 그리고 9자는 庚金이라서 멀리 떨어져야 좋다.

· 9(문서), 9(문서), 9(문서).
온통 문서의 운이 왔다. 즉 문서의 여행수이다. 지난 수리(999) 때 승진을 했다면 해외 근무를 할 수도 있다. 합과 극을 떠나서 먼 곳에 여행이라도 다녀오면 좋은 수리다. 학생은 유학이나 독서실로 가라. 극이 되는 일주는 문서가 역마이므로 죽을 수도 있다. 개운을 위한 방편으로는 운이 좋은 사람과 같이하는 게 좋다.

· 3(鬼), 3(鬼), 6(官).
상문살이 다시 왔다. 鬼가 왔으므로 또 깨진다. 위와 아래로 상문살이 같이 들어왔으므로 어느 한 수리에서 진짜 상문을 당할 가능성이 크다. 그러나 鬼가 오면 공부가 잘된다. 즉 鬼와 관련된 종교, 철학, 역학 공부를 하면 좋다. 상문살이 오면 상갓집에 가지 않는 게 좋다. 33이라는 숫자는 질병에 걸리기 쉬운 수리이므로 상갓집에 가게 되면 질병을 얻을 수 있다.

🌸 3, 4, 7(鬼, 안정, 退食) ‣ 81포국도 평생기본수3, 주도수4

'**주도수 4**'는 안정과 여유를 뜻한다. 평생 기본수가 3자인 사람이 운에서 주도수 4자가 오면 안정하라는 뜻이다. 즉 3자는 심리적으로 안정이 안 되는 글자인데 4자가 왔으므로 합이 되는 일주는 한 해 동안 안정을 추구할 수 있다.

그러나 극이 되는 일주는 鬼 때문에 안정이 깨진다. 상반기 123 수리까지 나쁘다. 6개월 동안 불운이 이어진다. 물론 123 수리에서 합이 되는 일주는 헤어졌던 사람을 만날 수도 있다. 하지만 모든 일주가 대부분 부정적으로 작용할 수 있으므로 전반기 6개월 동안 힘들게 보낼 수 있다.

鬼 3 木	安 4 金	退 7 火
寅	卯	辰
貴 1 水	變 2 火	鬼 3 木
巳	午	未
安 4 金	驚 5 土	文 9 金
申	酉	戌
財 8 木	變 2 火	貴 1 水
亥	子	丑

• 3(鬼), 4(안정), 7(退食).

鬼가 있어서 안정과 여유가 퇴식(退食)을 맞을 수 있다. 즉 안정을 취해야 하지만 안정이 안 된다. 따라서 마음의 여유를 가지고 현실에 대처해라. 심리적으로 불안한 상태일 뿐만 아니라 건강까지 나빠질 수 있다.

다음 수리가 123 이별의 수리이므로 안정이 되지 못하고 상반기 6개월 동안 나쁘다. 이 수리 때 노인은 사망, 부부 이혼, 주위가 원수로 변한다. 합과 극을 떠나서 6개월 동안 힘들게 보낸다.

· 1(귀인), 2(변화), 3(鬼).

이별, 헤어짐의 수리다. 전달에 7자(퇴식)가 지나가고 123 수리가 왔다. 따라서 수술은 실패하고, 환자와 노인은 사망할 수도 있다. 이 수리가 왔을 때는 이별, 헤어짐을 먼저 생각해야 한다.

그러나 장소와 이별할 수도 있고, 합이 될 때는 만날 수도 있다. 그뿐만 아니라 일주와 그해의 운을 대입해서 합이 되는 일주라면 이별, 헤어짐을 면할 수도 있다. 물론 대부분 부정적으로 작용한다.

· 4(안정), 5(驚破), 9(문서).

안정된 상태에서 과감하게 문서를 취할 수 있다. 합이 되는 일주는 적극적으로 도전하여 뜻을 성취하라. 극이 되는 달을 피해서 합이 되는 달에 일을 추진하라. 각 일주에 따라 월별로 극이 되는 달이 생기므로 합과 극의 달을 잘 선택해서 일을 추진해야 한다.

· 8(財), 2(변화), 1(귀인).

재물의 변동과 귀인을 만날 수 있는 수리이다. 따라서 재물의 안정을 취할 수 있고 귀인의 도움으로 뜻을 이룰 수 있다. 재물의 변동과 주위의 여건이 우호적이며 새로운 인간관계가 만들어질 수 있다. 좋은 수리이지만 합이 되는 달에 추진하고 극이 되는 달을 피해라.

❀ 3, 5, 8(鬼, 驚破, 財) ‣ 81포국도 평생기본수3, 주도수5

'**주도수 5**'는 驚破, 과감한 행동, 투기의 財를 뜻한다. 평생 기본수가 3자인 사람이 운에서 주도수 5자가 오면 財와 관련해서 놀라는 일이 생길 수 있다. 놀란다는 의미는 좋은 일이나 나쁜 일 때문에 생길 수 있는데 이 358 수리에서는 좋아서 놀라는 일이 생긴다. 그만큼 좋은 수리라는 뜻이다. 즉 3, 5, 7, 수리는 鬼, 驚破, 退食을 뜻하므로 과격한 숫자이다. 이들 수리가 부정적으로 작용할 때는 건강이나 생명에 지장을 초래할 수 있다.

그러나 3, 5, 7자의 숫자들은 5자 수리에 좋은 작용을 한다. 따라서 3,5,7 수리들은 주도수 5자가 오게 되면 긍정적으로 작용하게 된다. 따라서 무엇이든 적극적으로 행하라. 3자 수리에서 가장 좋은 수리다. 다만 극이 되는 달만 피해라. 아무리 좋은 수리일지라도 극이 될 때는 깜짝 놀라는 사건으로 돌변할 수 있다.

鬼 3 木	驚 5 土	財 8 木
寅	卯	辰
變 2 火	安 4 金	官 6 水
巳	午	未
財 8 木	貴 1 水	文 9 金
申	酉	戌
安 4 金	貴 1 水	驚 5 土
亥	子	丑

• 3(鬼), 5(驚破), 8(財).

조상의 도움으로 투기의 재물을 취할 수 있다. 주도수 5자가 왔으니 놀랄 만큼 큰 재물이다. 따라서 적극적으로 밀고 나아가서 뜻을 과감하게 성취하라.

3자 수리에서 최고 좋은 수리이므로 극이 되는 일주도 그다지 나쁘지 않다. 다만 극이 되는 달은 피하는 게 좋다. 극이 되는 달은 깜짝 놀랄 일로 큰 재물이 나갈 수 있다.

• 2(변화), 4(안정), 6(官).

이사 등 변화, 변동으로 새로운 계획이나 구상이 이루어진다. 합이 되는 일주는 변화를 통해서 자신의 명예를 성취할 수 있다. 극이 되는 일주는 변화하지 말고 현재 상태를 유지하는 게 좋다.

극이 되는 일주는 주도수가 5자이므로 과감한 변동으로 안정이 깨지면서 직장을 나올 수 있다. 만약 평생 수리라고 한다면 갑작스러운 변동으로 크게 실패할 수 있고 죽을 수도 있다.

• 8(財), 1(귀인), 9(문서).

재물, 귀인, 문서적으로 뜻을 이룬다. 귀인의 도움을 받아 명예와 행운이 따르는 시기이며 재물의 결실도 따른다. 귀인은 이성도 해당하므로 미혼자는 이성의 만남도 가능한 수리이다. 평생 수리라면 부자의 수리다. 좋은 수리이나 극이 되는 수리는 돈이 나간다.

• 4(안정), 1(귀인), 5(驚破).

귀인이 와서 안정적으로 투기의 財를 벌어준다. 합이 되는 일주는 안정을 찾을 수 있는 수리이다. 그러나 극이 되는 일주는 배신자가 따른다. 특히 子午卯酉 일주는 귀인이 아니라 갈등의 원인으로 이별할 수 있다.

🌸 3, 6, 9(鬼, 官, 문서) ‣ 81포국도 평생기본수3, 주도수6

'주도수 6'은 官, 명예, 승진, 행운의 뜻이 있다. 평생 기본수가 3자인 사람이 운에서 주도수 6자가 오면 직장, 명예, 승진, 행운과 관련해서 어떤 변화가 생긴다. 369, 639 수리는 관재구설에 관한 수리다. 官과 합하는 수리는 승진, 행운이 따르고, 극하는 수리는 관재구설이다. 사망할 수도 있는 수리다.

따라서 스스로 나서지 말고 모든 것을 문서화해라. 9개월 동안 관재구설이 이어진다. 주도수 1, 6, 9, 수리가 오면 결혼할 확률이 높으나 이혼할 수 있는 확률도 높은 수리이다. 그리고 369 수리에서 결혼할 때는 구설이 따른다. 만약 평생 수리라면 寅,申,巳,亥 일주는 세 번 초상 치를 수 있는 수리이다.

鬼 3 木	官 6 水	文 9 金
寅	卯	辰
鬼 3 木	官 6 水	文 9 金
巳	午	未
鬼 3 木	官 6 水	文 9 金
申	酉	戌
文 9 金	文 9 金	文 9 金
亥	子	丑

• 3(鬼), 6(官), 9(문서).

관재구설 수리다. 6과 9가 합이 되는 수리는 명예와 문서적인 측면에서 잘 이루어진다. 학생은 시험합격이다. 이 수리에는 자신의 능력을 나타내려는 욕구가 강해진다. 극이 되는 일주는 말 그대로 관재구설이다. 따라서 스스로 나서지 말고 타인의 일에 간섭해서는 안 된다.

• 3(鬼), 6(官), 9(문서).

시기 질투 때문에 관재구설이 따른다. 합이 되는 일주는 명예가 따르고 격이 높아진다. 따라서 자랑하는 것을 삼가라. 명예, 문서와 관련해서 법정 시비까지 끌고 갈 우려가 있으므로 양보하는 미덕이 있어야 한다.

• 3(鬼), 6(官), 9(문서).

평생 수리에 申酉戌 월이 369, 639 수리라면 이혼할 수 있는 확률이 아주 높다. 즉 세 번째 줄에 오는 관재구설은 심리적 갈등으로 문서가 흔들린다. 합이 되는 수리는 승진, 행운이 따르나 극이 되는 일주는 직장 나오고 이혼하는 수리다.

결국 369 관재구설 수리는 6, 9의 숫자가 합이 되는 일주는 관, 명예, 문서적으로 좋은 일이 생긴다. 그러나 극이 되는 일주는 칠살로 인해 문서가 깨지는 형국이므로 부부는 이혼, 노인과 환자는 사망할 수도 있다.

• 9(문서), 9(문서), 9(문서).

주도수 6자에 999 수리는 극단적이다. 합이 되는 일주는 승진 후 해외 근무나 여행을 할 수 있다. 극이 되는 일주는 관재구설로 문서가 떠난다. 즉 노인과 환자는 사망할 수 있고, 사업가는 부도로 심하면 구속될 수 있다.

관재구설 수리가 끝났으나 칠살로 인해 문서가 날아가는 형국이므로 감옥에 가기 전에 도망하는 사람도 생긴다. 계속된 관재구설 수로 인해 스트레스를 받은 사람은 이 수리에서 직장을 그만두려고 한다. 그런데 직장을 나오면 취업하기 어렵다. 불운이 지났으므로 참고 견디는 게 좋다.

❀ 3, 7, 1(鬼, 退食, 귀인) ‣ 81포국도 평생기본수3, 주도수7

'**주도수 7**'은 퇴식, 의욕 상실의 뜻이 있다. 평생 기본수가 3자인 사람이 운에서 주도수 7자가 오면 건강이나 의욕이 저하된다. 만약 건강하다면 돈도 잃고 사람도 잃을 수 있다. 자신이 아프지 않으면 가족 중에 누군가가 아플 수 있다. 평생 수리라면 7자는 관운이 없는 수리다. 따라서 전문직이나 활인업을 해야 한다. 장남, 장녀의 역할을 하게 되고 베풀어야 할 수리다. 다만 육체노동자들은 크게 영향을 받지 않는다.

그리고 1, 3, 5자의 숫자들은 7자를 두려워하지 않는다. 즉 크게 아프거나 놀라는 일은 생기지 않는다. 그러나 2, 4, 6, 8, 9자의 숫자들은 퇴식의 영향이 크게 나타난다.

鬼 3 木	退 7 火	貴 1 水
寅	卯	辰
安 4 金	財 8 木	鬼 3 木
巳	午	未
退 7 火	變 2 火	文 9 金
申	酉	戌
驚 5 土	財 8 木	安 4 金
亥	子	丑

• 3(鬼), 7(퇴식), 1(귀인).

새로운 일이나 귀인으로 인해 퇴식(退食)을 맞이하게 된다. 자신의 욕구가 현실을 따라가지 못하여 의욕 상실이 된다. 새로운 일을 하기 위해 직장을 나온다. 사업가는 부도가 날 수 있다. 합이나 극을 떠나서 주도수 7자에는 의욕이 상실되므로 안정이 되지 않는다. 따라서 현재 상태를 유지해야 한다.

鬼, 退食, 귀인으로 구성된 수리이다. 따라서 합이 되는 일주는 귀인을 만날 수도 있다. 그리고 젊은 사람은 퇴식이 오더라도 아프지 않을 수 있고 그 대신 직장을 나올 수 있다. 주도수 7자의 해에는 공부하면서 쉬어가는 해라고 생각하면 된다.

• 4(안정), 8(財), 3(鬼).

안정된 재물이 들어오고 심리적으로 여유를 갖는다. 따라서 들어오는 돈과 나가는 돈이 상승하고 금전적인 욕구가 강해지므로 조심성 있는 투자가 필요하다. 子午卯酉 일주는 나가는 돈이다.

주도수 7자의 8자(財) 수리이므로 작은 재물로 볼 수 있다. 반대로 주도수 8자의 8자(財)수리는 큰 재물로 볼 수 있다.

• 7(退食), 2(변화). 9(문서).

729 수리는 의욕한 만큼 잘 풀리지 않는다. 새로운 변화를 모색하게 되지만 현실이 여의치 않아 능력이 저하되고 건강이 문제 될 수 있다. 특히 주도수 7자에 7자(퇴식)의 수리는 극이 될 때 더 건강이 나빠질 수 있다.

따라서 寅申巳亥 일주는 건강에 유의해야 한다. 만약 아프지 않는다면 직장을 그만둘 수 있다.

• 5(驚破), 8(財), 4(안정).

주도수 7자에 5자가 왔으므로 놀라는 일이 생긴다. 사건, 사고나 수술을 할 수 있는 수리다. 합이 되는 일주는 큰 재물도 들어오고 마음에 여유를 갖게 된다. 따라서 과감하게 재물을 성취할 수 있다. 寅巳申亥 일주는 깜짝 놀라는 일이 생길 수 있고, 子午卯酉 일주는 나가는 돈이다. 그리고 辰戌丑未 일주는 안정이 깨지는데 그다지 큰 피해는 없다.

🌸 3, 8, 2(鬼, 財, 변화) ▸ 81포국도 평생기본수3, 주도수8

'**주도수 8**'자는 재물을 뜻한다. 평생 기본수가 3자인 사람이 운에서 주도수 8자가 오면 재물과 관련된 일이 생긴다. 7자가 정신과 신체에 관한 수리라고 한다면 8자는 순수하게 물질적인 수리다. 따라서 재물에 대한 실리를 추구하게 된다. 돈을 벌고자 하는 의욕이 강해진다.

그러나 382 수리에서 사업을 하게 되면 다음 해가 393 수리이므로 망하게 된다. 그래서 이 수리에는 합과 극을 떠나서 사업을 해서는 안 된다. 평생 수리라면 사업이 가능한 수리다.

鬼 3 木	財 8 木	變 2 火
寅	卯	辰
驚 5 土	貴 1 水	官 6 水
巳	午	未
變 2 火	退 7 火	文 9 金
申	酉	戌
貴 1 水	退 7 火	財 8 木
亥	子	丑

• 3(鬼), 8(財), 2(변화).

변동의 재물이다. 3자인 鬼가 어떤 쪽으로 작용하느냐에 따라 들어오는 재물인지 나가는 돈인지 알 수 있다. 합이 되는 일주는 변화 변동으로 재물이 따르며 뜻을 이룰 수 있다. 따라서 합이 되는 달에 투자해라. 극이 되는 일주는 변화로 인해 돈이 나간다. 특히 申酉 일주는 두 달이 깨지므로 투자보다는 현재 상태를 유지하는 게 좋다.

• 5(驚破), 1(귀인), 6(官).

516, 156 수리는 혁명, 혁신의 수리다. 주도수가 8자이므로 재물에 대한 혁명 혁신이다. 성공하느냐? 실패하느냐? 하는 문제는 합이 되면 성공하고 극이 되면 실패한다.

1(귀인), 6(관), 이 두 달이 합이 되는 일주는 성공하고 극이 되는 일주는 실패한다. 특히 子丑, 일주는 두 달이 깨지므로 과감하게 실행해도 실패한다. 돈과 사람을 잃게 되고 명예도 실추된다. 그러나 합이 되는 일주는 귀인을 만날 수 있다.

• 2(변화), 7(퇴식), 9(문서).

뜻대로 잘 풀리지 않는 수리다. 따라서 욕심내지 말고 건강에 유념해라. 그러나 주도수 8자에 9자(문서)는 큰 재물을 뜻하는 문서이다. 합이 되면 문서를 취할 수 있다. 극이 되는 일주는 큰 문서가 나간다.

• 1(귀인), 7(退食), 8(財).

귀인의 도움으로 재물이 들어온다. 주도수 8자에 8(財)은 큰 재물이다. 합이 되는 일주는 귀인과 재물이 따르고 인기도 상승한다. 극이 되는 일주는 귀인이 아니라 배신자다.

특히 午未, 일주는 1(귀인)을 만났지만 7(退食), 8(財)가 깨지므로 건강이 나빠지고 돈이 나간다. 7(退食) 운에는 노동이나 농업과 같이 육체노동을 하는 사람은 화를 면할 수 있다. 또는 운이 좋은 사람을 따라가면 괜찮다.

❀ 3, 9, 3(鬼, 문서, 鬼) ▸ 81포국도 평생기본수3, 주도수9

'**주도수 9**'는 문서를 뜻한다. 평생 기본수가 3자인 사람에게 운에서 주도수 9자가 들어오는 해에는 문서와 관련된 일이 생긴다. 문서에는 직장, 명예, 승진, 행운과 같은 일이 포함된다. 즉 6(官)이 9(文書)에 들어가 있다.

393, 수리는 상문살이다. 그러나 합이 되는 일주는 상문으로 좋은 일이 생긴다. 신(鬼)이 도와준다. 평생 수리라고 한다면 최고의 자리까지 오른다. 조상의 도움으로 문서운이 좋은 수리다. 승진도 빠르다. 따라서 공직자를 하면 좋은 수리다. 그러나 사업가는 한 번 망할 수 있고, 부부는 이혼할 수 있는 수리다. 상문살이 가족들 모두 겹치게 들어오는 해에는 반드시 상문이 생긴다.

만약 작년 382 수리에서 사업을 시작하였다면 393 수리에서 망한다. 상문은 합과 극을 떠나서 상문을 당하게 되는데 주변에서 누군가가 죽게 되면 자신은 상문을 면한다.

鬼 3 木	文 9 金	鬼 3 木
寅	卯	辰
官 6 水	鬼 3 木	文 9 金
巳	午	未
官 6 水	鬼 3 木	文 9 金
申	酉	戌
官 6 水	官 6 水	鬼 3 木
亥	子	丑

• 3(鬼), 9(문서), 3(鬼).

393, 933 수리는 상문살이다. 누가 죽는다는 뜻이다. 그러나 남이 죽으면 액을 면할 수 있고, 죽는다는 의미보다는 죽을 만큼 힘든 일이 생긴다는 뜻으로 혼용하는 게 좋다. 만약 작년(주도수 8)에 사업을 시작한 사람은 이 수리에 망하게 된다.

양쪽에 鬼가 있으므로 심리적 갈등이 심하게 되고 집안에 우환(憂患)이 생긴다.

이 수리에 돈을 빌려주면 받지 못한다. 그래도 합이 되는 일주는 상문으로 좋은 일이 생긴다. 하지만 합과 극을 떠나서 상문이 우선이므로 노인과 환자는 사망할 수 있는 수리다. 鬼의 작용으로 예상하지 못한 일이 생긴다.

• 6(官), 3(鬼), 9(문서).
관재구설 수리이다. 상문살 다음에는 반드시 관재구설 수리가 온다. 이때의 관재구설은 조상이 사망하였을 경우 유산으로 인한 싸움이 생기고, 상문을 면했다면 사기를 당하거나 교통사고, 질병, 이혼과 같은 예상하지 못한 일이 생길 수 있다.

• 6(官), 3(鬼), 9(문서).
관재구설 수리다. 관재구설을 피할 방법으로는 모든 일을 문서화하고 남의 일에 관여하지 않는 것이다. 寅卯, 일주는 6(관), 3(鬼) 두 달이 깨져서 나쁘지만 9(문서)가 합이 된다.
그리고 주도수 9자에 9(문서)는 큰 문서를 뜻한다. 따라서 7, 8월 두 달을 피해서 9월에 모든 일을 추진하는 게 좋다. 만약 369, 639 수리가 평생 수리라고 한다면 관재구설을 피할 수 없다. 따라서 공직으로 진출하는 게 좋은 수리다.

• 6(官), 6(官), 3(鬼).
조상의 도움으로 관, 명예, 행운이 따른다. 학생은 시험에 합격할 수 있고 사업가는 능력을 발휘할 수 있는 수리다. 주도수 9자에 6(官)은 더 큰 명예와 행운이 따른다.
그러나 극이 되는 일주는 鬼가 작용하므로 官이 자신을 치는 형국이 발생한다. 즉 관이 칠 때는 칠살의 역할을 하므로 몸이 아플 수 있다. 전체적으로 볼 때 393, 933 수리는 상문을 당하고 나면 괜찮아진다.

✿'수리 3'의 핵심 요약

3자 수리의 특성	영적 능력, 심리적 갈등, 정신적인 질병(우울증), 우두머리 기질, 자존심 강하다. 운에서 3자가 와서 일주와 합이 되면 아주 좋고, 극이 되면 망하게 한다. 극단적인 수리다.
흉(凶) 운	• 314수리(貴人) 전반기 때 대흉의 수리(753), 합과 극을 막론하고 모든 일주가 힘들다. • 347수리(安定) 전반기 때 이별, 헤어짐(123), 합과 극을 떠나서 모든 일주가 영향을 받는다. • 279수리(退食) 의욕 상실, 건강 불안, 退食의 작용으로 뜻하는 바를 이루기 힘들다. • 369수리(관재구설) 합이 되는 일주는 승진, 승급도 할 수 있으나 극이 되는 일주는 일 년 동안 관재구설이다. • 393수리(상문살) 전반기 상문살, 후반기 관재구설.
길(吉) 운	• 358수리(驚破) 투자하기 좋은 시기이다. 특히 합이 되는 달에 부동산에 투자하면 좋다.

4) 평생 기본수 4수리 _ 81포국도 평생기본수4

평생 기본수 4자는 마음의 안정과 여유를 뜻한다. 그런데 남자와 여자의 성격이 완전히 반대다. 남자는 비교적 과묵하고 말이 없는 편이다. 그래서 선비형, 군자 (君子)의 성격이라고 한다. 성격이 느긋하여 중간 역할을 잘한다.

여자의 성격은 적극적이고 활동적이다. 그래서 앞에 나서기를 잘한다. 남 밑에 있는 것보다 지도자형으로 직업 활동을 펼친다. 약 80% 정도가 남편을 먹여 살린다. 평생 기본수 4자와 9자의 여자는 과부가 많은 수리이다.

✿ 4, 1, 5(안정, 신생, 驚破) ﹥ 81포국도 평생기본수4, 주도수1

'주도수 1'은 生, 貴人, 새로운 동반자, 새로운 일의 뜻을 가진다. 귀인의 의미는 나이별로 다르다. 그러나 자신과 가장 가까운 사람이 귀인에 해당한다. 기혼자는 배우자, 자식, 부모, 순이고 미혼자는 이성 친구, 부모, 형제 순이다. 나이별 귀인 의 의미는 다음과 같다.

20대 : 이성 친구, 임신
30대 : 이성 친구, 새로운 동반자, 출산.
40대 : 명예
50대 ~ 60대 : 집안의 경사

평생 기본수 4자인 사람이 운에서 주도수 1자가 오면 새로운 일이나 새로운 사람과 인연이 생긴다. 평생 기본수가 각각 다르더라도 주도수 1자가 오면 귀인으로서 뜻은 변하지 않는다.

따라서 이러한 운이 들어오는 해에는 '무엇을 한번 해 볼까?' 하는 생각이 강하게 든다. 학생은 이성 교제, 미혼의 남녀는 결혼, 직장인은 자리 이동, 사업가는 영업의 확장, 등과 같은 일이 발생하게 된다.

그렇다면 귀인을 만나거나 새로운 일을 하게 되면 결과가 좋은 쪽으로 작용하게 될지, 아니면 나쁜 쪽으로 작용하게 될지는 각자의 운을 살펴봐야 알 수 있다. 415, 145, 수리는 좋은 수리다. 그러나 아무리 수리가 좋다고 하더라도 극이 되는 달은 피해야 한다.

좋은 운이라서 부부지간에는 다른 한쪽이 나쁜 운이라고 해도 그다지 큰 피해가 없다. 따라서 나쁜 운에는 운이 좋은 사람을 따라가는 게 좋다. 평생 수리라고 한다면 일생이 편안하다.

安 4 金	貴 1 水	驚 5 土
寅	卯	辰
文 9 金	官 6 水	官 6 水
巳	午	未
官 6 水	鬼 3 木	文 9 金
申	酉	戌
貴 1 水	貴 1 水	變 2 火
亥	子	丑

선천수 ▸ 1,6_水 2,7_火 3,8_木 4,9_金 5,10_土
주도수 ▸ 1_生,貴 2_變 3_鬼 4_安 5_驚破 6_官 7_退,食 8_財 9_文

• 4(안정), 1(귀인), 5(驚破)

안정된 상태에서 귀인의 도움으로 투기의 財를 취할 수 있다. 다시 말해서 안정된 상태에서 귀인의 도움으로 뜻을 성취한다. 5자는 땅을 뜻하기도 해서 이사나 직장변동과 같은 일도 생긴다. 물론 합이 되었을 때 가능하다.

극이 되는 수리는 새로운 사람이나 새로운 일로 인해 깜짝 놀랄 일이 생겨서 안정이 깨진다. 따라서 극이 되는 달을 피해서 추진하라. 주도수 1, 6, 9자는 결혼이나 임신이 가능한 수리다. 특히 1(귀인)이 오는 게 최고 좋다.

• 9(문서), 6(官), 6(官).

문서적인 면에서 욕구를 성취한다. 합이 되는 수리는 새로운 일이나 새로운 사람으로 인해 한 단계 더 성장할 수 있다. 새로운 직장에 취업하거나 승진이나 새로운 문서를 취할 수 있다. 그러나 극이 되는 수리는 직장을 나오거나 몸이 아플 수 있다.

• 6(官), 3(鬼), 9(문서)

관재구설 수리다. 966수리에서 승진했다면 그에 따른 시기 질투가 따른다. 그래도 합이 되는 일주는 문서와 명예가 따른다. 또한 주도수 1자의 관재구설수이다. 따라서 부부 갈등, 부모, 형제와의 갈등도 따를 수 있다.

- 1(귀인), 1(귀인), 2(변화)

귀인이 쌍으로 온다. 그리고 귀인으로 인해 변화가 생긴다. 어느 귀인이 나와 잘 맞는 사람이고 어느 귀인이 배신자가 될지 구분을 잘해야 한다. 결혼이 가능한 수리이므로 이성의 만남이나 임신도 가능하다. 亥卯未 일주는 10월에 모든 일을 마무리해야 한다. 11월과 12월이 나쁘다.

🌸 4, 2, 6(안정, 변화, 官) ᐳ 81포국도 평생기본수4, 주도수2

'**주도수 2**'는 변화, 변동의 뜻이 있다. 평생 기본수가 4자인 사람이 운에서 주도수 2자가 오게 되면 어떤 변화, 변동이 생긴다. 즉 2(변화), 6(관)이므로 관, 명예, 승진, 행운의 변화다. 따라서 직장이나 사업과 관련해서 변화, 변동이 올 수 있다.

따라서 이 운에는 어떤 변화, 변동하고 싶은 마음이 든다. 좋은 수리이므로 변화하는 게 좋다. 그러나 극이 되는 달을 피하는 게 좋다. 평생 수리라고 한다면 일생을 순탄하게 살아갈 수 있다.

安 4 金	變 2 火	官 6 水
寅	卯	辰
貴 1 水	財 8 木	文 9 金
巳	午	未
貴 1 水	財 8 木	文 9 金
申	酉	戌
官 6 水	文 9 金	官 6 水
亥	子	丑

• 4(안정), 2(변화), 6(官).

안정된 상태에서 직장이나 사업의 변화가 생긴다. 즉 변화, 변동을 하게 되면 행운이 따른다. 따라서 합이 되는 일주는 변화를 추진하고 극이 되는 일주는 다른 달로 미루면 된다. 아주 좋은 수리이므로 극이 되는 달만 피하면 된다.

• 1(귀인), 8(財), 9(문서).

귀인으로 인해 재물과 문서가 따른다. 주도수가 2자이므로 변화적인 일로 욕구를 충족시킬 수 있다. 그러나 극이 되는 寅巳申亥 일주는 귀인이 아니다. 자신에게 도움이 안 되는 사람이다. 子午卯酉 일주는 나가는 돈이 된다. 辰戌丑未 일주는 변화로 문서가 깨진다. 따라서 좋은 수리이지만 극이 되는 달을 피해라.

아주 좋은 수리이지만 일주와 직업에 따라 달리 해석할 필요가 있다. 학생은 귀인과 재물로 인해 공부가 안된다. 그래도 귀인, 재물, 문서, 중에서 최소한 어느 하나는 취할 수 있으므로 좋은 수리다.

• 1(귀인), 8(財), 9(문서).

귀인으로 인해 재물과 문서를 받는다. 그러나 극이 되는 일주는 귀인으로 인해 재물과 문서가 나간다. 학생은 1(귀인)이 8(재물, 여자)가 되므로 공부를 하지 않는다. 따라서 독서실로 보내라. 그래도 어느 하나는 취할 수 있으므로 좋은 수리다. 다음에 오는 696 수리가 좋아서 시험에 합격할 수 있다.

• 6(官), 9(문서), 6(官).

696, 966, 수리는 전체적으로 좋은 수리라서 잘 넘어간다. 주도수 2자라서 변화의 문서와 명예이다. 합이 되는 일주는 자기의 모든 능력을 발휘하여 문서와 명예, 재물, 까지도 취할 수 있다. 그러나 극이 되는 寅巳申亥 일주는 변화로 인한 사고다. 변화로 인한 사고이므로 교통사고 조심해야 한다.

'**주도수 3**'은 鬼, 심리적 갈등을 뜻한다. 평생 기본수가 4자인 사람이 운에서 주도수 3자가 오게 되면 鬼가 왔으므로 심리적 갈등이 생긴다. 3자와 7자의 수리는 신의 영역이다. 두 번째 줄에 이별을 뜻하는 123 수리가 오기 때문에 나쁜 수리다.

특히 鬼가 도와주면 크게 좋은 일이 생기지만 극을 하면 크게 나쁘다. 일생 수리라면 학생 때 부모와 이별하거나 친구와 이별하게 되므로 왕따를 당할 수 있다. 이렇게 나쁜 운에는 운이 좋은 사람을 따라가면 면할 수 있다. 평생 운이면 20세까지 힘든 시기를 보내야 한다.

安 4 金	鬼 3 木	退 7 火
寅	卯	辰
變 2 火	貴 1 水	鬼 3 木
巳	午	未
驚 5 土	安 4 金	文 9 金
申	酉	戌
變 2 火	財 8 木	貴 1 水
亥	子	丑

• 4(안정), 3(鬼), 7(퇴식).

귀가 와서 안정이 깨지고 퇴식(退食)을 맞이하게 된다. 퇴식은 사람도 잃는다. 즉 이별 헤어짐이다. 누구와 이별할 것인가? 직장도 되고 배우자도 된다. 합이 되어도 귀가 왔으므로 심리적 갈등이 온다. 현재 상태를 유지해야 한다.

• 2(변화), 1(귀인), 3(鬼).

이별, 헤어짐의 수리다. 부부는 이혼, 학생은 가출, 직장인은 직장을 나온다. 그 자리를 떠나라는 뜻이다. 따라서 장소와 이별하면 이별을 면할 수 있다. 부부는 분리하고 학생은 유학을 떠나라. 동물이 죽으면 액땜할 수 있다.

子丑, 일주는 두 달이 깨지는데 귀인으로 인해 귀신 곡할 일이 생긴다. 그러나 귀인이 나에게 극이 되는 수리일지라도 상대방의 일주가 합이 된다면 내가 상대를 따라가면 된다. 나를 살려 주기 위해 온 사람이다. 또한 합이 되는 일주는 만나기도 한다.

• 5(경파), 4(안정), 9(문서).

5(부동산), 4(안정), 9(문서)이므로 안정적으로 부동산 문서를 취할 수 있다. 전반기 6개월이 힘들었다고 하더라도 이 수리부터 점진적으로 회복한다. 합이 되는 일주는 안정된 상태에서 문서를 취할 수 있으나 극이 되는 일주는 현실에 안주해야 한다. 寅卯, 일주는 7, 8월까지 자중하라.

• 2(변화), 8(財), 1(귀인).

 재물의 변화와 함께 귀인의 도움이 따른다. 합이 되는 일주는 귀인의 도움으로 재물을 취할 수 있으나 극이 되는 일주는 변동으로 재물이 나간다.

주도수 3자의 8자의 수리는 조상의 도움으로 재물이 들어오는 형국이므로 행운이 따른 재물로 볼 수도 있다. 그러나 극이 되면 갑자기 돈이 나간다.

4, 4, 8(안정, 안정, 財) › 81포국도 평생기본수4, 주도수4

'**주도수 4**'는 안정과 여유를 뜻한다. 평생 기본수가 4자인 사람이 운에서 주도수 4자가 오면 안정과 여유가 생기게 되어 편안한 상태를 유지할 수 있다. 따라서 합이 되는 일주는 안정을 바탕으로 어떤 일이든지 추진할 수 있고 극이 되는 일주는 안정을 취하라는 의미이다.

특히 이 수리는 3, 5, 7의 숫자가 많이 들어 있다. 그리고 336 상문살과 999 여행수가 같이 들어 있으므로 극이 되는 일주는 건강에 특별히 주의해야 한다. 해외 근무나 여행도 가능한 수리이다. 평생 수리라고 한다면 외국에서 사는 게 좋다. 가능하면 멀리 떠나는 게 좋고 전문직에 종사하는 게 좋다.

安 4 金	安 4 金	財 8 木
寅	卯	辰
鬼 3 木	鬼 3 木	官 6 水
巳	午	未
文 9 金	文 9 金	文 9 金
申	酉	戌
退 7 火	退 7 火	驚 5 土
亥	子	丑

• 4(안정), 4(안정), 8(財).

안정적으로 재물이 들어온다. 합이 되는 일주는 마음의 안정을 바탕으로 현실에 대처해라. 점진적인 발전이 따른다. 극이 되는 일주는 안정이 안 되고 돈이 나간다.

• 3(鬼), 3(鬼), 6(官).

상문살이므로 극단적인 수리다. 鬼가 연속으로 들어온다. 합이 되는 일주는 관, 명예, 승진, 행운과 관련하여 삼삼하게 풀린다. 즉 조상의 도움으로 크게 좋은 일이 생긴다. 그러나 극이 되는 일주는 상문살이다. 누가 죽거나 몸이 아프거나 뜻밖의 일이 생겨서 힘들 수 있다. 鬼가 하나라도 충이 되면 상문살이 된다.

• 9(문서), 9(문서), 9(문서).

문서의 역마이므로 여행의 수리다. 336 수리에서 승진했다면 해외로 나갈 수도 있다. 합이 되는 달의 문서는 들어오는 문서이고 극이 되는 달의 문서는 나가는 문서다. 문서가 세 개 중에서 최소한 어느 하나는 깨진다.

그리고 역마의 문서이므로 떠나고 싶은 생각이 든다. 따라서 여행을 다녀오는 게 좋다. 그래야 갑갑함이 풀리게 된다. 앞 달에서 3자가 작용하게 되면 999는 중풍 같은 질병이 올 수 있다. 만약 앞 달에서 6자로 인해 승진하게 되었다면 999는 직장의 변동으로 해외나 다른 지방 발령으로 갈 수도 있다.

• 7(退食), 7(退食), 5(驚破).

건강을 잃어버리고 의욕이 상실된다. 깜짝 놀랄 일이 생겨서 퇴식(退食)을 맞이한다. 퇴식은 재산뿐만 아니라 사람도 잃는다. 따라서 사망, 이혼과 같은 불행한 일이 생길 수 있다. 합이 되는 일주도 건강에 지장이 생긴다. 다만 극이 되는 수리만큼 극단적으로 치우치지는 않는다.

❀ 4, 5, 9(안정, 驚破, 문서) ‣ 81포국도 평생기본수4, 주도수5

'**주도수 5**'는 驚破, 놀라는 일, 투기의 財를 뜻한다. 평생 기본수가 4자인 사람이 운에서 주도수 5자가 오면 깜짝 놀라는 일이 생기는 게 되는 데 좋아서 놀랄 수도 있고 나쁜 일로 놀라는 일이 생길 수도 있다.

따라서 합이 되는 일주는 좋은 일로 기뻐할 것이고 극이 되는 일주는 갑작스러운 사건이나 사고로 힘든 상황을 맞이하게 된다. 주로 이사, 매매, 부동산과 관련된 일이 생긴다. 평생 수리라고 한다면 5자는 土를 의미하므로 부동산에 투자하는 게 좋다.

安 4 金	驚 5 土	文 9 金
寅	卯	辰
安 4 金	驚 5 土	文 9 金
巳	午	未
安 4 金	驚 5 土	文 9 金
申	酉	戌
鬼 3 木	官 6 水	文 9 金
亥	子	丑

• 4(안정), 5(驚破), 9(문서).

안정적으로 부동산의 문서를 취할 수 있다. 5자는 토와 관련이 있어서 이사, 매매, 건축, 등 부동산과 관련된 일이 생긴다. 즉 놀라는 일이 생기게 되는데 합이 되는 일주는 기분 좋은 문서를 취할 수 있으나 극이 되는 일주는 과감한 행동으로 깜짝 놀랄 정도의 나쁜 일이 생길 수 있다.

특히 子午卯酉 일주는 모두 5자가 깨지므로 나쁜 일로 놀라게 된다. 따라서 극이 되는 달을 피해서 4(안정), 9(문서), 수리 때에 일을 추진해야 한다. 주도수가 土生金으로 문서를 생하고 있다.

• 4(안정), 5(驚破), 9(문서).

부동산이나 땅에 투자하여 문서를 취할 수 있는 수리다. 따라서 부동산을 매도하지 말고 사라. 합이 되는 일주는 과감하게 투자하고 극이 되는 일주는 안정을 바탕으로 합이 되는 달에 투자하면 된다.

• 4(안정), 5(驚破), 9(문서).

459 수리가 세 번 연속해서 들어왔다. 과감한 투자는 큰 문서를 취할 수 있다. 극이 되는 달에는 묻어 두고 합이 되는 좋은 달에 매도하면 된다. 한 번 크게 일어설 수 있는 아주 좋은 기회이다.

• 3(鬼), 6(官), 9(문서).

관재구설 수리다. 이 시기에 모든 일을 종결해야 한다. 그다음 해에 고통이 오기 때문이다. 그리고 관재구설 때에는 무슨 일이든지 결정하지 마라. 물론 합이 되는 일주는 문서와 명예에 있어서 좋은 일도 생길 수 있으나 관재구설은 따르게 된다. 극이 되는 일주는 문서나 명예에 손상을 입게 되고 몸이 아플 수도 있다.

❀ 4, 6, 1(안정, 官, 귀인) ▸ 81포국도 평생기본수4, 주도수6

'**주도수 6**'는 관, 명예, 승진, 행운의 뜻이 있다. 평생 기본수가 4자인 사람이 운에서 주도수 6자가 오면 관, 명예, 승진, 행운과 관련된 일이 생긴다. 그러나 이 수리는 관이 와서 좋을 것 같으나 두 번째 줄에 573 수리가 있어서 나쁘다. 관이 도와주지 않고 573 수리로 인해 6개월 동안 깨진다. 평생 수리라고 한다면 공직으로 진출하는 게 좋다.

安 4 金	官 6 水	貴 1 水
寅	卯	辰
驚 5 土	退 7 火	鬼 3 木
巳	午	未
財 8 木	貴 1 水	文 9 金
申	酉	戌
財 8 木	驚 5 土	安 4 金
亥	子	丑

• 4(안정), 6(官), 1(귀인).

사람으로 인해 명예가 실추되면서 안정이 안 된다. 주위가 원수로 바뀐다. 합이 되는 수리든 극이 되는 수리든 귀인이 도움이 안 된다. 그리고 573 수리가 오기 때문에 6개월 동안 나쁘다.

지난해에 좋았던 수리가 주도수 6자 관이오면서 모두 깨진다. 여자에게 관은 직장과 남편이다. 따라서 두 가지 다 잃는 경우도 생길 수 있다. 그래서 어느 하나를 선택해야 한다. 직장을 그만두면 이혼을 면할 수 있다.

• 5(驚破), 7(退食), 3(鬼).

이 수리는 귀신 곡하게 깜짝 놀랄 일이 생겨서 퇴식을 맞이한다는 말을 사용한다. 주도수 6자로 인해 모든 게 깨진다. 평생 수리에서 이 수리가 오면 학생은 좋은 대학 못 가고 지방으로 가는 경우가 많다. 부부는 이혼한다. 수리 중에서 가장 흉한 수리다. 합이든 극이든 이 수리가 오면 직장 퇴사, 수술, 이혼, 낙태, 주변이 원수로 변한다.

• 8(財), 1(귀인), 9(문서).
재물, 귀인, 문서가 들어왔다. 정말 좋은 수리가 왔으나 寅巳申亥 일주는 결혼하면 돈과 부인이 나간다. 子午卯酉 일주는 귀인이 아니라 갈등의 원인이 된다. 辰戌丑未 일주는 관의 문서가 나간다.

• 8(財), 5(驚破), 4(안정).
안정된 상태에서 과감하게 재물을 취한다. 과감하게 추진하면 안정적으로 재물을 취할 수 있다. 그러나 극이 되는 일주는 재물이 나간다. 따라서 극이 되는 달을 피하고 현재 상태를 유지하는 게 좋다.

🌸 4, 7, 2(안정, 退食, 변화) › 81포국도 평생기본수4, 주도수7

'**주도수 7**'은 의욕 저하의 뜻을 가진다. 평생 기본수가 4자인 사람이 운에서 주도수 7자가 오면 건강 검진부터 받아 봐야 한다. 자신이 아프지 않으면 가족 중에 누가 아플 수 있는 수리다. 그래도 사람들에게 인기가 있다.

평생 수리라면 관운이 없는 수리다. 따라서 전문직이나 활인업을 해야 한다. 그래도 4자의 7자 수리는 괜찮은 편이다. 두 번째 줄에 696 수리가 있어서 관운이 들어 온다. 그리고 상문살이 없다. 만약 이 수리에서 직장 나오면 내년까지 취업하기 어렵다.

安 4 金	退 7 火	變 2 火
寅	卯	辰
官 6 水	文 9 金	官 6 水
巳	午	未
鬼 3 木	官 6 水	文 9 金
申	酉	戌
安 4 金	安 4 金	財 8 木
亥	子	丑

• 4(안정), 7(퇴식), 2(변화).

변동으로 퇴식을 맞이하여 안정이 깨진다. 주도수에 7자가 들어왔으므로 건강부터 챙겨야 한다. 자신이 아프지 않는다면 가족 중에 아픈 사람이 생긴다. 퇴식이 왔으므로 하고자 하는 의욕이 저하되고 건강 상태가 원만하지 못한다. 특이 극이 되는 일주는 변화하지 말고 현재 상태를 유지해라.

• 6(관), 9(문서), 6(관).

관, 명예, 승진, 행운과 관련된 문서가 들어왔다. 평생 수리에서 7자는 관운이 없으나 세운에서 들어오면 승진한다. 그러나 극이 되는 수리는 관직에서 물러난다.

관이 치면 칠살이 되므로 몸도 아플 수 있다. 특히 두 달이 깨지는 일주는 명예와 문서가 깨지므로 관재에 걸리기 쉽다. 따라서 미리 경찰서, 교도소와 같은 관공서에 견학이라도 다녀오는 게 방책이 될 수도 있다.

• 3(鬼), 6(官), 9(문서).

관재구설 수리다. 합이 되는 일주는 명예와 문서적으로 좋은 일이 생겨도 관재구설이 생긴다. 696 수리에서 승진했으면 이 수리에서 승진과 관련한 관재구설이 생긴다. 따라서 잘 난 척하지 말고 남의 일에 관여하지 않는 게 좋다.

• 4(안정), 4(안정), 8(財).

안정된 상태에서 재물이 따른다. 직장인이라면 수입 증가와 함께 승진도 가능한 수리다. 그러나 극이 되는 일주는 4자에 7자 수리이므로 오행이 상극하여 건강문제가 크게 발생할 수 있다. 따라서 안정이 깨지고 돈이 나간다.

'**주도수 8**'은 財와 관련된 의미가 있다. 평생 기본수가 4자인 사람이 운에서 주도수 8자의 해가 오면 재물을 추구하는 욕구가 강해진다. 즉 재물 운이 와서 좋아 보이지만 두 번째 줄부터 729, 933 수리로 이어진다. 따라서 4자 수리에서 가장 나쁘다.

그래서 합이 되는 일주는 재물을 취할 수 있으나 극이 되는 일주는 빈곤에 시달린다. 평생 수리라고 한다면 사업이 망하게 되는 수리다. 만약 사업가라고 한다면 729 수리에서 망하고, 933 수리에서 죽을 수도 있다. 따라서 사업하지 말고 전문직을 해야 하는 수리다.

安 4 金	財 8 木	鬼 3 木
寅	卯	辰
退 7 火	變 2 火	文 9 金
巳	午	未
退 7 火	變 2 火	文 9 金
申	酉	戌
文 9 金	鬼 3 木	鬼 3 木
亥	子	丑

• 4(안정), 8(財), 3(鬼).

鬼의 발동으로 재물에 대한 욕구가 강해진다. 합이 되는 일주는 돈이 들어올 수 있으나 子午卯酉 일주는 8자가 극이 되므로 돈이 나가고 몸까지 아프게 된다. 財 운이 왔더라도 뒤에 오는 수리가 세운을 좌우하므로 뒤에 오는 수리를 잘 살펴서 판단해야 한다.

• 7(退食), 2(변화), 9(문서).

뜻대로 잘 풀리지 않는 수리다. 寅巳申亥 일주는 7자가 깨지므로 퇴식이 돼서 직장을 나오고 사업이 망한다. 子午卯酉는 2자가 깨지므로 변화하지 마라. 辰戌丑未 일주는 문서가 깨지므로 그 충격이 크다.

그러나 공무원은 큰 문제가 생기지 않는다. 다만 승진에 어려움이 있을 정도다. 사업가에게 가장 영향이 크고 단순 육체노동자는 특별히 문제 되지 않는다. 평생 기본수 4자 수리에서 가장 나쁘다고 하는 이유가 729와 933 수리로 이어지기 때문이다.

· 7(退食), 2(변화), 9(문서).
뜻대로 잘 풀리지 않는 수리다. 주도수가 8자이므로 돈에 대한 욕구가 강하게 들어오고 변화, 변동으로 심리적 갈등도 따른다. 729, 279 수리는 의욕 상실과 건강에 문제가 생긴다. 특히 酉 일주는 2자와 9자가 같이 극이 되므로 그 화가 매우 크다. 평생 수리라고 한다면 酉 일주는 11년이 깨진다.

· 9(문서), 3(鬼), 3(鬼).
상문살이다. 누가 죽을 수 있거나 수술을 받을 수도 있다. 鬼가 두 개가 왔으므로 정신적으로 매우 불안해지고 능력이 저하될 수 있다. 만약 상문을 당하지 않으면 재산 문서와 관련해서 귀신 곡할 일이 생길 수 있다.

🌸 4, 9, 4(안정, 문서, 안정) ▸ 81포국도 평생기본수4, 주도수9

'**주도수 9**'는 문서를 뜻한다. 문서 안에는 관, 명예까지 함께 들어 있다. 평생 기본수가 4자인 사람이 운에서 주도수 9자가 오면 문서를 추구하고자 하는 욕구가 강해진다. 즉 문서, 명예, 승진, 등을 추구하게 되므로 한 단계 더 성장할 수 있다. 494, 415, 426, 수리와 같은 좋은 수리로 이어지기 때문에 합이 되는 일주는 약 3년 동안 편안하다. 평생 수리라고 한다면 높은 지위까지 올라갈 수 있고, 사업하기에도 좋은 수리다. 평생 기본수 4자의 수리 중에서 가장 좋은 수리이다.

安 4 金	文 9 金	安 4 金
寅	卯	辰
財 8 木	安 4 金	鬼 3 木
巳	午	未
變 2 火	退 7 火	文 9 金
申	酉	戌
驚 5 土	變 2 火	退 7 火
亥	子	丑

• 4(안정), 9(문서), 4(안정).

안정된 상태에서 문서와 명예를 갖는다. 양쪽에 안정이 받치고 있으므로 안정적인 문서이다. 즉 주도수에 9자가 왔으므로 문서를 추구하는 욕구가 강해진다. 그래서 직장인이라면 승진할 수 있다.

• 8(財), 4(안정), 3(鬼).

재물이 들어오고 심리적으로 안정된 상태가 된다. 또는 조상의 도움으로 안정적으로 재물을 취할 수 있다. 주도수가 9자이므로 8(財)은 큰 재물이다. 그러나 극이 되는 일주는 귀신 곡하게 안정이 깨지고 돈이 나간다.

• 2(財), 7(안정), 9(鬼).

뜻대로 잘 풀리지 않는 수리다. 문서가 퇴식이므로 문서로 놀랄 수 있는 계기가 될 수 있고, 건강 문제도 생길 수 있다. 특히 寅卯, 일주는 7월이 주도수와 상극의 관계이므로 변화, 변동하지 마라.

• 5(驚破), 2(변화), 7(퇴식).

갑작스러운 변화로 인한 퇴식이다. 변화로 인한 건강에 주의해야 한다. 따라서 일의 확장이나 직업의 변동, 과격한 행동을 주의해야 한다. 그러나 5자와 2자가 합이 되는 일주는 변화로 투기의 재를 취할 수 있다.

❀ '수리 4' 의 핵심 요약

4자 수리의 특성	남자는 안정과 여유를 바탕으로 침착하다. 선비형이라는 말을 듣는다. 여자는 과감하고 투쟁적이며 남 앞에 나서기를 좋아하는 특성이 있다. 운에서 4자가 올 때 일주가 합이 되면 변화, 변동이 가능하나 극이 될 때는 변화해서는 안 된다.
흉(凶) 운	• 437수리(鬼) 전반기 때 이별, 헤어짐(213), 鬼의 작용으로 심리적 갈등이 생긴다. • 461수리(官) 전반기 때 대흉(573), 합과 극을 떠나서 모든 일주가 영향을 받는다. • 483수리(財) 전반기 뜻대로 풀리지 않고(729), 후반기 상문(933)의 수리이다.
길(吉) 운	• 426수리(변화) 대길운(189)과 함께 후반기에는 한 단계 더 성장할 수 있는 기운.(696)

4) 평생 기본수 5수리 _ 81포국도 평생기본수5

평생 기본수 5자는 경파, 과격한 행동, 고집(固執), 의리(義理)를 뜻한다. 따라서 배짱이 있고, 투기 심리도 강하다. 그뿐만 아니라 3, 5, 7, 수리들은 의리파라고 하여 약한 자를 돕는 성향이 있다. 그리고 3,5,7, 수리에는 과격한 성격으로 인해 불구자가 많다. 평생 기본수 5자는 土와 관련이 있어서 부동산에 투자하면 좋다.

❀ 5, 1, 6(驚破, 신생, 官) ‣ 81포국도 평생기본수5, 주도수1

'주도수 1'는 生, 貴人, 새로운 동반자, 새로운 일. 등과 관련이 있다. 평생 기본수가 5자인 사람이 운에서 주도수 1자가 오면 새로운 귀인의 도움으로 혁신적인 일을 하게 된다. 즉 새로운 사람으로 인해 혁신적인 변화가 생긴다. 156, 516, 수리는 혁명, 혁신이라는 뜻을 같이 가지고 있다.

그러나 서로의 성격이 다르다. 1자의 성격은 포용력을 바탕으로 다양화를 추구하고, 5자의 성격은 과격하고 과감한 성격으로 하나를 고집하는 성격이다. 516 수리는 아주 좋은 수리에 해당하지만 모든 사람에게 좋은 게 아니다. 좋은 운으로 작용하는 사람이 있고 나쁜 운으로 작용하는 사람이 있다. 따라서 극과 극의 수리이다.

驚 5 土	貴 1 水	官 6 水
寅	卯	辰
變 2 火	退 7 火	文 9 金
巳	午	未
變 2 火	退 7 火	文 9 金
申	酉	戌
文 9 金	官 6 水	官 6 水
亥	子	丑

선천수 ‣ 1,6_水 2,7_火 3,8_木 4,9_金 5,10_土
주도수 ‣ 1_生,貴 2_變 3_鬼 4_安 5_驚破 6_官 7_退食 8_財 9_文

- 5(驚破), 1(귀인), 6(官).

새로운 사람으로 인하여 혁명 혁신의 큰 변화가 온다. 즉 새로운 사람으로 인해 자신의 위치가 바뀐다. 그러나 극이 되는 일주는 혁신에 실패한다. 직장을 나올까 말까 고민하게 된다. 천간은 충이 되더라도 지지가 합이 되면 혁명, 혁신을 추구해야 한다. 1, 6, 9, 수리에 결혼도 할 수 있으므로 이성을 만날 수도 있고, 사업가는 새로운 사업을 시작할 수도 있다.

- 2(변화), 7(退食), 9(문서).

279 수리는 뜻대로 이루어지기 힘든 수리다. 따라서 건강에 유념하고 현재 상태에서 안정을 취해야 한다. 주도수 1자에 2자의 수리는 변화에 대한 새로운 갈등이다. 극이 되는 寅巳申亥 일주는 2, 7, 두 글자가 깨지므로 변화하면 안 된다. 그래서 9자 문서를 취하지 못한다. 子午卯酉 일주는 주도수에 의해 오행까지 깨진다, 건강이 나빠질 수 있으므로 주의해야 한다. 辰戌丑未 일주는 문서가 깨진다.

- 2(변화), 7(退食), 9(문서).

279 수리가 두 번 연속으로 들어왔다. 따라서 6개월 동안 정신 차리기 힘들다. 의욕이 없어지고, 이성 간의 열렬한 사랑은 갈등으로 온다. 즉 주도수가 1자이므로 귀인이 이성도 된다. 2, 7, 두 개가 깨지면 사랑은 이루어지지 않는다. 7자는 사람도 잃는다. 학생은 가출하게 되는 수리다. 辰戌丑未 일주는 9자가 깨지므로 2, 7, 수리 중에서 합이 되는 달에서 문서를 취하면 된다.

- 9(문서), 6(官), 6(官).

행운의 수리다. 관, 문서, 명예와 관련해서 좋은 수리다. 모든 일은 이때 마무리해야 한다. 내년에 좋지 못한 운이 오기 때문이다. 수리역학 매화역수의 간명법으로 상담하기 위해서는 먼저 3년의 수리를 살펴본 후에 상담에 임해야 한다. 극이 되는 일주는 3개월 중 합이 되는 달을 찾아서 문서와 명예를 추구하면 된다. 寅巳申亥 일주는 9자가 깨지므로 직장을 나올 수 있고, 午未, 일주는 6, 6자가 깨지므로 직장을 나올 수 있다.

'**주도수 2**'는 변화, 변동을 의미한다. 평생 기본수가 5자인 사람이 운에서 주도수 2자가 오면 무엇인가 변화, 변동하고 싶은 마음이 든다. 무엇을 변동할 것인가? 527 수리이므로 부동산이나 투기의 財와 관련이 있다. 즉 부동산의 변동으로 퇴식이 온다.

지난해 516 수리에서 마무리하지 못한 일은 527 수리에서 흉으로 작용한다. 이 수리에는 상문살과 관재구설수가 같이 들어 있으므로 가만히 현재 상태를 유지하면서 복지부동(伏地不動)해야 한다. 변화, 변동을 하게 되면 망한다.

그리고 393 상문살 때는 일진까지 살펴야 한다. 왜냐하면 주도수가 2자이므로 외부를 뜻하고, 밖에서 발생하는 상문이므로 교통사고와 같은 집 밖에서 발생하는 상문이다. 따라서 일진에 상문이 들어올 때는 외부 활동을 하지 말고 집에서 쉬어야 한다. 평생 기본수 5자 수리에서 가장 나쁜 수리이다.

驚 5 土	變 2 火	退 7 火
寅	卯	辰
鬼 3 木	文 9 金	鬼 3 木
巳	午	未
官 6 水	鬼 3 木	文 9 金
申	酉	戌
驚 5 土	驚 5 土	貴 1 水
亥	子	丑

• 5(驚破), 2(변화), 7(退食).

부동산 변동으로 퇴식이 온다. 주도수가 2자이므로 변화를 하고 싶은 마음이 든다. 그러나 두 번째 줄에 393 상문살이 들어온다. 2자의 상문이므로 남의 집 상문이다. 즉 밖에 나가서 상문을 당한다. 일진에서까지 393이 떨어진다면 그냥 집에 있어라.

• 3(鬼), 9(문서), 3(鬼).

393, 933 수리는 상문살이다 주도수 2자이므로 외부 활동 중에 생기는 상문이다. 그래서 교통사고 조심해야 한다. 문서의 변화는 금물이다. 상문살 때 빌려준 돈은 받지 못한다.

• 6(관), 3(鬼), 9(문서).

관재구설 수리다. 세 번째 줄에 369, 639, 수리가 있으면 약 80프로가 이혼하게 되는 수리다. 극이 되는 일주는 반드시 관재구설이 생긴다. 심리적 갈등으로 직장을 변동하거나 이사와 같은 변화를 하려고 한다. 그러나 결과가 좋지 못하므로 변화를 삼가라. 합이 되는 일주는 능력을 발휘하여 문서의 변화로 인한 실리를 추구할 수 있다.

• 5(驚破), 5(驚破), 1(귀인).

부동산의 변동이다. 합이 되는 일주는 부동산에 투자하면 좋다. 귀인의 도움으로 부동산을 취할 수 있다. 극이 되는 일주는 깜짝 놀라는 일이 생길 수 있다. 상문과 관재구설이 같이 들어 있어서 안 좋은 수리이지만 551 수리가 합이 되면 귀인의 도움으로 부동산을 취할 수 있다.

❀ 5, 3, 8(驚破, 鬼, 財) ▸ 81포국도 평생기본수5, 주도수3

'**주도수 3**'은 심리적 갈등, 망하게 한다는 의미가 담겨 있다. 평생 기본수가 5자인 사람이 운에서 주도수 3자가 오면 鬼가 왔으므로 심리적 갈등이 생긴다.그러나 평생 기본수 5자 수리 중에서 가장 좋은 수리이므로 긍정적으로 작용하게 되어 조상이 도와준다.

그래서 과격한 숫자(3. 5. 7)끼리 만나게 될 때는 오히려 좋다고 한다. 즉 평생 기본수 3, 5, 7, 수리는 운에서 주도수 3, 5, 7, 숫자를 만나게 되면 좋다. 운에서 주도수 3자가 오면 종교, 역학, 철학, 등에 관심을 가진다. 만약 이 수리 때 이혼 한다면 수리가 좋아서 이혼의 결과도 좋다. 5자 수리에서 가장 좋은 수리다. 따라서 극이 되는 일주도 크게 화를 당하지 않는다.

驚 5 土	鬼 3 木	財 8 木
寅	卯	辰
安 4 金	變 2 火	官 6 水
巳	午	未
貴 1 水	財 8 木	文 9 金
申	酉	戌
貴 1 水	安 4 金	驚 5 土
亥	子	丑

•5(驚破), 3(鬼), 8(財).

귀의 도움으로 돈을 벌 수 있다. 즉 조상이 땅과 돈을 주는 형국이다. 5자라서 큰 재물이다. 합이든 극이든 주위의 여건이 동조하여 재물이 따르게 된다. 특이 무속인이나 역술인에게 좋은 수리다. 신이 들어와 있는 수리다.

• 4(안정), 2(변화), 6(관).

안정된 상태에서 변화의 측면도 예측할 수 있으며 직장에서 승진, 명예, 행운도 따른다. 합이 되는 일주는 변화, 변동으로 성취감을 느낄 수 있다. 극이 되는 일주는 합이 되는 달에 변화해라. 주도수 3자이므로 6자(관)가 깨지면 관재구설이 심하다. 특히 천간과 지지가 같이 깨질 때 주의하라.

· 1(귀인), 8(財), 9(문서).
189 수리는 가장 길한 수리이다. 귀인의 도움으로 재물이 따르며 문서적으로 크게 발전이 예상된다. 귀인, 재물, 문서, 중에서 최소한 하나는 취할 수 있다. 다만 극이 되는 달을 피해서 합이 되는 달에 추진하라.

· 1(귀인), 4(안정), 5(驚破).
귀인의 도움으로 안정된 상태에서 기분 좋은 일도 생긴다. 특히 12월에 5자인 丑과 합이 되는 巳酉, 일주는 더 큰 부자가 될 수 있다. 145 수리에서는 변화, 변동보다 현재 상태를 유지하는 게 좋다.

🌸 5, 4, 9(驚破, 안정, 문서) ▸ 81포국도 평생기본수5, 주도수4

'**주도수 4**'는 안정과 여유를 뜻한다. 평생 기본수가 5자인 사람이 운에서 주도수 4자의 해를 맞이하게 될 때는 안정과 여유가 생겨서 아주 좋은 운이다. 일단 상문살이 없고 7자 퇴식이 없다.

하지만 아무리 좋은 수리일지라도 좋게 작용하는 사람이 있고, 나쁘게 작용하는 사람도 있다. 평생 수리라면 일생이 편안할 수 있는 수리다. 만약 639 수리 때 상문을 당하게 된다면 호상(好喪)이다. 그리고 5자가 3개나 있어서 부동산과 관련된 변화가 온다.

驚 5 土	安 4 金	文 9 金
寅	卯	辰
驚 5 土	安 4 金	文 9 金
巳	午	未
驚 5 土	安 4 金	文 9 金
申	酉	戌
官 6 水	鬼 3 木	文 9 金
亥	子	丑

• 5(驚破), 4(안정), 9(문서).

안정된 상태에서 과감하게 문서와 명예를 추구할 수 있다. 합이 되는 일주는 안정과 여유가 되는 수리다. 그리고 극이 되는 일주는 안정을 취하라는 뜻이다. 따라서 합이 되는 달에 안정적으로 추진해라.

• 5(驚破), 4(안정), 9(문서).

마음의 여유를 가지고 현실에 대처해야 한다. 추진하는 일이 순조롭게 풀리게 된다. 다만 극이 되는 달을 피하는 게 좋다. 549 수리는 무난함을 뜻하고 특히 5자는 土와 관련이 있어서 이사, 매매와 같은 부동산의 변화도 올 수 있다.

• 5(驚破), 4 (안정), 9(문서).
과욕만 부리지 않는다면 무난한 수리다. 안정된 상태에서 마음의 여유가 생긴다. 한 해의 운이 안정과 여유이므로 모든 일이 순조로울 수 있다. 극이 되는 일주도 크게 영향을 받지 않는다. 다만 합이 되는 달에 추진하는 게 좋다.

• 6(官), 3(鬼), 9(문서).
관재구설의 수리다. 과욕을 부리지 않는다면 괜찮다. 평생 수리에서 노년에 639, 369, 수리가 극이 된다면 건강에 문제가 될 수 있다. 즉 이 시기에는 죽음과 관련된 일도 생길 수 있다.

🌸 5, 5, 1(驚破, 驚破, 귀인) ▸ 81포국도 평생기본수5, 주도수5

'**주도수 5**'는 경파, 과격한 행동, 놀라는 일. 투기의 財를 의미한다. 평생 기본수가 5자인 사람이 운에서 주도수 5자가 오면 극단적으로 운이 좋은 사람은 좋은 일이 생기고 운이 나쁜 사람은 귀인 때문에 놀라는 일이 생긴다.

그리고 나이 많은 사람의 경우 너무 성급해서 질병이 오거나 중풍에 걸릴 수 있다. 질병에 걸리게 되면 3일, 3개월, 3년, 기간 안에 치료해야 낫는다. 만약 그 기간에 치료하지 못하면 평생 치료가 불가능하다. 결국 죽을 때까지 아프게 살아야 한다.

5자 수리는 土를 의미하고, 5자와 5자가 겹쳐서 들어왔으므로 물이 없어서 질병에 노출될 염려가 크다. 특히 1, 2월에 극이 되는 申酉 일주는 더욱 건강에 신경 써야 한다. 그리고 운에서 오는 주도수 5자는 3, 5, 7, 수리에는 나쁘지 않고, 그 외 수리(2,4,6,8,9)들은 나쁘게 작용한다.

驚 5 土	驚 5 土	貴 1 水
寅	卯	辰
官 6 水	官 6 水	鬼 3 木
巳	午	未
文 9 金	文 9 金	文 9 金
申	酉	戌
變 2 火	變 2 火	安 4 金
亥	子	丑

• 5(驚破), 5(驚破), 1(귀인).

투기의 財가 두 개가 왔다. 따라서 합이 되는 일주는 과감하게 혁신하여 자신의 목적을 성취한다. 그러나 극이 되는 일주는 과감하게 추진하다 실패한다. 부동산의 매매는 합이 되는 달에 해야 좋다.

그리고 1월 2월에 土에 물이 없어서 건강에 질병이 온다. 모든 일주에 해당하고 극이 되는 일주는 특히 주의가 필요하다. 土와 관련된 운이 강하게 왔으므로 땅에 투자하는 게 좋다.

- 6(官), 6(官), 3(鬼).
과감하게 승진, 명예, 행운을 추구할 수 있다. 합이 되는 일주는 조상의 도움으로
직장에서 승진을 할 수 있는 운이다. 그러나 극이 되는 일주는 칠살이 두 개가
되므로 질병에 걸리거나 사고를 당할 수 있다.
특히 주도수가 5土이고 3자(鬼)는 木이므로 서로 상극의 관계이다. 따라서 극이
되는 일주는 鬼가 부정적으로 작용하게 되므로 갑자기 귀신 곡할 일이 생길 수
있다.

- 9(문서), 9(문서), 9(문서).
문서가 떠나는 수리다. 해외여행도 된다. 학생은 유학이나 도서관에 가는 게 좋
다. 6월에 3자 鬼가 와서 999로 이어지므로 최소한 어느 하나는 깨진다. 金剋木
으로 생명을 자르는 형국이다. 따라서 중풍이 올 수 있다. 해외나 먼 곳으로 떠
나면 화를 면할 수 있는 방편이 될 수 있다. 999는 그 자리를 떠나라는 뜻이다.

- 2(변화), 2(변화), 4(안정).
안정적인 변화의 기운이다. 합이 되는 일주는 이사 등 변화, 변동하면 좋다. 그러
나 亥일주는 10월에 자형이 되므로 11월, 12월에 움직이고, 午未 일주는 극이
되므로 이사를 하면 손해를 본다.
999 수리 때 이사나 부동산의 변동이 없었다면 224 수리에서 이사, 매매와 같은
부동산의 변동이 생긴다. 학생은 학교와 관련해서 어떤 변화가 생기고 직장인은
직장 변동이 생길 수 있다. 가능하면 먼 곳으로 이동하는 게 좋다.

'**주도수 6**'은 관, 명예, 행운, 승진과 관련이 있는 수리이다. 평생 기본수가 5자인 사람이 운에서 주도수 6자가 오면 과감하게 관의 변화를 추구한다. 특히 562수리는 주도수 6자를 중심으로 양쪽에 변동의 뜻을 내포하고 있는 5자와 2자가 같이 와 있어서 변화, 변동이 생길 수 있는 확률이 훨씬 높다.

562의 수리가 좋아서 승진, 합격, 등으로 직장을 이동할 수 있다. 또한 주도수 1, 6, 9, 수리 때는 결혼도 가능하다. 1자의 숫자는 내가 상대방을 좋아하는 경우가 많고 6자의 숫자는 상대방이 나를 좋아하는 경우가 많다. 그러나 극이 되는 일주는 질병과 사고에 주의가 필요하다.

驚 5 土	官 6 水	變 2 火
寅	卯	辰
退 7 火	財 8 木	官 6 水
巳	午	未
安 4 金	驚 5 土	文 9 金
申	酉	戌
退 7 火	貴 1 水	財 8 木
亥	子	丑

• 5(驚破), 6(관), 2(변화).

승진, 합격, 등으로 명예가 상승할 수 있는 좋은 운이다. 주도수 1,6,9, 수리에는 결혼도 가능하다. 학생은 시험에 합격할 수 있고, 직장인은 순리적으로 명예가 뒤따른다. 주도수 6자(관)를 중심으로 양쪽에 5자와 2자가 있으므로 변화를 할 수밖에 없는 운이다. 그러나 극이 되는 일주는 질병, 사고, 구설이 따른다.

• 7(退食), 8(財), 6(官).

건강에 유념하고, 재물과 명예가 따른다. 주도수 6자에 관이 왔는데 또다시 월에

6자 관이 다시 왔으므로 더 명예가 높다.

그러나 주도수 6자 관이 올 때 7자 퇴식은 관이 칠살로 작용하게 되므로 더 많이 아프다. 특히 극이 되는 寅巳申亥는 건강에 유념해야 한다. 그리고 극이 되는 일주는 재물이 나가고 명예가 손상된다.

• 4(안정), 5(驚破), 9(문서).

안정을 바탕으로 과감하게 문서를 취해라. 즉 현실적인 안주보다 적극적인 상태에서 목적을 추구해라. 따라서 합이 되는 일주는 승진을 할 수 있으나 극이 되는 일주는 깜짝 놀라는 일이 생기고, 문서가 나간다.

따라서 일주와 수리의 합과 극의 관계뿐만 아니라 마지막으로는 주도수의 오행과 각 달의 오행 관계도 살펴서 생극(生剋) 관계를 확인해야 한다. 그러면 어느 달이 자신을 힘들게 하고 어느 달이 자신에게 도움이 되는지 알 수 있다.

• 7(退食), 1(귀인), 8(財)

귀인의 도움으로 재물을 취한다. 합이 되는 일주는 귀인과 재물이 따른다. 미혼자는 이성의 만남도 가능하다. 그러나 극이 되는 일주는 귀인이 아니라 배신자가 되고 재물이 오히려 나간다. 특히 10월에 寅巳申亥 일주는 주도수 오행까지 상극하므로 건강에 유념해야 한다.

✿ 5, 7, 3(驚破, 退食, 鬼) ‣ 81포국도 평생기본수5, 주도수7

'**주도수 7**'은 퇴식, 의욕 상실의 뜻이 있다. 평생 기본수가 5자인 사람이 운에서 주도수 7자가 오면 건강의 문제가 따를 수 있다. 그러나 평생 기본수 5자에 주도수 7자는 그다지 크게 나쁘지 않다. 첫 번째 줄에 오는 573 수리는 두 번째 줄에 오는 것보다 낫다. 그달만 피하면 된다.

그러나 평생 수리라고 한다면 15세까지 불행하다. 첫째 공부하지 않는다. 두 번째 관운이 없다. 세 번째 두 번 결혼하는 수리다. 넷째 돈 욕심이 많다. 다섯째 지병이 있다. 여섯째 노후에 죽는다. 그래도 9자가 있어서 문서와 명예를 얻을 수 있어서 부자 사주이다. 부동산에 투자하면 좋은 수리다. 한해의 운이라면 퇴식과 상문이 와서 좋지 못하다.

驚 5 ±	退 7 火	鬼 3 木
寅	卯	辰
財 8 木	貴 1 水	文 9 金
巳	午	未
財 8 木	貴 1 水	文 9 金
申	酉	戌
鬼 3 木	文 9 金	鬼 3 木
亥	子	丑

· 5(驚破), 7(퇴식), 3(鬼).

포국도 첫 줄에 들어오는 573 수리는 과격한 숫자가 조합되어 있으나 두 번째 줄에 들어오는 573 수리보다 나쁘게 작용하지 않는다. 따라서 극이 되는 달만 피하면 크게 화를 당하지 않는다. 그래도 7자와 3자는 정신적인 의미를 가진 숫자이므로 심리적 갈등은 생길 수 있다.

그리고 극이 되는 일주는 깜짝 놀라게 귀신 곡할 일이 생긴다. 대 흉의 수리다. 퇴식 운이 왔으므로 건강에 문제가 생기고, 鬼가 발동하여 심리적으로 안정하지 못한다. 특히 주도수 7자는 건강의 문제뿐만 아니라 배신자도 따른다. 그래서 환자는 건강에 더욱 조심해야 한다. 극이 되는 申酉 일주는 1, 2월에 더 힘들 수 있다.

· 8(財), 1(귀인), 9(문서).
재물, 귀인, 문서를 취할 수 있다. 그러나 앞의 573 수리로 인해 그 효과가 약하다. 극이 되는 일주도 최소한 어느 하나는 가질 수 있다. 원진이 되는 수리는 먼 곳으로 가라. 대운에서 9자(문서)는 극이 된다고 하더라도 세운에서 합이 되면 문서를 취할 수 있다.

· 8(財), 1(귀인), 9(문서).
819 수리가 두 번 연속으로 들어왔다. 평생 수리라면 결혼을 두 번 할 수 있는 수리다. 좋은 수리지만 극이 되는 일주는 나가는 돈이 되고, 귀인이 아니라 배신자이다.

· 3(鬼), 9(문서), 3(鬼).
상문살이다. 평생 수리라면 이 시기에 죽을 수 있다. 특히 대운과 세운이 겹치게 되면 죽을 확률이 훨씬 높다. 그리고 주도수 7자에 393 수리이므로 건강에 더 큰 문제가 생길 수 있다. 만약 자신이 죽지 않으면 가족 중에 누군가가 죽을 수 있다. 양쪽에 鬼가 있어서 심리적으로 안정이 안 된다.

'**주도수 8**'은 財를 의미한다. 평생 기본수가 5자인 사람이 운에서 주도수 8자의 해를 맞이하게 될 때는 재물에 관심이 간다. 그러나 두 번째 줄에 933 상문이 들어오기 때문에 573 수리 때보다 더 나쁘다. 만약 사업을 시작하면 망하게 된다. 돈을 벌기 위해 노력해도 별 소득이 없다.

평생 기본수 5자 수리에서 가장 나쁜 수리다. 상문살의 수리와 관재구설의 수리가 다 들어 있다. 노인과 환자는 죽을 수도 있는데 만약 죽지 않고 사기를 당하거나 많은 돈이 나가게 된다면 오히려 다행으로 알아야 한다. 주도수 8자에 999, 369 수리이므로 돈 때문에 오는 상문이다.

驚 5 土	財 8 木	安 4 金
寅	卯	辰
文 9 金	鬼 3 木	鬼 3 木
巳	午	未
鬼 3 木	官 6 水	文 9 金
申	酉	戌
財 8 木	財 8 木	退 7 火
亥	子	丑

• 5(驚破), 8(財), 4(안정).

과감하게 안정적으로 재물을 취한다. 주도수 8자가 왔으므로 금전적인 강한 욕구로 인해 무엇인가 하려고 한다. 그래서 합이 되는 일주는 적극적으로 재물을 취할 수 있으나 극이 되는 일주는 과욕으로 일을 그르친다.

• 9(문서), 3(鬼), 3(鬼).

주도수 8자에 상문이 들어왔다. 즉 돈과 관련된 초상이라 누가 죽지 않으면 돈이 나간다. 따라서 사기, 교통사고, 질병에 주의해야 한다. 돈을 벌려다 부도나 사기를 당해서 돈을 잃는 수리다. 누가 죽으면 재물은 나가지 않는다. 즉 재물이 나가든지 상문을 당하든지 어느 하나가 생길 수 있는 확률이 높다.

· 3(鬼), 6(官), 9(문서).
관재구설 수리다. 933 수리에서 누가 죽었다면 유산, 상속으로 인한 관재구설이다. 극이 되는 일주는 직장을 나오거나 동시에 재물도 나가는 수리다.

· 8(財), 8(財), 7(退食).
주도수 8자에 재물이 겹쳐서 들어왔다. 따라서 합이 되는 일주에게는 큰 재물이다. 그러나 극이 되는 일주에게는 큰 재물이 나간다. 따라서 극이 되는 일주는 건강관리에 신경 쓰고 돈과 관련된 거래를 미루는 게 좋다.

🌸 5, 9, 5(驚破, 문서, 驚破) ‣ 81포국도 평생기본수5, 주도수9

'**주도수 9**'는 문서를 뜻한다. 평생 기본수가 5자인 사람이 운에서 주도수 9자의 해를 맞이하게 될 때는 큰 문서와 관련해서 명예가 따른다. 9자(文書)의 양쪽으로 과감하고 적극적인 5자(驚破)가 왔으므로 과감하게 명예를 추구하게 된다.

두 번째 줄에 156 수리가 들어 오기 때문에 문서의 대혁명이다. 따라서 극단적인 수리이다. 합이 되는 일주는 크게 발전하고 극이 되는 일주는 크게 추락할 수 있다. 평생기본수 3,5,7, 수리에게 모두 극단적인 면이 있으나 특히 5자의 수리가 심하다. 그래서 5자는 인생의 30프로는 잘 살고, 70프로가 못 산다는 표현을 한다.

驚 5 土	文 9 金	驚 5 土
寅	卯	辰
貴 1 水	驚 5 土	官 6 水
巳	午	未
退 7 火	變 2 火	文 9 金
申	酉	戌
安 4 金	退 7 火	變 2 火
亥	子	丑

• 5(驚破), 9(문서), 5(驚破).

문서적인 면에서 행운이 뒤따른다. 169 수리는 결혼도 할 수 있으므로 혼인의 문서도 된다. 9자(문서)의 양쪽에 5자(경파)가 왔으므로 큰 문서다. 따라서 합이 되는 일주는 과감하게 문서를 취할 수 있다. 특히 5자는 부동산과 관련이 있으므로 땅에 투자하는 게 좋다. 그러나 극이 되는 일주는 신중해야 한다.

• 1(귀인), 5(驚破), 6(官).

혁명, 혁신의 수리다. 합이 되는 일주는 혁신적인 변화로 인해 자신의 능력이 돌출된다. 극이 되는 일주는 갑자기 돌변하여 망할 수 있다. 이성 간에는 갈등으로 인해 헤어질 우려도 있다. 주도수 9자(문서)의 156 수리이므로 문서에 관련된 혁명이다.

• 7(퇴식), 2(변화), 9(문서).
건강에 신경 써야 하며 문서적인 변화가 생길 수 있다. 그러나 뜻대로 잘 풀리지 않는 수리이므로 변화하는 것보다 현재 상태를 유지하는 게 좋다. 9자(문서)가 깨지는 일주는 그 피해가 크다. 가장 큰 피해는 사업가이고 그다음으로 직장인이다. 그러나 농업에 종사하는 사람은 그다지 큰 화를 입지 않는다.

• 4(안정), 7(退食), 2(변화).
안정된 상태에서 변화, 변동에 대처해야 한다. 7자가 가운데 올 때는 가능하면 변화, 변동하지 않는 게 좋다. 주도수 9자(문서)의 7자(퇴식)이므로 문서가 깨진다. 사업가는 크게 깨지고 공무원은 좌천하는 정도로 가볍게 깨진다. 그리고 주도수의 9자(문서)와 7자(퇴식)가 극하는 관계이므로 건강 조심해야 한다.

🏵️ '수리 5'의 핵심 요약

5자 수리의 특성	과감하다. 무뚝뚝하다. 모든 것을 한 번에 하려는 성격이다. 그래서 일을 저지르는 성향이 있다. 운에서 5자가 올 때 일주와 합이 되면 부동산, 증권, 주식, 등에 투자하면 좋다. 극이 되는 일주는 안정을 바탕으로 현재 상태를 유지해야 한다.
흉(凶) 운	• 527수리(변화) 　전반기 때 상문(393), 후반기 때 관재구설(639) • 584수리(財) 　전반기 때 상문(393), 후반기 때 관재구설(639) • 549수리(안정) 　의욕 상실, 건강 불안, 退食의 작용으로 뜻하는 바를 이루기 힘들다.
길(吉) 운	• 549수리(안정) 　아주 좋은 수리다. 그러나 寅申巳亥 일주는 사건, 사고에 주의해야 한다.

6) 평생 기본수 6수리 _ 81포국도 평생기본수6

평생 기본수 6자는 관, 명예, 행운, 승진과 같은 의미가 내포되어 있다. 성격은 매사에 남 앞에 나서는 것보다 뒤에서 조정하는 보수적이고 완벽한 성격이다. 따라서 남에게 일을 시키는 스타일이다. 원리원칙을 좋아해서 피곤한 스타일이다. 공직이나 직장생활에 잘 맞는다.

🌸 6, 1, 7(官, 신생, 退食) › 81포국도 평생기본수6, 주도수1

'주도수 1'은 生, 貴人, 새로운 동반자, 새로운 일의 뜻을 가진다. 평생 기본수가 6자인 사람이 운에서 주도수 1자의 해를 맞이하게 될 때는 새로운 귀인을 만나거나 새로운 일을 할 수 있는 운이다.

그러나 귀인이 와서 퇴식으로 이어지므로 사람을 잃을 수도 있다. 귀인이 올 때는 나이와 직업을 참고해서 상담해야 한다. 617에서 만난 귀인은 639에서 헤어지는 경우가 많다. 그래도 평생 수리라면 좋은 수리다. 6자는 하나하나 따지는 성격이므로 피곤하다. 남자가 6자라면 여자들이 피곤해한다.

官 6 水	貴 1 水	退 7 火
寅	卯	辰
安 4 金	財 8 木	鬼 3 木
巳	午	未
退 7 火	變 2 火	文 9 金
申	酉	戌
財 8 木	變 2 火	貴 1 水
亥	子	丑

선천수 › 1,6_水   2,7_火   3,8_木   4,9_金   5,10_土
주도수 › 1_生,貴   2_變   3_鬼   4_安   5_驚破   6_官   7_退食   8_財   9_文

• 6(官), 1(귀인), 7(退食).

귀인이 와서 새로운 활력을 추구할 수 있다. 합이 되는 일주는 귀인이 와서 명예를 준다. 그러나 극이 되는 일주는 사람으로 인해 건강과 재물이 나간다. 이 수리에서 만난 사람은 2년 후에 오는 369 수리에서 헤어질 가능성이 크다. 특히 1자와 7자가 극이 되는 일주는 귀인이 아니라 배신자이고 사람을 잃을 수도 있다.

• 4(안정), 8(財), 3(鬼).

조상의 도움으로 재물을 안정적으로 취한다. 합이 되는 일주는 재물이 들어오고, 극이 되는 일주는 귀신 곡하게 돈이 나간다. 주도수 1자가 3자(鬼)를 생하고 있다. 따라서 합이 되는 일주는 조상의 도움으로 재물을 취한다.

• 7(퇴식), 2(변화), 9(문서).

뜻이 잘 이루어지지 않는 수리다. 주도수 1자가 水剋火로 7자(퇴식)를 극한다. 오행까지 극하므로 귀인이 아니라 배신자가 된다. 그뿐만 아니라 건강이 나빠질 수 있고 사람도 잃을 수 있다.

이 수리가 평생 수리라고 한다면 9자가 깨지느냐, 합이 되느냐에 따라서 일생이 크게 달라진다. 酉酉 자형, 酉戌, 해로서 酉 일주가 가장 크게 당한다. 주도수 1자의 운에는 귀인으로 인해 배신을 당하는 게 가장 크다.

• 8(財), 2(변화), 1(귀인).

합이 되는 일주는 재물도 따르며 이성도 만날 수 있다. 극이 되는 午未 일주는 8자에서 돈을 벌어도 2자와 1자 수리가 깨지므로 배신자가 따른다. 결국 주도수 1자의 운에는 사람에게 배신을 당하는 게 가장 크다.

6, 2, 8(官, 변화, 財) ▸ 81포국도 평생기본수6, 주도수2

'주도수 2'는 변화, 변동. 갈등을 뜻한다. 평생 기본수가 6자인 사람이 운에서 주도수 2자가 오면 변화, 변동으로 인해 갈등이 생긴다. 2자 수리가 오는 해에는 무엇인가 변화시키고자 하는 의욕이 강해진다.

그래서 심리적 갈등이 생긴다. 이사를 할까 말까, 이혼할까, 말까, 직장 그만둘까, 말까, 등 갈등의 유형도 다양하다. 617 수리에서 귀인이나 관을 만나게 되고 628 수리에서는 결혼이나 직장변동에 대해 갈등하게 된다. 그래도 이 수리는 3자(鬼)가 없어서 죽고 사는 문제는 생기지 않으므로 좋은 수리다.

官 6 水	變 2 火	財 8 木
寅	卯	辰
驚 5 土	貴 1 水	官 6 水
巳	午	未
變 2 火	退 7 火	文 9 金
申	酉	戌
安 4 金	貴 1 水	驚 5 土
亥	子	丑

• 6(官), 2(변화), 8(財).

변화, 변동으로 재물에 대한 욕구를 갖게 된다. 합이든 극이든 2자(변화)가 오면 다양한 방면에서 심리적으로 갈등한다. 이사, 이혼, 직장의 변동을 할까 말까 고민하게 되는 수리다.

2자와 5자의 결합은 부동산의 변동이고, 2자와 6자의 결합은 직장의 변동이다. 따라서 628 수리는 직장변동으로 인한 재물의 취득이다. 합이 되는 일주는 재물을 취할 수 있고 극이 되는 일주는 변화하지 않는 게 좋다.

• 5(驚破), 1(귀인), 6(官).

사람 때문에 혁명, 혁신하는 수리다. 1자가 합이 되느냐, 극이 되느냐가 중요하

다. 합이 되는 일주는 사람의 도움으로 혁신적인 변화를 할 수 있다. 혁신에 성
공하게 되면 좋은 귀인을 만나게 되고 관으로 진출할 수도 있다.

그러나 극이 되는 일주는 변화, 변동으로 놀라는 일이 생기게 되고 결국 혁신,
혁명은 실패한다. 子丑, 일주는 5, 6월에 극이 되므로 변화하지 않는 게 좋다. 귀
인 때문에 실패하게 된다.

• 2(변화), 7(退食), 9(문서).

주도수 2자와 7월과 8월의 2자와 7자의 수리는 같은 火로서 오행이 같다. 즉 火
비견이므로 큰 변화의 영향은 없다. 그러나 건강은 주의가 필요하다. 2자와 ,7자
의 수리 두 자가 깨져도 9자(문서)에서 합이 되면 좋다.

주도수로부터 오행이 깨지면 7자(퇴식)에 죽을 수도 있으나 오행이 깨지지 않는
다면 죽음은 면할 수 있다. 그래도 279 수리에는 변화, 변동하지 않는 게 좋고,
꼭 해야 한다면 합이 되는 달에 해라.

• 4(안정), 1(귀인), 5(驚破).

안정된 상태에서 귀인이 과감하게 도움을 준다. 합이 되는 일주는 좋은 귀인을
만나서 뜻을 이룬다. 부부가 같은 일주라면 나쁜 운에서 둘 다 깨지므로 좋지 않
다. 부부 중 어느 한쪽이 좋은 운이라면 따라가면 괜찮다. 극이 되는 일주는 귀
인으로 인해서 놀랄 일이 생긴다.

❀ 6, 3, 9(官, 鬼, 문서) ▸ 81포국도 평생기본수6, 주도수3

'주도수 3'은 鬼, 심리적 갈등. 망하게 한다는 의미가 있다. 평생 기본수가 6자인 사람이 운에서 주도수 3자가 오면 鬼의 작용으로 정신적 갈등이 심하게 생긴다. 합이 되는 일주도 어느 하나는 깨지므로 鬼의 작용으로 인한 관재구설이 생긴다. 이 수리 때 찾아온 내담자가 이성이나 부부 문제를 묻는다면 작년에 만났느냐? 재작년에 만났느냐고 물어보라. 617 수리에서 만나서 628 수리에서 갈등하게 되고 639 수리에서 헤어지는 경우가 많다.

이 수리에는 합이든 극이 되던 부부는 이혼, 직장인은 퇴직, 감옥에 가고, 사업은 망하게 되는 경우가 많다. 평생 수리라면 申酉, 일주는 태어나자마자 두 달이 깨지므로 鬼로 인한 문제가 생긴다. 가족 중에 누가 죽거나 장애를 입을 수 있고 부모덕이 없는 수리다.

369 수리와 639 수리는 같은 관재구설의 뜻을 가진 수리이나 주도수 3자는 鬼가 작용하여 문제가 발생하나 6자는 官이 작용하므로 문제가 없다. 3자는 성격이 예민하고 6자는 빈틈없이 꼼꼼하다.

그리고 관재구설에 해당하는 639 수리가 세 번째 줄까지 이어지고 있다. 특히 평생수리 세 번째 줄에 관재구설 수리가 있으면 부부 불화할 가능성이 매우 크다. 세운에서 오는 관재구설은 1년이므로 면할 수 있다. 그러나 평생 운에서 오는 관재구설은 피할 수 없다.

그래도 이 수리는 명예를 추구하는 수리다. 따라서 관직에 관한 일을 하는 게 좋다. 3자(鬼) 안에는 鬼가 들어 있어서 항상 3자의 운이 오면 종교, 철학, 역학, 등과 같은 정신적인 면에 관심을 가진다. 또한 그런 쪽으로 관심을 가져야 살 수 있다.

평생 기본수 6자에서 가장 나쁜 수리다. 이 수리가 평생수리에 해당하는 일주는 54세까지 관재구설이 이어진다. 즉, 한 많은 인생을 살게 되는데 그 유형도 다양하다. 정신적인 면에서 우울증이나 조울증으로 고생하는 사람도 있다.

官 6 水	鬼 3 木	文 9 金
寅	卯	辰
官 6 水	鬼 3 木	文 9 金

巳	午	未
官 6 水	鬼 3 木	文 9 金
申	酉	戌
文 9 金	文 9 金	文 9 金
亥	子	丑

- 6(官), 3(鬼), 9(문서).

관으로 인한 관재구설이 따르며 문서와 명예에 손상을 입는다. 639 수리가 연속해서 들어 왔다. 따라서 합이든 극이든 어느 하나는 깨지게 돼 있으므로 모든 것이 흉으로 작용한다. 우울증, 자살 충동, 등 각종 사건 사고도 생길 수 있다.

- 6(官), 3(鬼), 9(문서).

관재구설의 수리가 두 번째 줄에 왔다. 3자(鬼)는 심리적 안정이 필요하다. 심리적으로 안정이 안 되고 우울증 같은 질병이 올 수 있다. 노인과 환자의 경우 사망하기도 한다. 문서 관리에 신경 써야 한다.

- 6(官), 3(鬼), 9(문서).

639 수리가 올 때는 종교, 철학, 역학에 관심이 간다. 종교를 가져서 마음을 안정시키는 게 좋다. 직장인은 직장에서 이탈하려고 한다. 하지만 현재 상태를 유지하고 남의 일에 관여하지 않는 게 좋다.

639 수리가 세 번째 줄까지 이어지고 있다. 세 번째 줄에 오는 관재구설은 부부 이혼하는 확률이 매우 높다. 특히 639, 369 수리가 평생 수리라고 한다면 배우자 덕이 부실하여 미혼을 혼자 살거나 결혼해도 이혼하는 경우가 많다.

- 9(문서), 9(문서), 9(문서).

주도수 3자는 鬼의 발동으로 문서가 멀리 떠나고 싶다. 이 수리가 오면 현실을 탈피하여 외국으로 나가고 싶어 한다. 학생은 유학이나 군대에 입대시켜라. 합이되든 극이 되든 鬼가 떠나라고 하니까 멀리 떠나면 괜찮다.

그래도 639 수리는 6자(官)와 9자(문서)가 들어 있어서 관직과 관련이 많다. 합이되는 일주는 아주 크게 성장할 수 있고, 극이 되는 일주는 나락으로 추락하는 수리다. 즉 극단적인 수리다.

✿ 6, 4, 1(官, 안정, 신생) ‣ 81포국도 평생기본수6, 주도수4

'**주도수 4**'는 안정과 여유를 뜻한다. 평생 기본수가 6자인 사람이 운에서 주도수 4자가 오면 안정과 여유에 신경 써야 한다. 639 수리부터 시작된 불운이 641 수리까지 이어진다.

만약 지난해 639 수리에서 수술한 사람은 641 수리에서 죽기도 한다. 따라서 6개월 동안 현재 상태를 유지하면서 죽은 듯이 지내야 한다. 641 수리에서 두 번째 줄 753 수리 때는 관의 작용으로 직장을 나오게 되고, 134 수리에서 두 번째 줄 573 수리 때는 귀인을 잃어버린다.

평생 수리라고 한다면 26세까지 불운이 이어진다. 753 수리에 집안이 망할 수 있고 공부 안 된다. 이 시기에 부모가 사망하거나 자신이 죽을 수도 있다. 753 수리 때는 연애, 결혼하면 안 된다. 결혼은 753 이후에 잡아야 한다.

官 6 水	安 4 金	貴 1 水
寅	卯	辰
退 7 火	驚 5 土	鬼 3 木
巳	午	未
貴 1 水	財 8 木	文 9 金
申	酉	戌
驚 5 土	財 8 木	安 4 金
亥	子	丑

• 6(官), 4(안정), 1(귀인).

안정과 귀인이 왔으나 현실을 유지해야 한다. 두 번째 줄에서 대 흉 운이 들어온다. 639 수리에서부터 이어진 흉한 운이 641 두 번째 줄까지 이어진다. 이 수리 때 만난 사람은 두 번째 753 수리에서 헤어질 수 있다. 따라서 합이 될 때 만나더라도 귀인이 아니다.

• 7(退食), 5(驚破), 3(鬼),

대 흉의 수리다. 이 수리에서는 결혼하면 안 된다. 7자는 배신자가 따르고 사람도 잃는다. 이 수리는 합과 극을 떠나서 모두 힘들게 보낸다. 즉 1자(귀인)가 7자(퇴식) 수리로 이어진다. 따라서 이 수리에는 연애하는 것도 좋지 않고 결혼 날짜는 753 이후에 잡아야 한다.

• 1(귀인), 8(財), 9(문서),
귀인, 재물, 문서와 명예가 왔다. 이때부터 점차 운을 회복하게 된다. 따라서 이사나 개업, 결혼, 등도 가능하고 재물이 따른다. 그러나 대 흉 운의 후유증으로 그 효과는 그다지 크지 않다. 寅卯, 일주는 7, 8월까지 깨지므로 9월에 안정을 바탕으로 추구해야 한다.

• 5(驚破), 8(財), 4(안정),
안정을 바탕으로 재물을 과감하게 취할 수 있다. 전반기에 힘들었어도 후반기에 회복할 수 있는 운이 왔다. 따라서 합이 되는 일주는 자신이 추구하는 바를 성취한다. 그러나 극이 되는 일주는 큰 재물이 나간다. 특히 午未, 일주는 두 달이 연속 깨지므로 변화하지 않는 게 좋다.

🏵 6, 5, 2(官, 驚破, 변화) ‣ 81포국도 평생기본수6, 주도수5

'**주도수 5**'는 경파, 투기의 재, 과감한 행동의 뜻을 가진다. 평생 기본수가 6자인 사람이 운에서 주도수 5자가 오면 침착하던 사람도 과감한 행동을 한다. 원래 6자의 성격은 빈틈없이 꼼꼼하고 정확하여 급하지 않다. 그러나 주도수 5자가 오게 되면 과감하게 행동을 취할 수 있다.

그리고 투기의 財가 왔으므로 부동산이나 증권에 투자해도 좋다. 2, 5, 8의 숫자는 변화와 관련이 있다. 5자와 2의 조합은 부동산의 변동이므로 이사도 가능하다. 2년 동안 힘들었던 운이 지나고 드디어 좋은 운이 왔다. 특히 주도수 5자(驚破)가 土生金으로 9자(文書)를 생하게 되면 최고의 투기의 財라고 한다. 따라서 9월에는 증권이나 부동산에 과감하게 투자하는 게 좋다.

官 6 水	驚 5 土	變 2 火
寅	卯	辰
財 8 木	退 7 火	官 6 水
巳	午	未
驚 5 土	安 4 金	文 9 金
申	酉	戌
貴 1 水	退 7 火	財 8 木
亥	子	丑

• 6(官), 5(驚破), 2(변화).

과감한 변화, 변동이다. 2년 동안의 흉 운에서 벗어나서 상승하는 운이다. 따라서 적극적인 자세가 필요하다. 이때부터 변화, 변동은 좋게 풀린다. 그러나 辰, 戌, 일주는 극이 되므로 합이 되는 달에 하는 게 좋다.

• 8(財), 7(退食), 6(官).

과감하게 재물과 명예를 성취한다. 그러나 7자가 들어있어서 건강에 유의해야 한다. 특히 주도수 5자에 6자의 수리는 土剋水로서 오행까지 극을 받으므로 병원에 입원할 수 있다. 寅巳申亥 일주는 8자에 극이 되므로 나가는 돈이 된다.

• 5(驚破), 4(안정), 9(문서).
주도수 5자에 또다시 7월에 5자가 들어왔으므로 놀라는 사건이다. 합이 되는 일주는 과감하게 투자하는 게 좋다. 왜냐하면 안정된 상태에서 문서와 명예를 취할 수 있기 때문이다.
특히 주도수 5자에 9자의 수리는 土生金으로서 오행까지 生을 해 주므로 최고의 문서가 된다. 따라서 9월에 합이 되는 일주는 적극적으로 부동산이나 주식에 투자하는 게 좋다. 그러나 寅申巳亥 일주는 좋지 못한 일로 놀랄 수 있으니 7월을 피해서 투자하는 게 좋고, 7월과 8월 두 달이 깨지는 寅卯, 일주는 안정을 취하는 게 좋다.

• 1(귀인), 7(退食), 8(財).
귀인의 도움으로 재물을 성취한다. 합이 되는 일주는 노력한 만큼의 대가를 취할 수 있다. 그러나 극이 되는 午未, 일주는 돈도 나가고 몸도 아프게 된다. 특히 주도수의 오행이 土剋水로 귀인과 상극의 형국이다. 사람으로 인한 고통이나 갈등이 생길 수 있다.

6, 6, 3(官, 官, 鬼) ‣ 81포국도 평생기본수6, 주도수6

'**주도수 6**'은 관, 명예, 승진, 행운의 뜻을 가진다. 평생 기본수가 6자인 사람이 운에서 주도수 6자가 오면 관, 명예, 승진, 행운과 관련된 일이 생긴다. 관이 66으로 두 개가 왔으니 정확하고 원칙적이며 융통성이 없어서 피곤할 수 있다.

평생 수리라면 시험합격, 선거에 당선될 수 있는 수리이다. 즉 공직으로 진출하면 크게 성장할 수 있는 수리다. 그러나 극이 되는 일주는 고난의 시기가 길어질 수 있다. 子丑, 일주는 두 번째 줄에서 문서가 18년간 극이 되어 힘들고, 酉 일주도 세 번째 줄에서 문서와 명예가 길게 깨진다. 그래도 명예가 최고 높은 수리이다.

官 6 水	官 6 水	鬼 3 木
寅	卯	辰
文 9 金	文 9 金	文 9 金
巳	午	未
文 9 金	文 9 金	文 9 金
申	酉	戌
官 6 水	官 6 水	鬼 3 木
亥	子	丑

• 6(官), 6(官), 3(鬼).

鬼의 도움으로 명예, 행운, 승진을 할 수 있는 운이다. 학생은 시험에 합격하거나 취업을 할 수 있다. 그러나 극이 되는 일주는 귀신 곡하게 직장을 그만두거나 몸이 아플 수 있다. 관이 극하면 칠살의 작용을 한다.

• 9(문서), 9(문서), 9(문서).

여행에 관한 수리가 왔다. 관(官)으로 문서가 따른다. 주도수 6자(관)의 9자(문서)는 최고의 관이 된다. 그러나 극이 되면 더 나쁘다. 해외나 다른 지역으로 나갈 수도 있다. 학생은 도서관으로 보내면 된다.

· 9(문서), 9(문서), 9(문서).

999 문서 운이 세 번째 줄까지 이어졌다. 합이 되는 일주에게 주도수 6자에 9자의 수리는 문서와 명예가 크다. 그래서 주도수 6자에는 9월의 자리가 가장 중요하다. 이 자리가 깨지는 일주는 삶이 힘들고, 합이 되는 일주는 큰 문서와 명예를 취할 수 있다. 가장 힘든 수리가 酉 일주이다. 酉酉, 자형 酉戌, 해로 두 달이 연속으로 깨진다. 평생 수리라고 한다면 18년 동안 힘들다.

· 6(官), 6(官), 3(鬼).

귀의 도움으로 관을 취할 수 있다. 학생은 시험합격 직장 취업이다. 극이 되는 일주는 반대의 현상이 나타날 수 있다. 그리고 이 수리 때 직장을 나오면 다음 수리가 7자이므로 취업하기 힘들다.

또한 관이 치면 칠살의 작용을 하게 되므로 극이 되는 일주는 건강도 주의해야 한다. 노인은 해외여행을 시켜드리는 게 좋다. 내년에 주도수 7자의 운에서 123 이별의 수리가 들어 온다. 학생은 재수하게 되면 내년 7자(퇴식)의 운에는 더 합격하기 어렵다.

✿ 6, 7, 4(官, 退食, 안정) › 81포국도 평생기본수6, 주도수7

'**주도수 7**'는 퇴식(退食)의 뜻을 가진다. 대부분 부정적인 뜻으로 사용되나 사람들에게 인기가 있고 희생 요소로도 본다. 평생 기본수가 6자인 사람이 운에서 주도수 7자가 오면 그해에는 건강 상태가 나빠진다. 그리고 삶의 의욕이 저하되며 주변 상황이 돌변한다. 평생 수리까지 겹치게 되면 더 나빠져서 부도까지 난다. 그리고 주도수 7자에는 배신자도 따르고 사람도 잃을 수 있으며 사업도 안 된다. 따라서 이런 수리 때는 자녀를 결혼시켜서 분가시키면 좋다.

만약 평생 수리라고 한다면 부모가 123 수리 때 이혼한다. 주도수 7자도 사람을 잃는 수리인데 123 이별의 수리까지 왔으므로 이혼이나 사망으로 인한 이별, 헤어짐이 발생할 확률이 훨씬 높다.

官 6 水	退 7 火	安 4 金
寅	卯	辰
貴 1 水	變 2 火	鬼 3 木
巳	午	未
安 4 金	驚 5 土	文 9 金
申	酉	戌
變 2 火	驚 5 土	退 7 火
亥	子	丑

• 6(官), 7(退食), 4(안정).

퇴식의 운이 왔으므로 마음이 안정되지 않고 건강에 자신이 없어진다. 퇴식은 사람도 잃는다. 따라서 이별을 하느냐 마느냐 하는 갈등이 따른다. 이별이 누구와의 이별인지 나이와 내담자의 상태에 맞게 해석해야 한다.

• 1(귀인), 2(변화), 3(鬼).

주도수 7자도 사람을 잃는 수리인데 또다시 123 이별 헤어짐의 수리까지 왔다. 따라서 부부는 이혼, 노인과 환자는 사망, 사업가는 망할 수도 있는 운이다. 작년에 수술한 환자는 이 수리에서 사망한다. 자녀가 결혼해서 분가하면 화를 면할 수 있다.

그리고 합이 되는 일주는 오랫동안 헤어져 지낸 친구나 이성을 다시 만나게 되어 심리적으로 갈등이 생길 수 있다. 주도수 7자(퇴식)의 123 수리는 꼭 사람과의 이별만을 뜻하는 게 아니라 장소의 이별도 된다. 세 번째 줄에 5자(경파)가 들어와 있다. 만약 어릴 때 평생 수리에서 이 운이 오게 되면 부모가 이혼한다.

· 4(안정), 5(驚破), 9(문서).
전반기 6개월이 지나고 무난한 수리가 왔다. 따라서 합이 되는 일주는 과감하게 문서를 취할 수 있으나 퇴식의 운이므로 자신감이 없어진다. 子午卯酉는 8월에 안 좋게 놀라는 일이 생길 수 있다. 따라서 합이 되는 달에 추진해라.

· 2(변화), 5(驚破), 7(퇴식).
퇴식의 운이므로 변화를 하면 실질적인 이익이 안 된다. 합이 되는 일주는 변화, 변동으로 목표를 취할 수 있고 극이 되는 일주는 현재 상태를 유지해야 한다. 퇴식의 퇴식은 더 나쁠 수 있으므로 물건의 경우 경매에 넘어가기 전에 그냥 파는 게 낫다. 그리고 수리가 안 좋은 사람끼리 같이 있으면 둘 다 망하게 되므로 수리가 좋은 사람을 따라가야 한다.

✿ 6, 8, 5(官, 財, 驚破) ▸ 81포국도 평생기본수6, 주도수8

'**주도수 8**'은 退食을 뜻한다. 퇴식 운은 대부분 부정적으로 작용하나 인기가 있고 희생적인 요소로도 본다. 평생 기본수가 6자인 사람이 운에서 주도수 8자가 오면 재물이 들어오면서 능력이 발휘된다. 특히 5자인 투기의 財가 같이 왔으므로 재물을 추구하는 면에서 활동적으로 움직일 수 있는 일이 생긴다.

평생 기본수 6자(官)의 성향을 가지고 있어서 관으로 인해 돈에 대한 욕구가 생긴다. 그리고 8자는 재물을 뜻하므로 사업이 가능한 수리다. 만약 평생 수리라고 한다면 재물을 추구할 수 있는 아주 좋은 수리이다. 그뿐만 아니라 財는 남자에게 부인도 되므로 배우자의 복도 있는 수리다. 노태우 전 대통령, 노무현 전 대통령, 등의 평생 수리가 685, 수리라고 한다.

官 6 水	財 8 木	驚 5 土
寅	卯	辰
變 2 火	安 4 金	官 6 水
巳	午	未
財 8 木	貴 1 水	文 9 金
申	酉	戌
退 7 火	安 4 金	變 2 火
亥	子	丑

• 6(官), 8(財), 5(驚破).

관으로 인해 돈에 대한 욕구가 생긴다. 재물이 들어오면서 능력을 발휘할 수 있다. 합이 되는 일주는 직장에서 승진도 할 수 있다. 그러나 극이 되는 일주는 돈이 나갈 수 있다. 특히 8자와 5자가 같이 있으므로 활동적으로 움직일 수 있는 일이 생긴다. 극이 되는 辰戌丑未 일주는 나가는 돈이다.

• 2(변화), 4(안정), 6(官).

관의 안전한 변화다. 주도수 재물 운에서 관의 변화까지 생길 수 있다. 따라서 직장에서 승진하게 되면 재물까지 따른다. 합이 되는 일주는 관의 안전한 변화로 재물을 취한다. 그러나 극이 되는 일주는 직장을 나올 수 있다.

• 8(財), 1(귀인), 9(문서).
주도수 재물 운에 재물, 귀인, 문서가 왔다. 따라서 귀인의 도움으로 성취감을 느낄 수 있다. 주도수 8자(財)에 8자(財) 수리는 큰 재물이다. 귀인이 왔으므로 결혼도 가능하다. 6자 수리에서 가장 좋은 수리이다.
따라서 합과 극의 영향을 크게 받지 않으나 그래도 寅申巳亥, 子午卯酉, 辰戌丑未, 일주 별로 합이 되는 달에 투자하는 게 좋다. 특히 寅卯, 일주는 두 달이 연속 깨지고 특히 1자(귀인)가 극이 되므로 사람으로 인해 돈이 나가게 된다.

• 7(退食), 4(안정), 2(변화).
합이 되는 일주는 안정적으로 변화를 할 수 있다. 그러나 극이 되는 일주는 변화로 인해 안정이 깨진다. 따라서 변화하지 말고 현재 상태를 유지해야 한다.
7자(퇴식)는 합이든 극이든 건강에 주의해야 한다. 특히 주도수 8자(財)에 7자(退食)는 아파서 돈이 나가는 형국이다. 만약 8자(財)가 극이 되는 수리는 미리 좋은 일에 돈을 사용해 버리는 것도 하나의 방편이다.

✿ 6, 9, 6(官, 문서, 官) ‣ 81포국도 평생기본수6, 주도수9

'**주도수 9**'는 문서를 뜻한다. 평생 기본수가 6자인 사람이 운에서 주도수 9자가 오면 문서와 명예에 관한 일이 생긴다. 이 수리 때는 문서와 명예가 왔으므로 공부해야 한다. 고위공직자의 수리로서 감투를 쓸 수 있는 수리다. 그러나 극이 되는 일주는 상문살과 관재구설로 크게 추락할 수 있으므로 극과 극의 수리다.

그리고 주도수 1, 6, 9, 수리에서 관재구설에 해당하는 369, 639, 수리가 오면 합이 되는 일주는 명예를 추구할 수 있어서 더 좋고, 극이 되는 일주는 관재구설을 당하게 되어 부부 이혼할 수도 있다. 만약 이 수리가 평생 수리라면 고급 공무원이 될 수 있다. 그러나 극이 되는 일주는 관재구설과 상문으로 화를 면하기 어렵다.

官 6 水	文 9 金	官 6 水
寅	卯	辰
鬼 3 木	官 6 水	文 9 金
巳	午	未
鬼 3 木	官 6 水	文 9 金
申	酉	戌
鬼 3 木	鬼 3 木	官 6 水
亥	子	丑

• 6(官), 9(문서), 6(官).

관, 명예, 행운의 수리다. 문서와 관이 합하여 뜻을 이룰 수 있다. 따라서 이 수리에는 명예가 와서 감투를 쓰게 된다. 학생은 시험에 합격하고 직장인은 승진한다.

그러나 감투를 쓰더라도 369 수리에 관재구설에 휘말리게 된다. 승진 후 시기, 질투에서 오는 관재구설이다. 극이 되는 일주는 관의 문서가 날아갈 수 있다. 즉 문서로 인한 관재구설을 당하게 된다.

• 3(鬼), 6(官), 9(문서).

주도수 9자(문서)가 왔으므로 문서의 관재구설이다. 6개월 동안 관재구설이다. 寅申巳亥일주는 鬼의 작용으로 수술, 子午卯酉 일주는 칠살의 작용으로 수술, 辰戌丑未 일주는 병원 문서가 된다. 1, 6, 9 수리에 결혼도 하지만 이혼도 한다. 이 수리를 가진 부부가 결혼 3년 차에 찾아왔다면 이혼하러 왔다고 생각하면 된다.

• 3(鬼), 6(官), 9(문서).

관재구설의 수리다. 만약 696 수리에서 승진했다고 하더라도 시기 질투로 인한 구설에 시달리게 된다. 6자와 9자의 수리가 합이 되면 승진하고, 극이 되면 관이 날아간다. 가장 안 좋은 일주는 寅巳申亥 일주다. 鬼가 칠 때 가장 크게 당한다. 관재구설을 면하기 위해서는 국가의 돈을 연체시키는 것도 하나의 방편이 된다. 과태료 같은 것을 연체하면 된다.

• 3(鬼), 3(鬼), 6(官).

상문살이다. 합이 되는 일주는 삼삼하게 잘 풀린다. 그러나 극이 되는 일주는 문서적인 변화나 정신적인 갈등으로 현실에서 도피하고 싶어진다. 즉 심리적 갈등으로 직장, 학교, 가정에 문제가 생길 수 있다. 그리고 3자와 3자가 연속 들어왔으므로 鬼의 작용으로 아플 수 있다.

✿'수리 6'의 핵심 요약

6자 수리의 특성	침착하고 합리적이다. 머리가 좋다. 성숙하다. 뒤에서 조종하는 성향이 있다. 운에서 6자가 올 때 일주가 합이 되면 관, 명예, 승진, 행운이 따른다. 극이 되면 칠살과 같은 작용을 하므로 건강 문제나 관재가 생길 수 있다.
흉(凶) 운	• 639수리(鬼) 일년 동안 관재구설이다. 합이 되는 일주는 승진, 행운도 따를 수 있으나 극이 되는 일주는 관재구설을 피하기 어렵다. • 641수리(안정) 전반기 때 대흉수(753) • 674수리(退食) 전반기 때 이별, 헤어짐(123)
길(吉) 운	• 685수리(財) 재물운에 대길수(819).

7) 평생 기본수 7수리 _ 81포국도 평생기본수7

평생 기본수 7자는 질병과 퇴식(退食)을 의미한다. 따라서 어렸을 때 잔병치레가 많고 포국도 첫 칸이나 두 번째 칸에 7자가 있으면 고질병을 안고 살아가는 경우가 많다. 성격은 친화력이 있어서 인기가 있고, 인생을 즐기려는 성향을 가지고 있다. 특히 여자는 극성맞다는 말을 들을 정도로 적극적이고 활동적이다. 그리고 7자의 뜻은 나이에 따라 조금 다르게 구분하여 이해할 필요가 있다.

17세 : 학생은 공부가 어렵다. 다만 일주가 생록왕을 깔고 있으면 괜찮다.

27세 : 결혼도 직장도 어렵다. 27세보다 28세, 29세에 가능하다.

47세 : 직장에서 퇴사 이직 등 변동이 있다. 부서 이동을 하면 괜찮다.

57세 : 건강이 나빠진다. 따라서 56세 이전에 자녀를 결혼시켜야 좋다.

7, 1, 8(退食, 신생, 財) ‣ 81포국도 평생기본수7, 주도수1

주도수 1자는 生, 貴人, 새로운 동반자, 새로운 일의 뜻을 가진다. 평생 기본수가 7자인 사람이 운에서 주도수 1자가 오면 새로운 귀인을 만나거나 새로운 일을 할 수 있는 운이다.

그리고 평생 기본수 7자는 건강과 관련이 있다. 포국도 첫 번째 자리나 두 번째 자리에 7자가 있으면 지병이 있다고 본다. 즉 몸 상태가 좋았다, 나빴다, 하는 경우가 많다. 특히 평생 수리라면 어릴 때 잔병치레를 하게 된다. 사업보다는 전문직이 맞는 수리다.

退 7 火	貴 1 水	財 8 木
寅	卯	辰
官 6 水	文 9 金	官 6 水
巳	午	未
鬼 3 木	官 6 水	文 9 金

申	酉	戌
退 7 火	退 7 火	驚 5 土
亥	子	丑

선천수 › 1,6_水 2,7_火 3,8_木 4,9_金 5,10_土
주도수 › 1_生,貴 2_變 3_鬼 4_安 5_驚破 6_官 7_退食 8_財 9_文

· 7(退食), 1(귀인), 8(財).
귀인의 도움으로 재물도 따르고 능력을 발휘할 수 있다. 합이 되는 일주는 귀인
을 만나서 돈이 들어온다. 그러나 극이 되는 일주는 귀인이 아니고 배신자이므로
사기 등으로 돈이 나간다.
그리고 1, 6, 9, 수리 때 결혼이 가능하므로 귀인이 결혼 상대자가 될 수 있고,
새로운 일의 동반자가 될 수도 있다. 그러나 내년에 279 수리가 올 때 이혼도 할
수 있다.

· 6(官), 9(문서), 6(官).
행운의 수리다. 귀인으로 인해 한 단계 성장할 수 있는 수리다. 문서나 명예가
겸비되고 욕구가 강한 상태로 돌입되어 마음먹은 대로 풀어나가며 발전이 전개되
어 간다.
그러나 극이 되는 일주는 귀인 때문에 문서나 명예의 손상이 예상되므로 주의가
필요하다. 특히 관이 칠살의 작용을 하게 되므로 사건 사고나 몸이 아플 수도 있
다.

· 3(鬼), 6(官). 9(문서).
관재구설에 관한 수리다. 696 수리에서 승진할 때 시기, 질투가 들어올 수 있다.
그리고 6자와 9자가 있으므로 관과 명예 그리고 문서를 얻으려는 욕심으로 일
처리를 무모하게 할 수 있다. 그로 인한 관재구설이 올 수도 있다.
따라서 승진 하는 등 잘 나가더라도 주변 사람들의 시기, 질투, 관재구설이 따르
므로 자만해서는 안 된다. 자신의 강한 주장보다 주위를 살피면서 너그럽게 행동
하는 게 좋다. 다만 전문직이라면 관재구설을 면할 수도 있다.

· 7(退食), 7(退食). 5(驚破).

귀인 때문에 깜짝 놀랄만한 퇴식이 왔다. 능력 저하, 건강유념, 심리적으로 약해진 상태이므로 건강에 각별히 관심을 가져야 한다. 주도수 1자가 왔을 때는 나이에 맞게 상담해야 한다. 따라서 부부이혼, 직장 퇴사, 병원 입원, 노인과 환자는 사망할 수 있는 수리다.

특히 평생 기본수가 7자(퇴식)이고 10월과 11월에 77의 숫자가 몰려 있다. 그뿐만 아니라 주도수의 오행과 상극의 관계이다. 그래서 더 건강에 주의가 필요하다. 사람도 잃을 수 있다. 다만 직장을 그만두면 어느 하나는 화를 피할 수 있다.

'**주도수 2**'는 변화, 변동, 갈등의 의미가 있다. 평생 기본수가 7자인 사람이 운에서 주도수 2자가 오면 문서와 명예에 관한 변화, 변동이 생긴다. 이 수리는 세운이든 대운이든 火氣가 강해서 의욕은 강하지만 뜻대로 잘 풀리지 않는다. 그리고 火 기운이 너무 강해서 심장, 정신적인 면에 문제가 생길 수 있다.

특히 777로 이어지기 때문에 寅巳申亥 일주는 건강에 유념해야 한다. 子午卯酉 일주는 변화할 일이 많이 생긴다. 辰戌丑未 일주는 문서가 떠난다. 718 수리에서 직장을 구했다고 한다면 이 수리에서 변화, 변동하고 싶어진다. 평생 수리라고 한다면 주도수에 2자(변화)가 있어서 직업이 수시로 바뀐다. 이 수리에는 현재 상태를 유지하고 공부하는 게 좋다.

평생 수리라고 한다면 火의 기운이 너무 강해서 인삼이 몸에 맞지 않는다고 한다. 81수리 중에서 가장 나쁜 수리에 속할 정도로 안 좋게 본다. 즉, 거지 사주로도 본다. 그러나 실제 사례를 통해 확인된 바로는 극과 극으로 삶이 달라지는 모습을 보았다. 주로 전문직을 하는 사람이 많고, 약사, 공직자. 등 보통의 삶을 사는가 하면 많은 유산을 물려받은 사람도 있었다.

退 7 火	變 2 火	文 9 金
寅	卯	辰
退 7 火	變 2 火	文 9 金
巳	午	未
退 7 火	變 2 火	文 9 金
申	酉	戌
鬼 3 木	官 6 水	文 9 金
亥	子	丑

• 7(퇴식), 2(변화), 9(문서).

퇴식의 변동으로 문서가 따른다. 2자와 9자의 수리가 합이 되는 일주는 문서의 변화가 좋다. 222가 이어지므로 이사를 할 수 있는 수리다. 합이 되는 일주는 이사해도 좋다. 그러나 극이 되는 일주는 변화, 변동으로 문서와 명예에 손상을 입을 수 있다.

• 7(퇴식), 2(변화), 9(문서).
합이 되는 일주는 현실적인 대처가 필요하다. 침체한 상황에서 벗어날 수 있도록 적극적인 변화의 시도가 요구되는 시기이다. 그러나 극이 되는 일주는 현재 상태를 유지하는 게 좋다.

• 7(퇴식), 2(변화), 9(문서).
729 수리가 반복되는 상황이므로 심리적인 무력감과 위축감을 느낄 수 있다. 寅巳申亥 일주는 777 수리가 이어지므로 건강에 문제가 생기고, 子午卯酉 일주는 222 수리가 이어지므로 변화, 변동이 심하다. 그리고 辰戌丑未 일주는 999 수리가 이어지므로 문서가 떠난다.

• 3(鬼), 6(官), 9(문서).
관재구설의 수리이다. 합이 되는 일주는 변화 변동으로 문서와 명예를 취할 수 있다. 그러나 극이 되는 일주는 변화 변동으로 질병에 걸리거나 문서와 명예에 손상을 입는다.
이 수리는 7자(퇴식)와 2자(변화)가 조합하여 퇴식의 변화로 인한 문서이므로 가장 먼저 건강이 나빠진다. 부부는 이혼, 사업부도, 학생은 가출을 할 수 있는 수리다. 시부모와의 갈등도 생긴다.
학생은 이 수리에서 재수하게 되면 3수뿐만 아니라 4수까지 할 수 있다. 따라서 718 수리 때 진학 여부를 결정했어야 한다. 노인은 돌변하여 자식을 힘들게 한다. 특히 午未, 일주는 두 달이 연속 깨지므로 변화, 변동하지 않는 게 좋다. 관재구설을 피하기 힘들다.

'**주도수 3**'은 심리적 갈등, 망하게 한다는 뜻을 가진다. 평생 기본수가 7자인 사람이 운에서 주도수 3자가 오면 심리적 갈등이 심하게 된다. 그래도 합이 되는 일주는 鬼가 긍정적으로 작용하므로 귀인의 도움으로 財를 추구할 수 있다. 직장의 이동, 부서이동 등 움직여도 좋다.

그러나 극이 되는 일주는 귀신 곡할 일이 생기게 되므로 극단적인 면이 강한 수리다. 鬼가 작용할 때는 모든 일주가 심리적으로 갈등을 느끼게 된다. 그래도 평생 기본수 3,5,7, 수리는 주도수가 3자나 5자일 때 나쁘지 않게 본다. 다만 극이 되는 달만 피하면 된다.

退 7 火	鬼 3 木	貴 1 水
寅	卯	辰
財 8 木	安 4 金	鬼 3 木
巳	午	未
變 2 火	退 7 火	文 9 金
申	酉	戌
財 8 木	驚 5 土	安 4 金
亥	子	丑

• 7(퇴식), 3(鬼), 1(귀인).

鬼가 왔으므로 합이 되는 일주는 정신적으로 여유를 가지며 귀인의 도움으로 능력을 인정받는다. 그러나 다음에 오는 수리가 843 수리라서 1자(귀인)가 극이 되는 戌亥, 일주는 귀인이 아니므로 오히려 재물이 나가게 된다. 즉 1자(귀인)와 8자(재)의 관계를 살펴서 상담해야 한다. 따라서 1자가 극이 되는 일주는 새로운 일을 하지 말고 사람과의 관계를 신중히 해야 한다.

• 8(財), 4(안정), 3(鬼).
조상의 도움으로 안정적인 재물이 들어온다. 그러나 주도수 3자와 두 번째 줄의 3자 수리가 극이 되는 일주는 귀신 곡할 일이 생기게 된다. 따라서 8자와 4자 때 일을 끝내고 안정을 기해라. 항상 鬼가 작용할 때는 긍정과 부정을 놓고 어느 쪽으로 작용하게 되는지를 살펴라.

• 2(변화), 7(退食), 9(문서).
주도수 3자에 279 수리가 왔다. 寅巳申亥 일주는 변화로 퇴식의 문서가 들어온다. 따라서 변화, 변동의 충동이 생기게 되는데 변화하지 않는 게 좋다. 子午卯酉 일주는 건강에 문제가 생긴다. 辰戌丑未 일주는 문서가 날아간다. 이 수리에 자신의 한계를 느낄 수 있다.

• 8(財), 5(驚破), 4(안정).
합이 되는 일주는 과감하게 재물을 추구할 수 있다. 조상의 도움과 투기의 財가 작용하므로 크게 좋다. 그러나 극이 되는 일주는 안정이 깨지고 깜짝 놀랄 일이 생겨서 돈이 나간다. 따라서 합이 되는 일주는 크게 좋고, 극이 되는 일주는 크게 나쁜 수리가 된다.

🌸 7, 4, 2(退食, 안정, 변화) ‣ 81포국 평생기본수7, 주도수4

'**주도수 4**'는 안정과 여유를 뜻한다. 평생 기본수가 7자인 사람이 운에서 주도수 4자가 오면 심리적으로 안정과 여유를 찾게 되고 목적을 성취할 수 있다. 한 단계 더 성장할 수 있는 수리다.

그러나 극이 되는 일주는 안정이 깨지고 관이 칠살로 변해서 관재나 질병이 올 수 있다. 세 번째 줄 639 수리에서 관재구설이 따른다. 특히 酉 일주는 두 달 연속 깨지므로 鬼의 작용이 불리하게 진행될 수 있다. 한 해의 수리라고 한다면 한 단계 더 성장할 수 있고, 평생 수리라고 한다면 안정적으로 좋은 수리다.

退 7 火	安 4 金	變 2 火
寅	卯	辰
文 9 金	官 6 水	官 6 水
巳	午	未
官 6 水	鬼 3 木	文 9 金
申	酉	戌
安 4 金	安 4 金	財 8 木
亥	子	丑

• 7(퇴식), 4(안정), 2(변화).

안정된 상태에서 변화가 온다. 합이 되는 일주는 여유 있는 변화로 목적을 성취할 수 있다. 그러나 극이 되는 일주는 현재 상태를 유지하면서 안정을 취해야 한다. 극이 되는 일주는 변화로 인해 안정이 깨지므로 퇴식을 맞이할 수 있다.

• 9(문서), 6(官), 6(官).

명예와 행운의 수리다. 그래서 문서와 명예 면에서 한 단계 성장할 수 있다. 관이 도와주니 명예와 승진의 기회가 뒤따르며 공적 사무와 관련해서 매사에 진취적인 영향권이 뒤따른다. 그러나 극이 되는 일주는 직장을 나오거나 질병에 노출될 수 있다. 관이 칠 때는 칠살의 작용을 하기 때문이다.

• 6(官), 3(鬼), 9(문서).
관재구설의 수리다. 966 수리에서 뇌물을 받은 사람은 639 수리에서 들통날 수 있다. 그리고 鬼의 작용으로 문서적인 갈등이 온다. 鬼가 작용할 때는 죽고 사는 문제까지 발생할 수 있다.
따라서 건강에 유념하고 보증, 담보는 금물이다. 특히 酉 일주는 두 달이 깨지므로 그 화가 매우 크다. 방편으로는 합이 되는 일주와 같이 만나게 되면 화를 피할 수도 있다. 巳酉丑 삼합이 되는 일주를 찾아라.

• 4(안정), 4(안정), 8(財).
안정된 상태에서 재물이 뒤따른다. 합이 되는 巳酉, 일주는 안정된 상태로 재물이 들어온다. 주도수 4자(안정)에서 44가 들어왔으므로 재물을 취할 수 있는 아주 좋은 때가 온 것이다. 그러나 극이 되는 午未, 일주는 안정이 깨지고 재물이 나간다. 현재 상태에서 안정을 취해야 한다.

🌸 7, 5, 3(退食, 驚破, 鬼) ‣ 81포국 평생기본수7, 주도수5

'**주도수 5**'는 驚破. 놀라는 일, 과감한 행동, 투기의 財의 뜻을 가진다. 평생 기본수가 7자인 사람이 운에서 주도수 5자가 오면 심리적으로 과감해진다. 천간에 戊, 丙, 甲이 떠 있는 형국이다.

따라서 평생 기본수 7자에게 5자는 가장 좋은 수리다. 깜짝 놀랄만한 좋은 일이 생길 수 있다. 그러나 평생 수리라고 한다면 753 수리 때 15년간 힘든 시기를 보내야 한다. 그래도 이 시기만 잘 보내면 부동산 등으로 부자가 될 수 있는 좋은 수리다.

退 7 火	驚 5 土	鬼 3 木
寅	卯	辰
貴 1 水	財 8 木	文 9 金
巳	午	未
貴 1 水	財 8 木	文 9 金
申	酉	戌
文 9 金	鬼 3 木	鬼 3 木
亥	子	丑

• 7(퇴식), 5(驚破), 3(鬼).

첫 줄에 있는 753은 아주 좋은 수리다. 모두 양이다. 천간에 戊, 丙, 甲이 떠 있는 형국이다. 그래서 큰 변혁을 시도하는 수리다. 그리고 정신적으로 과감해진다. 그러나 평생 수리가 753 수리면 어렸을 때 15년간 힘들다. 다만 세운에서 첫 줄에 올 때는 753 수리가 아주 좋다. 뜻하는 일을 성취할 수 있다. 또한 5자가 들어 있어서 이사도 할 수 있는 운이다. 다만 극이 되는 일주는 건강, 의욕 상실, 좌절할 수도 있으니 쉬는 게 좋다.

해당하는 운의 운간(運干)과 운지(運支)를 잘 살피고 그해에 吉의 작용과 凶의 작용을 판단해라. 평생 기본수 3, 5, 7, 수리는 주도수가 5자(驚破)일 때 나쁘지 않다. 그 후에 각 달의 합과 극을 살펴야 한다.

시	일	월	년	歲
○	乙	○	○	癸
○	未	○	○	卯

위의 癸卯 년의 乙未 일주는 천간에서 水生木으로 인성의 생을 받고 지지에서는 묘미 합이 된 형국이다. 그리고 일간인 乙木이 운지에 뿌리를 내렸다. 따라서 평생 기본수 7자의 수리에서 최고의 해가 될 수 있다. 따라서 이렇게 합이 되는 일주는 아주 좋고 극이 되는 일주는 반대의 현상이 발생할 수 있다. 특히 戊亥, 일주는 3개월 동안 변화, 변동하지 않는 게 좋다.

• 1(귀인), 8(財), 9(문서).
귀인, 재물, 문서가 따른다. 귀인으로 인해 재물이 따르고 문서적으로 관록을 갖는다. 합이 되는 달에 추진하고 극이 되는 달을 피하면 된다.

• 1(귀인), 8(財), 9(문서).
대길(大吉)이라고 하는 좋은 수리가 이어지고 있다. 그동안 미루어 왔던 일이 뜻밖에 이루어질 수도 있으며 이성 간에도 행운과 명예가 따를 수 있다. 주도수 5자(경파)에 189 수리이므로 과감한 문서와 재물이 그리고 이성이나 귀인이 올 수 있다. 다만 좋은 달에 추진하는 게 좋다.

• 9(문서), 3(鬼), 3(鬼).
상문살이다. 이 933 수리 때 병에 걸리게 되면 鬼의 작용으로 인해 다음 해 764 수리에서 죽을 수도 있다. 주위가 비우호적으로 돌변하게 되므로 하는 일에 막힘이 많고 뜻하지 않는 일이 생긴다.
그리고 불의의 사고도 주의해야 한다. 즉 주도수 5자(驚破)의 33 수리이므로 교통사고나 보이스 피싱 같은 사기도 주의가 필요하다. 집안의 노인과 환자가 있으면 갑자기 사망할 수도 있는 수리다.

❀ 7, 6, 4(退食, 官, 안정) › 81포국도 평생기본수7, 주도수6

'**주도수 6**'은 官, 명예, 승진, 행운과 관련이 있다. 평생 기본수가 7자인 사람이 운에서 주도수 6자가 오면 직장이나 명예에 관한 변화가 생긴다. 따라서 부부는 이혼할 수 있고, 직장인은 직장을 퇴사할 수 있다. 즉 평생 기본수 7자에 주도수 6자의 수리는 관이 나쁘게 작용한다.

만약 작년 753 수리의 운에서 933 수리 때에 질병에 걸렸다면 금년 764 수리에서 죽을 수도 있다. 주도수 6자에 123 수리이므로 직장과 이별할 수도 있다. 다만 합이 되는 일주는 헤어진 사람을 만날 수도 있다. 그리고 평생 수리라면 관록이 있고 불의를 모르는 사람으로서 자기 스타일대로 살아간다.

退 7 火	官 6 水	安 4 金
寅	卯	辰
變 2 火	貴 1 水	鬼 3 木
巳	午	未
驚 5 土	安 4 金	文 9 金
申	酉	戌
驚 5 土	變 2 火	退 7 火
亥	子	丑

• 7(퇴식), 6(官), 4(안정).

관이 왔으나 두 번째 줄에서 213 수리가 오기 때문에 부정적으로 작용한다. 합이 되는 일주는 승진, 명예가 따를 수 있으나 극이 되는 일주는 명예에 손상이 온다. 고소, 고발 사건도 생긴다.

부부는 이혼하거나 직장인은 퇴사한다. 사업가는 직원이 나간다. 따라서 이 수리는 합과 극을 떠나서 모두 나쁘게 작용하는 수리다. 6개월 동안은 안정을 취해라.

・ 2(변화), 1(귀인), 3(鬼).

평생 기본수 7자에 213 수리는 퇴식의 이별, 헤어짐의 수리다. 그래서 이별 헤어짐의 영향이 더 크게 작용한다. 이 수리 때 자녀 결혼시켜서 내보내면 화를 면할 수 있다. 부부는 별거하는 게 하나의 방편이 된다. 직장을 퇴사하게 되면 이혼을 면할 수 있다. 다만 합이 되는 일주는 만나기도 한다. 따라서 이 수리를 부정적으로만 볼 게 아니다.

・ 5(驚破), 4(안정), 9(문서).

안정을 바탕으로 과감한 문서를 취할 수 있다. 이때부터 점차 기운을 회복하게 된다. 대부분의 일주에게 좋은 수리가 되지만 합이 되는 달에 추구하고 극이 되는 달을 피하는 게 좋다.

・ 5(驚破), 2(변화), 7(退食).

수리 2, 5, 8, 숫자는 변화를 추구하는 성질을 가진 숫자들이다. 그런데 변화를 추구하는 5자와 2자의 수리가 같이 왔기 때문에 어떤 변화가 온다. 즉 주도수가 6자이므로 직장의 변화이다. 합이 되는 일주는 뜻을 이룰 수 있다. 다만 건강에 유념해야 한다.

그러나 극이 되는 일주는 주도수 6자가 2자와 7자의 수리를 水剋火로 극을 하므로 더 많이 아플 수 있다. 따라서 교통사고와 같은 사건 사고에 대비해야 한다. 특히 내년에 775 운이 들어오므로 7자가 무려 세 개가 계속된다. 질병에 대한 예방이 필요하다.

'**주도수 7**'은 退食을 뜻한다. 평생 기본수가 7자인 사람이 운에서 주도수 7자가 오면 건강의 문제와 함께 의욕이 저하 될 수 있다. 특히 7자와 7자가 겹치므로 건강뿐만 아니라 관운도 없는 해가 된다. 오히려 고집만 세진다.

따라서 전반적으로 좌절하게 되는 수리다. 평생 수리라면 독선적이고 굉장히 강한 사람이지만 건강상의 문제와 관운이 없다고 본다. 특히 申酉 일주는 신체에 장애를 입거나 질병, 수술 등으로 고생할 수도 있다. 전문직이 잘 맞고 종교, 활인, 역학, 등을 하는 게 좋다.

退 7 火	退 7 火	驚 5 土
寅	卯	辰
鬼 3 木	鬼 3 木	官 6 水
巳	午	未
文 9 金	文 9 金	文 9 金
申	酉	戌
貴 1 水	貴 1 水	變 2 火
亥	子	丑

• 7(퇴식), 7(퇴식), 5(驚破).

평생기본수 7자에 주도수 7수리가 와서 77이 겹치게 된다. 따라서 가장 먼저 질병에 대비해야 한다. 질병, 입원, 수술 같은 문제가 생길 수 있다. 5자(경파) 수리까지 왔으므로 이사도 할 수 있다. 깜짝 놀라는 일이 생겨서 퇴식을 맞이할 수도 있다. 특히 辰戌丑未 일주는 5자(경파)가 극이 된다.

• 3(鬼), 3(鬼), 6(官).

상문살이다. 또는 삼삼하게 풀리는 운이라고도 한다. 따라서 극단적인 수리다. 鬼가 어느 쪽으로 작용하느냐에 따라 좋을 수도 있고 나쁠 수도 있다. 좋을 때는 최고로 좋고 나쁠 때는 최악으로 나쁘다. 다만 주도수 7자(퇴식)가 상문이라 합이 되는 일주도 조심해야 한다.

특히 주도수 7자에 33 수리가 왔으므로 더 흉하게 본다. 따라서 심리적, 정신적 갈등이 고조되어 일반적인 생활에 안정을 취하지 못하고 현실 도피를 생각하게 된다. 즉 현실에서 도망하고 싶어 한다.

· 9(문서), 9(문서), 9(문서).

문서의 여행이다. 해외여행이 가능하고 명예와 승진도 따른다. 9(문서)가 합이 되면 문서와 명예를 동시에 취할 수 있으므로 최고 좋다. 극이 되는 일주는 문서가 떠날 수 있으므로 먼 곳으로 여행을 다녀오는 게 좋다. 고향을 떠나서 타향으로 현실 도피할 수 있다. 따라서 극이 되는 달을 피해서 합이 되는 달에 문서와 명예를 추진해야 한다.

· 1(귀인), 1(귀인), 2(변화).

새로운 사람으로 인한 변화다. 귀인이 쌍으로 왔다. 귀인은 동료, 제자, 친구, 또는 이성이나 동업자로 볼 수도 있다. 합이 되는 달에 만난 귀인이 도움이 되는 사람이다.

그러나 퇴식 운에서 만난 사람이기 때문에 크게 좋은 결과를 얻지 못한다. 또는 귀인을 만났으나 그 귀인의 마음이 변할 수도 있다. 따라서 내담자가 어떤 상황인지 먼저 물어봐야 한다. 극이 되는 일주는 자신의 배우자가 다른 사람을 만날 수도 있다.

'**주도수 8**'은 財와 관련이 있다. 평생 기본수가 7자인 사람이 운에서 주도수 8자가 오면 재물을 추구하고자 하는 욕구가 강해진다. 합이 되는 일주는 재물뿐만 아니라 명예, 문서, 투자 등 아주 좋게 풀리는 수리다. 따라서 평생 기본수 7자 수리에서 가장 좋은 수리다.

그러나 극이 되는 일주는 돈이 나갈 수 있으므로 자녀를 결혼시켜 내보는 게 좋다. 평생 수리라면 辰戌丑未 일주는 문서가 깨지므로 사업에 불리함이 있다. 따라서 세운을 잘 참작해야 한다. 문서는 세운이 좋으면 대운이 좋지 않더라도 취할 수 있다. 사업도 가능한 수리이다.

退 7 火	財 8 木	官 6 水
寅	卯	辰
安 4 金	驚 5 土	文 9 金
巳	午	未
安 4 金	驚 5 土	文 9 金
申	酉	戌
官 6 水	文 9 金	官 6 水
亥	子	丑

• 7(퇴식), 8(財), 6(官).

재물과 관이 같이 들어왔다. 합이 되는 일주는 재물도 따르며 명예, 승진 분야에서 능력을 발휘할 수 있다. 즉 財生官 할 수 있다. 그러나 극이 되는 일주는 돈이 나갈 수 있으므로 땅에 묶어두거나 자녀 결혼시키면 좋다. 子午卯酉 일주는 부동산에 투자하는 게 좋다.

• 4(안정), 5(驚破), 9(문서).

안정된 상태에서 과감하게 뜻을 이룬다. 과감하게 밀고 나가라. 합이 되는 일주는 승진을 할 수 있고 사업가는 큰 재산 문서를 취할 수 있다. 좋은 수리이므로 합이 되는 달에 추구하고 극이 되는 달을 피해라. 주도수 8자에 5자(경파)는 큰 재물이나 부동산을 뜻한다.

· 4(안정), 5(驚破), 9(문서).

459 무난한 수리가 이어지고 있다. 따라서 직장인은 승진을 할 수 있는 좋은 기회이고 사업가는 재산 문서를 취할 수 있다. 큰 교섭이나 거래가 무난하며 명예와 관록이 유지되어 뜻을 성취할 수 있다. 극이 되는 달만 피해서 추진하면 좋다.

· 6(관), 9(문서), 6(관).

행운의 수로서 관, 명예, 승진, 행운, 그리고 문서와 관련된 수리가 왔다. 한 단계 더 성장할 수 있는 수리다. 합이 되는 일주는 최고의 명예를 취할 수 있다. 평생 기본수 7자 수리에서 가장 좋은 수리다. 그러나 극이 되는 일주는 관이 칠살로 변해서 치므로 아플 수 있다.

❀ 7, 9, 7(退食, 문서, 退食) ▸ 81포국도 평생기본수7, 주도수9

'**주도수 9**'는 문서와 관련이 있다. 문서의 안에는 관, 명예, 행운까지 들어 있다. 평생 기본수가 7자인 사람이 운에서 주도수 9자가 오면 문서나 학문과 관련된 일이 생긴다. 그런데 양쪽에 퇴식(退食)이 와 있으므로 퇴식의 문서이다. 따라서 문서와 관련된 일은 성취하기 어렵고 최악의 상황을 맞이할 수도 있다.

전반기 6개월 동안 합과 극의 수리를 떠나서 불운이 이어질 수 있다. 평생 수리라고 한다면 청년기까지 공부에 어려움을 겪게 되고 부모이혼, 사업부도, 직장 퇴사와 같은 일이 생길 수 있는 수리다. 주도수 9자(문서)에 573 수리는 합과 극을 떠나서 모두 깨진다. 따라서 일을 확장하지 말고 현재 상태를 유지하는 게 좋다. 그리고 건강 검진을 받아 봐라.

退 7 火	文 9 金	退 7 火
寅	卯	辰
驚 5 土	退 7 火	鬼 3 木
巳	午	未
財 8 木	貴 1 水	文 9 金
申	酉	戌
變 2 火	財 8 木	貴 1 水
亥	子	丑

• 7(退食), 9(문서), 7(退食).

양쪽에 퇴식이 왔으므로 퇴식의 문서다. 따라서 변화하지 말고 현재 상태를 유지하는 게 좋다. 직장문서, 건강문서도 될 수 있다. 문서 보증이나 담보 같은 일은 절대 금물이다. 특히 건강에 신경 써야 하는 수리다. 이 수리가 왔을 때는 합과 극을 떠나서 모두 힘들다.

• 5(驚破), 7(退食), 3(鬼),

대흉의 수리다. 정신적 불안과 심리적 갈등이 고조된다. 7자에는 건강뿐만 아니라 배신자도 따르므로 부부이혼, 직장 퇴사, 노약자는 사망에 이를 수도 있다. 합이든 극이든 이 수리는 흉하다. 흉의 작용이 다양하게 오기 때문에 현재 상태를 유지하고 변화, 변동하지 않는 게 좋다.

· 8(財), 1(귀인), 9(문서),
대흉의 다음에 오는 대길수다. 불운한 상황을 벗어났으므로 점진적으로 발전을 기대할 수 있다. 재물, 귀인, 문서, 적인 측면에서 발전이 예상되는 수리다. 다만 극이 되는 寅卯, 일주는 7, 8월까지 어떤 일이든 추구해서는 안 된다.

· 2(변화), 8(財), 1(귀인),
외부적인 변화로 인해 재물을 취할 수 있고 귀인도 따른다. 이때 귀인은 이성도 될 수 있고, 동업자도 될 수 있다. 주도수 9자에 따른 변화이므로 학생은 시험의 결과가 좋을 수도 있다. 다만 극이 되는 일주는 사람으로 인해 재물이 나갈 수 있다.

✿ '수리 7'의 핵심 요약

7자 수리의 특성	退食, 건강 문제, 의욕 상실, 인덕이 없고 관운이 없다. 어렸을 때 잔병으로 고생한다. 그러나 친화력이 강하다. 자기희생 요소로 본다. 운에서 7자가 올 때 합과 극을 떠나서 건강에 문제가 생길 수 있다. 특히 극이 되는 일주는 退食이나 건강에 더 큰 문제가 발생한다. 평생 운일 때는 배신자도 따르고. 사람도 잃는다.
흉(凶) 운	• 729수리(변화) 일 년 동안 뜻대로 풀리지 않는다. 관재구설이 따르고 몸도 아프다. • 764수리(官) 전반기 때 이별, 헤어짐(213). 관이 칠살로 변한다. • 775수리(退食) 퇴식 운에 전반기 상문(336), 과격한 숫자 77이 겹쳐서 그 작용이 더 강하다. • 797수리(양쪽 퇴식의 문서) 전반기 때 대흉수(573). 모든 일주가 합과 극을 떠나서 힘들다.
길(吉) 운	• 753수리(驚破) 전반기 대길수(189), 포국도 첫째 줄에 오는 753, 573 수리는 나쁘지 않다. 다만 극이 되는 달만 주의하면 된다.

8) 평생 기본수 8수리 _ 81포국도 평생기본수8

평생 기본수 8자는 돈과 재물을 의미한다. 따라서 남녀 모두 재물에 관한 의욕이 강하고 실리를 추구하는 성향이 강하다. 이러한 성격으로 인해 항상 주머니에 돈이 있어야 불안하지 않다. 항상 평범한 것은 좋아하지 않고 정열적으로 극단적인 생활을 하여 파란만장한 인생을 살 수 있다.

❀ 8, 1, 8(財, 신생, 財) ‣ 81포국도 평생기본수8, 주도수1

'주도수 1'은 生, 貴人, 새로운 동반자, 새로운 일 등과 관련이 있다. 평생 기본수가 8자인 사람이 운에서 주도수 1자가 오면 새로운 귀인을 만나거나 새로운 일을 할 수 있는 운이다. 평생 기본수 8자는 근면 성실한 성격으로 작은 재물에도 욕심을 갖는다.

따라서 투기 같은 행위를 하지 않고 저축하는 정신이 강하다. 공직에 진출하더라도 경제 분야에 적합한 수리다. 특히 819 수리는 81 수리 중에서 최고 좋은 수리다. 평생 수리라고 한다면 귀인도 따른다. 그러나 아무리 좋은 수리일지라도 극이 되는 수리는 그에 따른 화를 피하기 어렵다. 일주에 따라 두세 번 결혼할 수도 있다.

財 8 木	貴 1 水	文 9 金
寅	卯	辰
財 8 木	貴 1 水	文 9 金
巳	午	未
財 8 木	貴 1 水	文 9 金
申	酉	戌
官 6 水	鬼 3 木	文 9 金
亥	子	丑

선천수 ‣ 1,6_水 2,7_火 3,8_木 4,9_金 5,10_土
주도수 ‣ 1_生,貴 2_變 3_鬼 4_安 5_驚破 6_官 7_退食 8_財 9_文

• 8(財), 1(귀인), 9(문서).
대길수이다. 819 수리는 재물, 귀인, 문서와의 관계가 서로 金生水를 하므로 운의 흐름이 좋다. 같은 대길수 라도 189 수리는 水生木, 金剋木의 흐름으로 바뀐다. 그리고 819 수리는 8자의 수리 중에서 가장 좋은 수리다.

189 수리와 819 수리는 뜻은 같으나 성격이 서로 다르다. 평생 기본수 1자 수리는 하나에 만족하지 못하고 다양한 것에 관심이 많은 다중 취미와 음란함이 있다. 그리고 평생 기본수 8자 수리는 근면 성실한 성격으로 재물에 관심이 많다.

합이 되는 일주는 귀인의 도움으로 재물과 문서 그리고 명예까지 따르므로 자신이 추구하는 목적을 이룰 수 있다. 주도수 1, 6, 9, 수리에는 결혼도 할 수 있는 확률도 높아서 좋다.

• 8(財), 1(귀인), 9(문서).
대길수에 해당하는 819 수리가 두 번째 줄까지 이어지고 있다. 합이 되는 일주는 아주 좋은 수리이지만 아무리 좋은 수리 일지라도 극이 되는 일주는 불운이 따를 수 있다.

寅巳申亥 일주는 재물이 깨진다. 평생 수리라면 8년씩 깨진다.

子午卯酉 일주는 귀인이 깨진다. 직원을 바꾸면 이혼을 면할 수 있다.

辰戌丑未 일주는 문서가 깨진다. 평생 수리라면 9년씩 깨진다. 문서의 안에는 명예까지 있으므로 그 충격이 매우 크다. 문서가 깨질 때는 다른 공부를 하나 더 한다면 화를 면할 수 있다. 대운이 9년 깨지더라도 세운 때 문서가 합이 된다면 문서를 취할 수 있다.

• 8(財), 1(귀인), 9(문서).
대길수에 해당하는 819 수리가 세 번째 줄까지 이어지고 있다. 819 수리가 좋은 이유는 3, 5, 7, 같은 과격한 숫자가 없기 때문이다. 즉 죽고 사는 문제가 생기지 않기 때문이다.

평생 수리라고 한다면 子午卯酉 일주는 귀인이 깨지므로 결혼을 두 번, 세 번 할 수도 있다. 따라서 해당하는 해에 사업가는 직원을 내보내든가 부부간에 멀리 떨어져 지내는 것도 하나의 방편이 될 수 있다.

辰戌丑未 일주는 문서가 깨지므로 학생은 학교를 바꾸면 되고 직장인은 직장을 이동하면 된다. 그리고 1, 6, 9, 수리에 결혼도 가능하므로 이성의 만남도 가능한 수리이다.

• 6(官), 3(鬼), 9(문서).

관재구설 수리다. 관재구설은 형,충,파,해, 원진으로 깨지느냐, 안 깨지느냐에 따라 크게 다르다. 합이 되는 일주는 鬼의 작용으로 문서와 명예를 취할 수 있다. 취업이나 승진할 수도 있는 수리이다.

평생 수리라고 한다면 노년에 관재구설이 온다. 639 수리와 369 수리는 대운이 합이 되어 좋으면 관재구설의 영향력이 약하고, 극이 되어 나쁘면 관재구설이 강하게 온다. 이렇게 좋은 수리에 사망할 때는 천수(天數)를 다했다는 표현을 사용한다.

8, 2, 1(財, 변화, 신생) › 81포국도 평생기본수8, 주도수2

'**주도수 2**'는 변화, 변동, 갈등의 뜻을 가진다. 평생 기본수가 8자인 사람이 운에서 주도수 2자가 오면 귀인과 재물에 대한 변화, 변동이 생긴다. 즉 재물의 변동운이 왔으므로 새로운 일을 하고 싶은 의욕이 생긴다.

그러나 두 번째 줄에 상문이 들어오므로 변화하지 않는 게 좋다. 다만 10월 이후에 합이 되는 달에 변화하라. 평생 수리라고 한다면 주도수가 2자이므로 평생 변화가 많은 수리다. 따라서 변화가 많은 직업을 구하는 게 좋다. 사업가는 이 수리 때 확장이나 이전하게 되는 경우가 많은데 파산의 원인이 될 수 있다.

평생 수리라고 한다면 어렸을 때 상문이 들어와서 힘들었고, 중년의 시기에는 관재구설로 힘들 수 있다. 즉 부부이혼이나 333 鬼의 작용으로 줄초상도 날 수 있는 수리이다.

財 8 木	變 2 火	貴 1 水
寅	卯	辰
文 9 金	鬼 3 木	鬼 3 木
巳	午	未
鬼 3 木	官 6 水	文 9 金
申	酉	戌
變 2 火	變 2 火	安 4 金
亥	子	丑

• 8(財), 2(변화), 1(귀인).

변화, 변동으로 귀인도 따르고 재물도 따른다. 즉 합이 되는 일주는 귀인과 재물이 따를 수 있다. 주도수가 2자(변화)이므로 이사, 개업, 사업 확장 같은 변화를 하게 된다. 그러나 두 번째 줄에 933 상문이 들어오기 때문에 변화하지 않는 게 좋다. 특히 극이 되는 일주는 변화하지 마라.

• 9(문서), 3(鬼), 3(鬼).

상문살이다. 주도수 2자(변화)의 상문이므로 변화에 따른 사건, 사고와 관련이 깊다. 즉 교통사고와 같이 밖에 돌아다니다가 발생하게 되는 상문이다.

주변 사람이 상문을 당하게 되면 자신은 상문을 면할 수 있다. 특히 33 鬼가 부정적으로 작용하여 부부는 의부증, 의처증 같은 정신적인 문제가 생길 수도 있다.

상문살은 대운과 세운 그리고 월운뿐만 아니라 일진까지 겹치게 된다면 그 영향력은 매우 크다. 따라서 문서적으로 확실히 하는 게 좋다. 그래도 주도수의 오행과 극하는 관계가 아니다.

• 3(鬼) 6(官), 9(문서),

관재구설은 극을 당하면 더 크게 발생한다. 합이 될 때는 승진을 할 수도 있다. 333으로 鬼의 연속적인 작용으로 심리적으로 불안하고 잘못하면 초상이 연속될 수도 있다.

933 수리에서 상문을 당했다면 유산으로 인한 관재구설이 생기고, 돌아다니다 교통사고로 사망하였다면 보험사와의 분쟁이 생길 수도 있다.

• 2(변화) 2(변화), 4(안정),

변화가 두 번 쌍으로 들어왔다. 주도수 2자에 22 수리로서 변화가 연속으로 들어왔기 때문에 변화를 할 수밖에 없다. 따라서 합이 되는 달에 변화, 변동하면 된다.

그러나 환경이 허락하지 못한 사람은 변화하고 싶은 마음은 있으나 변화, 변동을 할 수 없는 경우도 생긴다. 이럴 때는 여행을 다녀오면 마음의 안정이 된다. 특히 午未, 일주는 두 달이 깨지므로 11, 12월에 변화, 변동하지 마라.

8, 3, 2(財, 鬼, 변화) ‣ 81포국도 평생기본수8, 주도수3

'**주도수 3**'은 심리적 갈등, 망하게 한다는 의미가 있다. 평생 기본수가 8자인 사람이 운에서 주도수 3자가 오면 심리적 갈등이 따르고 종교, 철학, 역학, 등에 관심을 가진다. 鬼가 긍정적으로 작용하면 아주 좋고 나쁘게 작용하면 귀신 곡할 일이 생긴다.

평생 수리라면 초기에 오는 3자는 鬼의 작용으로 인해 영적인 두뇌를 가질 수 있고, 극이 되는 일주는 죽거나 장애를 입을 수도 있다. 특히 33이 겹치는 수리는 그 영향이 더 크다. 그래서 종교인, 철학자, 역학자, 무속인, 등에 진출하는 게 좋다.

財 8 木	鬼 3 木	變 2 火
寅	卯	辰
貴 1 水	驚 5 土	官 6 水
巳	午	未
退 7 火	變 2 火	文 9 金
申	酉	戌
退 7 火	貴 1 水	財 8 木
亥	子	丑

· 8(財), 3(鬼), 2(변화).

鬼의 작용으로 재물과 정신적인 면에서 변화가 올 수 있다. 합이 될 때는 좋은 수리가 되지만 극이 되는 일주는 정신적 갈등이 심하게 온다. 특히 종교, 철학에 관심을 가지게 된다. 따라서 3자는 극과 극의 수리다. 그리고 합이 되는 달에 변화, 변동해야 한다.

· 1(귀인), 5(驚破), 6(官).

혁명 혁신의 수리다. 귀인의 도움으로 자신의 실리적 이익이 따르며 현실적 방안으로 모색하는 시기다. 두 개가 깨지는 일주는 혁명에 실패하고 합이 되는 일주는 성공한다.

丑 일주는 1자에 巳丑, 합이 되어 귀인으로 알았으나 5자와 6자에서 丑午 원진, 丑未 충으로 두 번이 깨진다. 따라서 귀인이 아니다. 즉 귀인으로 인해 혁명, 혁신에 실패한다. 만약 156 수리에서 중앙에 5자가 午酉, 파로 깨지더라도 하나만 깨질 때는 혁명에 성공한다.

• 7(退食), 2(변화), 9(문서).

729 수리는 뜻하는 것이 잘 이루어지지 않는다. 그러나 9자 문서가 합이 되는 일주는 문서적으로 뜻을 이룰 수 있다. 극이 되는 일주는 변화하지 말고 현재 상태를 유지해야 한다.

• 7(退食), 1(귀인), 8(財).

건강에 유념하고 귀인의 도움으로 재물이 따른다. 寅巳申亥 일주는 건강이 문제되고, 子午卯酉 일주는 귀인이 아니다. 또한 1자 귀인과 합이 되는 일주도 나머지 두 개가 깨지면 귀인이 아니다. 귀인 때문에 재물이 나간다.

❀ 8, 4, 3(財, 안정, 鬼) ▶ 81포국도 평생기본수8, 주도수4

'**주도수 4**'는 안정과 여유의 뜻을 가진다. 평생 기본수가 8자인 사람이 운에서 주도수 4자가 오면 안정하지 못하고 심리적 불안과 함께 재와 문서에 문제가 생긴다. 두 번째 줄부터 279 수리로 이어지면서 운이 힘들게 들어오고 마지막에는 상문살이다.

따라서 821, 832, 843, 854, 수리까지 재물을 모으기 힘든 수리가 이어지고 있다. 물론 합이 되는 수리는 좋을 수도 있으나 극이 되는 수리는 잘 풀리지 않으므로 힘들게 느껴진다. 이 수리는 주도수 4자가 와서 안정하라는 수리이지만 합이 되는 일주도 안정을 취하기 힘들다.

왜냐하면 두 번째 줄부터 오는 수리들이 나쁘기 때문이다. 만약 평생 수리라고 한다면 子午卯酉 일주가 가장 나쁘다. 77 퇴식의 수리가 이어지면서 건강이 나빠지고 왕지의 충이므로 그 충격이 더 크다. 사업가는 393 수리에 망하게 된다. 그리고 상문살이므로 사망할 수도 있다. 평생 기본수 8자 중에서 가장 나쁜 수리다.

財 8 木	安 4 金	鬼 3 木
寅	卯	辰
變 2 火	退 7 火	文 9 金
巳	午	未
變 2 火	退 7 火	文 9 金
申	酉	戌
鬼 3 木	文 9 金	鬼 3 木
亥	子	丑

· 8(財), 4(안정), 3(鬼).

주도수 4자가 왔으므로 안정과 여유를 가져 라는 수리이지만 鬼의 작용으로 안정하기 힘들다. 합이 되는 일주는 안정을 바탕으로 현실에 대처해라. 귀신 곡할 일이 생긴다. 특별 수리에 해당하는 279, 279, 393, 수리로 이어지기 때문에 아주 힘든 수리다. 합과 극을 떠나서 생각처럼 잘 풀리지 않는 수리다.

· 2(변화), 7(退食), 9(문서).

寅巳申亥 일주는 변화를 하게 된다. 그러나 현재 상태를 유지하고 변화를 해서는 안 된다. 2자와 7자의 수리가 火剋金으로 주도수 4자를 친다. 주도수의 오행은 마지막으로 살펴라.

평생 수리라면 寅巳申亥 일주는 2년 깨지고, 子午卯酉 일주는 7년 깨지고, 辰戌丑未 일주는 9년 깨진다. 그러나 퇴식으로 깨지는 子午卯酉 일주는 건강이 무너지고 왕지의 충이므로 가장 나쁘다. 문서가 9년 깨지는 辰戌丑未 일주는 세운이 좋을 때 문서를 취할 수 있다.

· 2(변화), 7(退食), 9(문서).

279 수리를 속된 말로 오방(다섯방향)산신난동수라고 한다. 그만큼 혼란스럽다는 뜻이다. 혼란스러운 상황에서는 현재 상태를 유지하는 게 좋다.

학생은 공부 안 되고, 직장인은 퇴사할 수도 있으나 만약 퇴사하게 되면 나쁜 운이 계속 이어지기 때문에 취업하기 어렵다. 따라서 변화, 변동보다는 현재 상태를 유지하는 게 좋다.

· 3(鬼), 9(문서), 3(鬼).

상문살이다. 鬼의 작용으로 자살 충동까지 느낄 수 있다. 그리고 노인과 환자는 사망할 수 있다. 변동하지 말고 현실을 유지하는 게 좋다.

만약 전반기 때 사업을 시작했다면 393 수리에 망하게 되는 경우도 생긴다. 상문살이므로 노인과 환자는 사망할 수도 있다.

✿ 8, 5, 4(財, 驚破, 鬼) ˃ 81포국도 평생기본수8, 주도수5

'**주도수 5**'는 驚破. 과감한 행동, 투기의 財를 뜻한다. 평생 기본수가 8자인 사람이 주도수 5자가 오면 정신적 물질적으로 놀라는 일이 생기게 된다. 따라서 모든 것을 문서화해야 할 필요가 있다.

854 수리 때 운에서 주도수 5자가 왔으므로 먼저 투기의 재를 생각하게 된다. 그래서 부동산을 취득하려다가 바로 상문을 당하게 된다. 5자는 과감성을 뜻하기도 하므로 이 수리 때는 다른 때 보다 과감한 행동을 하게 된다.

평생 수리라고 한다면 부동산에 투자하면 좋다. 그래도 합이 되는 해와 달에 투자해라. 팔자가 좋다는 말이 있듯이 평생 기본수 8자의 수리가 좋을 것 같으나 8자의 수리에는 그렇게 좋은 수리가 많지 않다.

평생 수리라고 한다면 돈이 많은 수리이지만 그 돈을 지키기 어려운 수리다. 8자는 자신의 이익만을 추구하는 성향이 강하다. 주도수 5자에 393 상문은 부동산을 유산으로 받을 수도 있다.

財 8 木	驚 5 土	安 4 金
寅	卯	辰
鬼 3 木	文 9 金	鬼 3 木
巳	午	未
官 6 水	鬼 3 木	文 9 金
申	酉	戌
財 8 木	財 8 木	退 7 火
亥	子	丑

• 8(財), 5(경파), 4(안정).

평생 기본수 8자는 잔돈에는 애착이 많으면서 큰 재물에는 약한 면이 있다. 즉 근면하고 검소하여 안정을 추구하므로 투기를 싫어한다. 그러나 주도수 5자가 왔으므로 과감해진다.

두 번째 줄부터 상문살과 관재구설 수리가 이어지고 있다. 즉 놀라는 사건이 상문으로 이어진다. 따라서 현실적인 안정이 필요하며 정신적인 측면에서 능력이 저하된다. 5자는 부동산과 관련이 깊다. 합이 되는 달에 땅에 투자해라.

- 3(鬼), 9(문서), 3(鬼).

상문살이 왔다. 주도수 5자의 상문이라 죽을 만큼 힘든 문서를 뜻하므로 직장 그만두고 땅 투기를 할 수 있다. 9자 수리에 문서가 합이 되는 일주는 땅을 사도 된다. 그러나 극이 되는 일주는 사기를 당할 수도 있다. 따라서 극이 되는 일주는 부동산에 투자하는 게 좋지 못하다. 교통사고도 주의해야 한다. 그래서 현재 직장을 유지하고 현실에 대처하는 게 좋다. 상문에는 되는 일이 없다. 환자와 노인은 사망할 수도 있는 수리다. 주도수 5자의 393 상문에는 부동산을 유산으로 받을 수도 있다. 주도수 8자에 393 상문에는 돈을 유산을 받을 수도 있다.

- 6(官), 3(鬼), 9(문서).

관재구설이다. 이때 관재구설은 놀라는 사건이나 부동산과 관련이 있다. 특히 주도수 5자의 관재구설은 과감해지므로 더 크게 온다.

그러나 합이 되는 일주는 관으로 인한 문제가 점진적으로 풀려나가므로 확고한 판단을 내릴 때는 과감한 행동으로 끝맺는 것이 좋다.

아무리 잘 나가더라도 극이 될 때는 관재구설로 소송이 걸리거나 부도가 날 수도 있다. 부도를 막을 수 있는 방편은 주변 사람에게 일을 맡기고 자신은 뒤로 물러나 있으면 된다.

만약 393 수리에서 상문이 나지 않았다면 639 수리에서 상문을 당할 수도 있다. 차라리 상문을 당하게 되면 관재구설을 면할 수 있다. 이 수리에는 모든 것을 문서화해야 한다.

- 8(財), 8(財), 7(退食).

재물 운이 들어왔다. 따라서 재물에 관한 욕구가 강해진다. 다만 건강에 유의해야 한다. 합이 되는 일주는 재물을 취할 수 있으나 극이 되는 일주는 재물이 나간다. 특히 주도수 5자의 8자 수리이므로 재물이 크다.

그래도 이 수리는 전반기 6개월 동안의 침체기에서 벗어난 수리이므로 좋은 수리다. 합이 되는 수리는 큰 재물을 취할 수 있고, 반대로 극이 되는 일주는 건강 때문에 놀라게 되고 재물이 나간다.

❀ 8, 6, 5(財, 官, 驚破) › 81포국도 평생기본수8, 주도수6

'**주도수 6**'은 官. 명예, 승진, 행운의 뜻이 있다. 평생 기본수가 8자인 사람이 운에서 주도수 6자가 오면 官, 명예, 행운, 승진과 관련해서 재물까지 따른다. 따라서 이 수리가 세운에서 올 때는 그해는 무난하게 보낼 수 있다. 학생은 시험합격, 직장인은 취업, 그리고 주도수 1, 6, 9, 수리에는 결혼 확률도 높아서 미혼 남녀가 혼인을 할 수도 있다.

만약 평생 수리라고 한다면 명예가 왔으므로 공직으로 진출하는 게 좋다. 평생 편안한 사람이다. 즉 573, 753, 393, 933, 수리와 같은 죽고 사는 문제가 생기지 않기 때문이다. 공직으로 나가면 경제 쪽으로 나가는 게 좋다. 특히 대운과 세운이 겹칠 때는 더 좋다. 그러나 아무리 수리가 좋아도 극이 되는 일주는 힘들게 보낼 수 있다.

財 8 木	官 6 水	驚 5 土
寅	卯	辰
安 4 金	變 2 火	官 6 水
巳	午	未
貴 1 水	財 8 木	文 9 金
申	酉	戌
安 4 金	退 7 火	變 2 火
亥	子	丑

• 8(財), 6(관), 5(驚破).

관운이 와서 과감하게 재물과 명예를 취할 수 있다. 즉 관으로 순조롭게 뜻을 이룰 수 있다. 그리고 수리가 좋으니 아무리 나쁘다 할지라도 그해에는 무난하게 보낼 수 있다. 다만 6자가 극이 되는 일주는 칠살이 되므로 질병에 주의해라.

• 4(안정), 2(변화), 6(官).

이사, 변화, 변동, 직장, 명예, 모든 것이 뜻대로 이루어진다. 주도수 2자에 6자의 수리는 직장의 변동이다. 주도수 6자에 6자의 수리가 극이 되면 퇴사하는 일이 생긴다. 수리가 좋아서 극이 되는 일주도 크게 충격을 받지 않는다.

극이 될 때 子午卯酉 일주는 변화하지 않으면 되는 것이고, 辰戌丑未 일주는 자리를 보존하면서 승진은 다음 기회에 해도 되는 정도이다. 그리고 寅巳申亥는 일주는 안정이 깨지는 정도에 그친다. 즉 좋은 수리 때는 극이 되는 일주도 그다지 큰 화를 입지 않는다.

• 1(귀인), 8(財), 9(문서).

귀인의 도움으로 재물과 문서가 따른다. 귀인, 재물, 문서 중에서 최소한 어느 하나는 취할 수 있다. 그래서 대 길(吉) 수라고 한다. 그러나 子午卯酉 일주는 8자가 극이 되므로 나가는 돈이 생길 수 있다. 주도수가 6자이므로 벌금이나 공과금 그리고 독촉장, 압류와 같은 일이 생길 수 있다.

• 4(안정), 7(퇴식), 2(변화).

변화, 변동으로 안정이 깨지고 퇴식이 온다. 주도수 6자가 7자의 수리를 극한다. 즉 오행이 水剋火가 된다. 편관으로부터 7자의 수리가 극을 당하므로 더 아프다. 특히 午未, 일주는 두 달이 깨지므로 건강에 유념해야 한다. 따라서 극이 되는 일주는 변화, 변동하지 말고 현실을 유지하라.

8, 7, 6(財, 退食, 官) ▸ 81포국도 평생기본수8, 주도수7

'**주도수 7**'은 퇴식의 뜻이 있다. 평생 기본수가 8자인 사람이 운에서 주도수 7자가 오면 질병과 퇴식에 관련된 일이 생길 수 있다. 만약 자신이 아프지 않으면 가족 중에 누가 아플 수 있으므로 건강 검진을 받아 볼 필요가 있다.

그래도 평생 기본수 8자에서 7자의 수리가 오는 해는 운이 좋게 풀린다. 즉 평생 기본수 8자에 7자의 수리는 가장 좋게 풀리고, 평생 기본수 9자에서 7자의 수리는 가장 나쁘게 작용한다. 운이 좋고 나쁘고의 판단은 두 번째 줄을 보고 판단하라. 이 수리는 무난수가 들어온다.

財 8 木	退 7 火	官 6 水
寅	卯	辰
驚 5 土	安 4 金	文 9 金
巳	午	未
驚 5 土	安 4 金	文 9 金
申	酉	戌
文 9 金	官 6 水	官 6 水
亥	子	丑

• 8(財), 7(退食), 6(官).

주도수 7자가 퇴식이므로 질병이 올 수 있다. 6자의 수리가 편관의 작용을 하여 재물이 나가고 퇴식을 맞이한다. 특히 주도수에 7자가 왔으므로 건강부터 챙겨야 한다.

주도수 7자는 火를 뜻하므로 심장과 관련된 질환이다. 특히 子午卯酉 일주는 극을 당하므로 더 건강에 유념해야 한다. 이 수리에 해당하는 3개월 동안은 현실적인 안정이 중요하다.

• 5(驚破), 4(안정), 9(문서).

과감하게 안정적인 문서를 취할 수 있다. 합이 되는 일주는 무난하게 목적을 이룰 수 있는 수리다. 그러나 5자의 수리는 놀라는 사건을 뜻하고, 주도수가 7자 퇴식의 운이므로 어떤 사건, 사고가 발생할 수 있다.

특히 寅巳申亥 일주는 놀라는 사건이 발생할 가능성이 무척 크다. 주도수가 7자의 수리이므로 사람도 잃을 수 있다. 따라서 마음의 여유를 갖고 현실에 대처하라. 그래도 수리가 무난하여 합이 되는 일주는 목적을 성취할 수 있다.

• 5(驚破), 4(안정), 9(문서).

무난한 수리인 549 수리가 이어지고 있다. 합이 되는 일주는 좋은 수리이지만 극이 되는 일주는 놀라는 사건에 휘말리게 될 수 있으므로 주의가 필요하다. 따라서 현실에 안주하며 시간에 대처하라.

寅巳申亥 일주는 건강과 관련해서 놀라는 일이나 사건이 생길 수 있다.

子午卯酉 일주는 안정이 깨지는 정도이다.

辰戌丑未 일주는 문서가 극을 당하므로 빚보증이나 담보 같은 문서에 신중해야 한다.

• 9(문서), 6(官), 6(官).

관, 명예, 승진, 행운과 관련하여 도약적인 비전이 있다. 즉 한 단계 더 성장할 수 있는 좋은 수리다. 주도수가 7자이므로 학생은 공부가 잘 안될 수 있으나 이 966 수리에는 공부 잘된다.

그러나 아무리 좋은 수리도 극이 되는 일주는 주도수 7자(퇴식)에 66 편관이 작용하게 되므로 아플 수 있고, 관재구설이 따를 수도 있다. 따라서 합이 되는 일주는 행운의 수로 작용하게 되고 극이 되는 일주는 관재구설이 될 수 있다. 그래도 이 수리는 건강관리만 잘하면 수리가 좋아서 잘 넘어갈 수 있다.

🌸 8, 8, 7(財, 財, 退食) ▸ 81포국도 평생기본수8, 주도수8

'**주도수 8**'은 財와 관련이 있다. 평생 기본수가 8자인 사람이 운에서 주도수 8자가 오면 재물에 대한 욕구가 강해진다. 그리고 평생 기본수 8자는 근면하고 검소한 성격으로 투기를 잘하지 않으나 이 수리에서 네 번째 줄 551 수리 때는 과감하게 투기의 재를 추구할 수 있다.

특히 887 수리는 상승기에 있는 수리라서 아주 좋은 수리이다. 그러나 극이 되는 일주는 재물과 건강에 문제가 생길 수 있다. 평생 기본수 8자에 주도수가 8자이므로 돈 벌다가 건강을 망칠 수 있다. 그리고 평생 기본수 8자의 남자는 실속 때문에 남에게 돈을 맡기지 않는 성향이 있다.

財 8 木	財 8 木	退 7 火
寅	卯	辰
官 6 水	官 6 水	鬼 3 木
巳	午	未
文 9 金	文 9 金	文 9 金
申	酉	戌
驚 5 土	驚 5 土	貴 1 水
亥	子	丑

• 8(財), 8(財), 7(퇴식).

재물의 운이 왔으므로 돈에 대한 욕구가 강하다. 합이 되는 일주는 오행이 木生火로서 퇴식의 큰 영향을 받지 않고 재물을 취할 수 있다. 그러나 극이 되는 일주는 재물이 나가고 건강에 문제가 생긴다.

특히 申酉 일주는 88 재물이 들어왔으므로 돈을 벌다가 건강을 잃어버린다. 그뿐만 아니라 7자에는 사람도 잃을 수 있으므로 주의가 필요하다.

• 6(官), 6(官), 3(鬼).

 관운이 鬼와 함께 왔다. 합이 되는 일주는 명예와 승진이 따른다. 그러나 극이 되는 일주는 鬼의 발동으로 관이 칠살로 변하여 건강에 문제가 생긴다. 직장을 나오거나 관재구설이 올 수도 있다.

특히 辰戌丑未 일주는 3자(鬼)가 극이 되므로 질병에 조심해야 한다. 다음 수리가 999 수리이다. 즉 3자(鬼)에 999 수리가 연결되면 중풍이 오는 경우가 많다. 환자는 현실에 안주하지 못하고 현실에서 도피하고 싶어 한다.

• 9(문서), 9(문서), 9(문서).

문서의 여행 수이다. 문서가 떠난다는 뜻이다. 그런데 바로 앞 달에서 3자 수리인 鬼가 작용하였고, 999 수리에서 金剋木으로 상극을 하는 관계이므로 중풍이 올 수 있다.

특히 辰戌丑未 일주가 주의해야 한다. 그래도 합이 되는 일주는 자리를 바꾸든지 해외로 나갈 수도 있다. 합이 되는 일주는 나쁘지 않다. 그러나 3자 수리가 극이 된다면 999 수리에서 중풍에 잘 걸린다.

• 5(驚破), 5(驚破), 1(귀인).

귀인의 도움으로 큰 재물을 취할 수 있다. 안정된 땅은 돈이다. 합이 되는 일주는 부동산에 투자해라. 즉 합이 되는 일주는 깜짝 놀랄 만큼 좋은 일이 생긴다. 합이 되는 亥卯未 일주는 과감하게 투자하면 된다.

그러나 극이 되는 일주는 좋지 못한 일로 놀랄 수 있다. 아무리 좋은 수리일지라도 극이 되는 일주는 좋지 못한 일을 당할 수 있다. 특히 辰戌丑未 일주는 귀인이 아니라 배신자이다. 귀인 때문에 놀랄 일이 생길 수 있다.

❀ 8, 9, 8(財, 문서, 財) › 81포국도 평생기본수8, 주도수9

'**주도수 9**'는 문서와 관련이 있다. 물론 문서의 안에는 관, 명예가 같이 들어 있다. 평생 기본수가 8자인 사람이 운에서 주도수 9자가 오면 문서와 관련된 일이 생긴다. 이 수리에는 양쪽에 재물이 왔으므로 돈과 관련된 일을 하고 싶은 욕구가 생긴다.

따라서 젊은 사람들은 결혼해서 집을 사는 경우도 생길 수 있다. 아주 좋은 수리이므로 무난하게 넘어갈 수 있는 수리이지만 극이 되는 일주는 재물과 문서가 나갈 수 있다. 그리고 5자의 수리가 합이 될 때는 성과가 더 크고, 7자 수리 때는 공부를 하는 게 좋다.

財 8 木	文 9 金	財 8 木
寅	卯	辰
退 7 火	財 8 木	官 6 水
巳	午	未
安 4 金	驚 5 土	文 9 金
申	酉	戌
貴 1 水	安 4 金	驚 5 土
亥	子	丑

· 8(財), 9(문서), 8(財).

양쪽에 재물이 왔으므로 돈과 관련된 문서이다. 합이 되는 일주는 재물과 명예를 겸비하는 시기이므로 문서적인 면에서 새로운 의욕이 생긴다. 그러나 학생은 양쪽에 돈이 들어와서 財훼印이 되므로 공부는 잘 안된다.

· 7(퇴식), 8(財), 6(관).

주도수 9자에 7자(퇴식)는 건강과 관련된 문서이다. 건강에 주의해야 한다. 8자와 6자의 수리가 합이 되면 재물과 관이 들어와서 명예와 문서적으로 뜻을 이룬다.

극이 되는 수리는 직장에 문제가 생기고 재물이 나간다.

특히 寅巳申亥 일주는 건강과 관련해서 돈이 나갈 수 있다. 따라서 7자의 운에는 공부하는 게 좋다. 돈을 벌려고 하면 건강이 더 나빠진다. 子午卯酉 일주는 재물이 나간다.

• 4(안정), 5(驚破), 9(문서).

안정된 상태에서 과감하게 문서와 명예를 이룬다. 8월에 극이 되는 子午卯酉 일주는 문서로 놀랄 수 있으므로 담보나 보증 같은 것은 피하는 게 좋다. 따라서 합이 되는 일주는 좋아서 깜짝 놀라는 일이 생길 수 있고 극이 되는 일주는 나쁜 일로 깜짝 놀라게 된다.

• 1(귀인), 4(안정), 5(驚破).

귀인의 도움으로 안정된 상태에서 투기의 재물도 취할 수 있다. 합이 되는 일주는 무난한 수리다. 그래서 이성의 만남도 가능하고 대부분 모든 일주가 큰 문제 없이 넘어갈 수 있다.

그러나 寅巳申亥 일주는 1자의 수리가 귀인이 아니라 배신자가 되므로 그로 인해 놀라는 일이 생길 수 있고, 5자의 수리에서 巳酉丑 삼합이 되는 일주는 땅에 투자하면 좋다. 주도수 9자에 5자의 수리이므로 큰 재물과 관련된 문서이다.

❀'수리 8'의 핵심 요약

8자 수리의 특성	재물을 추구한다. 돈복이 있다. 융통성이 있다. 운에서 8자가 올 때 합과 극을 떠나서 재물에 대한 욕심이 생긴다. 그러나 극이 되는 달은 돈이 나간다.
흉(凶) 운	• 821수리(변화) 전반기 때 상문(933), 후반기 때 관재구설(369), 변화, 변동이 많다. • 843수리(안정) 전반기 때 뜻대로 풀리지 않고, 후반기 때 상문(393)이 들어온다. • 854수리(驚破) 전반기 때 상문(393), 후반기 때 관재구설(639)이다.
길(吉) 운	• 819수리(대길수) 일년 동안 대길수다. 그러나 평생 수리라고 한다면 子午卯酉 일주는 사람 때문에 힘든 일이 생긴다.

8) 평생 기본수 9수리 _ 81포국도 평생기본수9

평생 기본수 9자는 문서와 학문을 의미한다. 문서 안에는 6자(官)에 해당하는 명예도 같이 들어 있다. 평생 기본수 9자의 성격은 남녀가 비슷하다. 무뚝뚝하고 과묵하다. 그러나 의리가 있고 재치와 유머 감각도 지니고 있다.

특히 여자는 활동력과 독립심이 강해서 남의 도움을 받지 않는 성격이다. 그래서 과부가 많다. 그리고 독선적인 면이 강하고 목적을 위해서는 수단과 방법을 가리지 않는다. 자기 고집대로 밀고 나가는 성격이다. 이러한 성격으로 인해 평생 기본수 9자들은 전문직이 잘 맞고 명예를 가져야 한다.

🌸 9, 1, 1(문서, 신생, 신생) › 81포국도 평생기본수9, 주도수1

주도수 1자는 生, 貴人, 새로운 동반자, 새로운 일과 관련이 있다. 평생 기본수가 9자인 사람이 운에서 주도수 1자가 오게 되면 새로운 일이나 새로운 사람으로 인해 새로운 국면의 전환이 생길 수 있다. 평생 기본수 9자의 성격은 庚金과 같아서 자존심이 강하고 과묵한 면이 있으나 순수하다. 여자의 경우 혼자 사는 경우가 많다.

그리고 주도수 1자의 수리가 왔을 때는 항상 나이별로 상담이 달라야 져야 한다. 물론 귀인의 의미는 자신과 가장 가까운 순서부터 시작한다. 즉 부부, 자식, 부모, 형제, 순이다. 그래서 20대, 30대, 40대 50대 60대 등 나이에 따라서 귀인의 의미도 조금씩 달라질 수 있다. 사주의 네 기둥을 살펴서 귀인이 누가 되는지 판단해야 한다.

만약, 평생 수리라고 한다면 문서적으로 명예나 귀인이 따르므로 많은 사람을 상대하는 일이 적합하다. 즉 학원, 보험과 같은 영업직에 종사하게 되면 좋다. 그리고 911 수리와 191 수리는 두 번째 줄에 123, 213 수리가 온다. 즉 이별, 헤어짐을 뜻한다. 따라서 이들 수리는 합과 극을 떠나서 6개월 동안 모두 힘들다. 매우 무서운 수리에 해당한다.

文 9 金	貴 1 水	貴 1 水
寅	卯	辰

貴 1 水	變 2 火	鬼 3 木
巳	午	未
安 4 金	驚 5 土	文 9 金
申	酉	戌
驚 5 土	財 8 木	安 4 金
亥	子	丑

선천수 ﹐ 1,6_水 2,7_火 3,8_木 4,9_金 5,10_土
주도수 ﹐ 1_生,貴 2_變 3_鬼 4_安 5_驚破 6_官 7_退食 8_財 9_文

• 9(문서), 1(귀인), 1(귀인).
새로운 사람으로 인하여 새로운 국면을 맞이하게 된다. 즉 귀인이 연속해서 들어오므로 이성을 만날 수 있고 새로운 일을 할 수도 있다. 따라서 합이 되는 달에 추진해야 한다. 극이 되는 달에 만난 사람은 다음 수리가 123 수리이므로 원수로 돌변할 수 있다.

• 1(귀인), 2(변화), 3(鬼).
이별, 헤어짐의 수리다. 합이 되는 일주는 누군가를 만나기도 한다. 이 수리가 오게 되면 심리적 갈등이 따르며 이혼, 별거, 주변이 원수로 돌변하는 일이 생긴다. 주도수가 1자이므로 귀인과 이별, 헤어짐이다. 그런데 헤어지지 못하고 처절한 사랑을 하는 경우가 생기기도 한다. 과감한 결단이 필요하다.

• 4(안정), 5(驚破), 9(문서).
안정을 바탕으로 과감하게 문서를 취할 수 있다. 따라서 현실에 안주하지 말고 적극적으로 뜻을 관철하라. 극이 되는 일주는 현재 상태를 유지하면서 안정을 취하라. 일주에 따라 해석이 달라지므로 주도수와 각각의 달을 비교해서 어"떤 일주가 합이 되고 어떤 일주가 극이 되는지, 그리고 그에 따른 길흉을 판단해야 한다.

• 5(驚破), 8(財), 4(안정).
과감하게 재물을 취할 수 있다. 5자의 수리는 투기의 재가 되고 8자의 수리는 재물을 뜻하므로 5자와 8자의 수리가 결합하게 되면 큰 재물이다. 합이 되는 일주는 돈이 들어오나 극이 되는 일주는 갑작스럽게 돈이 나가게 된다.

❀ 9, 2, 2(문서, 변화, 변화) ‣ 81포국도 평생기본수9, 주도수2

'**주도수 2**'는 변화, 변동의 뜻을 가진다. 평생 기본수가 9자인 사람이 운에서 주도수 2자가 오게 되면 어떤 문서에 관해서 변화, 변동이 생길 수 있다. 즉 문서적인 측면에서 변화, 변동이 온다. 특히 922 수리에는 변화를 뜻하는 2자의 수리가 세 개나 이어진다.

그래서 주변 환경으로 인해 이사나 직장의 변화, 변동이 생길 수 있다. 평생 수리라고 한다면 변화가 많은 활동적인 직업을 갖는 게 좋다. 그리고 어렸을 때 이사나 전학과 같은 학교의 변동도 생길 수 있다. 그래도 좋은 수리이므로 극이 되는 일주들도 비교적 원활하게 보낼 수 있는 수리이다.

文 9 金	變 2 火	變 2 火
寅	卯	辰
變 2 火	安 4 金	官 6 水
巳	午	未
財 8 木	貴 1 水	文 9 金
申	酉	戌
貴 1 水	退 7 火	財 8 木
亥	子	丑

• 9(문서), 2(변화), 2(변화).

문서의 변화, 변동이 이어진다. 따라서 자신이 추구하는 변화는 뜻을 이룬다. 주도수가 2자이므로 1년 동안 변화와 관련된 일로 안정이 안 된다. 즉 변화가 많을 수 있는 해이다. 합이 되는 일주는 당연히 변화, 변동이 좋은 결과로 이어지고, 극이 되는 일주는 합이 되는 달에 일을 추진해야 한다.

• 2(변화), 4(안정), 6(官).

변화, 변동으로 안정적인 관, 명예, 행운, 승진이 따른다. 따라서 합이 되는 일주는 직장의 변화, 변동이 생길 수 있고, 명예적인 측면에서 행운이 따를 수 있다. 그러나 극이 되는 일주는 관이 치므로 칠살의 작용으로 인해 몸이 아플 수 있다. 따라서 합이 되는 달에 변화, 변동을 추진해라.

• 8(財), 1(귀인), 9(문서).

주도수가 2자의 수리이므로 외부적인 면에서 재물과 귀인 그리고 문서와 명예가 따른다. 819 수리에는 재, 귀인, 문서 중에서 최소한 어느 하나의 복은 취할 수 있다.

그러나 寅申巳亥 일주는 극이 되므로 재물이 나갈 수 있고, 子午卯酉 일주는 귀인이 아니라 배신자이다. 그리고 辰戌丑未 일주는 문서가 깨진다. 마지막에는 주도수 오행의 관계까지 살펴서 길흉을 판단해라.

• 1(귀인), 7(退食), 8(財).

귀인이 와서 재물을 취할 수 있다. 합이 되는 일주는 귀인과 재물을 취할 수 있다. 그러나 퇴식이 오므로 항상 건강에 유념할 필요가 있다. 즉 10월에는 귀인으로 인해 합격이나 승진이 먼저 이루어질 수 있다. 11월에는 7자의 수리가 퇴식이므로 건강에 주의할 필요가 있다. 12월은 8자의 수리가 들어 오므로 재물이 따른다. 그러나 午未, 일주는 두 달이 깨진다.

🌸 9, 3, 3(문서, 鬼, 鬼) ▸ 81포국도 평생기본수9, 주도수3

'**주도수 3**'은 심리적 갈등, 망하게 한다는 의미가 있다. 평생 기본수가 9자인 사람이 운에서 주도수 3자가 오면 정신적인 갈등이나 질병 그리고 물질적인 손실이 발생할 수 있다. 따라서 종교, 철학, 역학에 관심을 가지게 되고 그런 쪽으로 관심을 가져야 좋다. 그만큼 9자 수리에서 가장 힘든 수리이다.

평생 수리라고 한다면 첫째 줄 933 수리에서 조부모 초상, 두 번째 줄 369 수리에서 부모초상, 세 번째 줄 369 수리에서 자신이나 자식 초상으로 이어질 수 있는 무서운 수리다. 그러나 아무리 나쁜 수리일지라도 합이 되는 수리나 업상대체(業象代替)가 이루어진다면 크게 발전할 수 있다. 즉 종교, 철학, 공직자, 군인, 경찰, 무속인과 같은 일을 하게 되면 발전할 수 있는 수리다. 사업과는 관련이 없는 수리다.

文 9 金	鬼 3 木	鬼 3 木
寅	卯	辰
鬼 3 木	官 6 水	文 9 金
巳	午	未
鬼 3 木	官 6 水	文 9 金
申	酉	戌
官 6 水	官 6 水	鬼 3 木
亥	子	丑

• 9(문서), 3(鬼), 3(鬼).

상문살이다. 주도수가 3자 수리이므로 정신적 갈등이 오고 현실에 안주하지 못한다. 특히 3자가 333으로 이어지고 있으므로 우울증과 같은 질병에 노출되기 쉽다.

따라서 합과 극을 떠나서 문서적인 면에서 주의가 필요하고 건강에 유념할 필요가 있다. 특히 불의의 사고를 조심하고 문서로 인한 구설에 대비하라. 평생 기본수 9자의 수리에서 가장 힘든 수리이다.

• 3(鬼), 6(官), 9(문서).

관재구설에 관한 수리다. 관재구설에 관한 일을 하게 되면 관재구설을 면할 수 있다. 상문도 따른다. 주도수 3자에 369 수리는 합이 되는 수리도 일진에서 깨지면 관재구설이 온다. 현실에서 도피하고 싶은 생각이 든다.

• 3(鬼), 6(官), 9(문서).

관재구설 수리가 이어지고 있다. 6자와 9자의 수리가 합이 되는 일주는 합격, 승진과 같이 직장 운이 좋다고 볼 수 있다. 그러나 극이 되는 일주는 칠살의 작용으로 질병이 올 수 있다.

학생은 공부에 어려움을 느끼고 가출을 할 수도 있다. 부부는 갈등으로 이혼할 수 있고, 사업가는 파산이다. 그리고 노인과 환자는 사망할 수 있는 수리다. 즉 전혀 예측하지 못한 일로 관재구설이 따르는 수리다.

• 6(官), 6(官), 3(鬼).

조상의 도움으로 행운 승진이 따른다. 합이 되는 일주는 관으로 인한 발전이 예상된다. 학생, 수험생, 고시생은 시험에 합격할 수 있다. 6,6, 수리가 연속될 때 합이 되는 일주는 크게 좋을 수 있으나 극이 되는 일주는 鬼가 부정적으로 작용하여 사고나 질병으로 이어진다.

합이 되는 子丑 일주는 행운, 승진, 시험합격과 같은 길운이 따른다.

寅巳申亥 일주는 10월에 극이 되므로 합이 되는 달에 추진하는 게 좋다.

子午卯酉 일주는 11월에 극이 되므로 10월에 추진하는 게 좋다.

辰戌丑未 일주는 12월에 극이 되므로 관재구설이 될 수 있다.

❀ 9, 4, 4(문서, 안정, 안정) ▸ 81포국도 평생기본수9, 주도수4

'**주도수 4**'는 안정과 여유를 뜻한다. 평생 기본수가 9자인 사람이 운에서 주도수 4자가 오면 마음에 안정과 여유가 생긴다. 즉 944 수리는 안정된 문서나 학문을 뜻한다. 따라서 한 해 동안 마음의 여유를 가질 수 있고 무난하게 보낼 수 있다. 대운과 세운의 수리가 겹치게 될 때는 좋은 수리는 더 좋은 결과를 얻을 수 있고 나쁜 수리는 더 힘들게 보낼 수 있다. 944 수리는 수리가 좋아서 극이 되는 일주도 크게 힘들지 않게 보낼 수 있다. 과격한 숫자인 7자의 수리 때 재물이 나가게 되면 건강을 지킬 수 있다.

文 9 金	安 4 金	安 4 金
寅	卯	辰
安 4 金	財 8 木	鬼 3 木
巳	午	未
退 7 火	變 2 火	文 9 金
申	酉	戌
變 2 火	驚 5 土	退 7 火
亥	子	丑

• 9(문서), 4(안정), 4(안정).

안정된 문서이다. 합이 되는 일주는 안정과 여유가 생길 수 있다. 따라서 안정된 상태에서 뜻을 이룰 수 있다. 그러나 극이 되는 일주는 능력 이상의 일을 추진하지 말고 현실에 대처해야 한다. 그래도 운이 잘 풀리는 해이다.

• 4(안정), 8(財), 3(鬼).

안정된 상태에서 재물이 따른다. 합이 되는 일주는 재물에 이로움이 있다. 그러나 극이 되는 일주는 鬼의 부정적인 작용으로 심리적으로 안정하기 어렵다. 따라서 현재 상태를 유지하고 변화, 변동은 하지 않는 게 좋다.

· 7(退食), 2(변화), 9(문서).

뜻대로 이루어지기 힘든 수리다. 7자 수리에는 돈이 나가는 게 좋으므로 학비와 같이 좋은 쪽으로 소비하는 게 좋다. 합이 되는 일주는 문서의 변화가 올 수 있다. 다만 건강에 유념해야 할 필요가 있다. 극이 되는 일주는 변화, 변동하지 않는 게 좋다.

· 2(변화), 5(驚破), 7(退食).

과감한 변화를 추진하게 된다. 합이 되는 일주는 적극적인 측면에서 변화를 추진해도 된다. 그러나 극이 되는 일주는 변화, 변동으로 퇴식을 맞이할 수 있으므로 변화하지 않는 게 좋다. 특히 주도수 4자와 7자는 서로 극이 되므로 건강에 유념해야 한다.

'주도수 5'는 驚破, 놀라는 일, 투기의 재를 뜻한다. 평생 기본수가 9자인 사람이 운에서 주도수 5자가 오면 놀라는 일이 생기거나 부동산에 관련된 일이 생길 수 있다. 합이 되는 일주는 기뻐서 놀라는 일이 생기게 될 것이고, 극이 되는 일주는 나쁘게 놀라는 일이 생기게 될 것이다.

따라서 각 일주와 세운 그리고 합과 극이 되는 달을 정확히 구분해서 판단해야 한다. 그리고 주도수가 5자이므로 자신이 생각하는 바를 과감하게 밀고 나간다. 합이 되는 일주는 부동산과 관련하여 이익을 취할 수 있다. 그러나 극이 되는 일주는 놀라는 사건, 사고에 휘말려 들 수 있다. 다만 주도수 5자가 들어왔을 때 합이 되는 달에 부동산을 구매해서 3년 후 8자 수리인 財 운이 올 때 매매하게 되면 이익을 볼 수 있다고 한다. 즉, 부동산을 장기 투자 목적으로 구매하면 안정적으로 이익을 추구할 수 있다는 뜻이다.

文 9 金	驚 5 土	驚 5 土
寅	卯	辰
驚 5 土	貴 1 水	官 6 水
巳	午	未
變 2 火	退 7 火	文 9 金
申	酉	戌
退 7 火	安 4 金	變 2 火
亥	子	丑

• 9(문서), 5(驚破), 5(驚破).

과감한 문서이다. 특히 555로 이어지므로 부동산에 과감하게 투자하는 게 좋다. 합과 극을 떠나서 장기적인 안목으로 투자하면 나중에 크게 이로울 수 있다. 이 수리 때는 과감하게 일을 추구하게 된다.

주도수 5자가 투기의 재를 뜻하므로 재물에 대한 욕구가 생긴다. 혁명적인 변화를 시도하기 위해 과감하게 행동에 옮기게 된다. 그러나 극이 되는 일주는 갑작스러운 사건 사고에 노출될 수 있으므로 안정을 바탕으로 대처해야 한다. 극이 되는 일주는 놀라는 일이 많이 생길 수 있다.

• 5(驚破), 1(귀인), 6(官).
혁명과 혁신의 수리다. 혁신적인 모습에서 귀인도 따르고 관과 명예를 취할 수 있다. 합이 되는 일주는 혁신에 성공하고 극이 되는 일주는 실패한다. 어느 한 달만 깨지고 두 달이 합이 되면 성공한다. 합이 되는 일주는 부동산, 승진, 명예, 면에서 혁신에 성공하고 극이 되는 일주는 실패한다.
다만 丑일주는 丑午, 원진으로 귀인이 아니라 배신자가 되므로 혁명에 실패하게 된다. 즉 귀인이 배신하면 혁명이 어려워진다. 주도수 5자의 수리에 516 수리이므로 과감하게 부동산에 투자하는 게 좋다. 다만 합이 되는 일주는 승진이나 합격도 할 수 있으나 극이 되는 일주는 안정을 취해야 한다.

• 2(변화), 7(退食), 9(문서).
생각처럼 잘 풀리지 않는 수리다. 따라서 변화, 변동으로 실질적 이익을 추구하기 어렵다. 건강도 따라주지 않는다. 특히 子午卯酉 일주는 주도수가 5자이므로 7자의 수리에서 퇴식이 된다. 사고를 당할 수도 있고 질병에 노출될 수 있다.

• 7(退食), 4(안정), 2(변화).
안정을 바탕으로 변화, 변동할 수 있는 수리다. 주도수 5자이므로 寅申巳亥 일주는 7자의 수리에서 퇴식이 된다. 사고나 질병에 노출될 수 있으므로 주의가 필요하다. 주도수 5자의 수리에 7자의 수리는 많이 아프다. 그리고 午未, 일주는 변화하지 않는 게 좋다.

🌸 9, 6, 6(문서, 官, 官) ▸ 81포국도 평생기본수9, 주도수6

'주도수 6'은 官, 명예, 승진, 행운과 관련이 있다. 평생 기본수가 9자인 사람이 운에서 주도수 6자가 오는 해를 맞이하게 될 때는 관, 명예, 승진, 행운, 합격, 계약 등과 관련해서 변화가 생기게 된다. 이러한 관운이 와서 좋다고 볼 수도 있으나 뒤를 이어 관재구설 수리와 상문살이 들어온다. 물론 합이 되는 일주는 승진, 행운이 따른다.

그러나 극이 되는 일주는 官과 鬼가 부정적으로 작용하게 된다. 따라서 변화, 변동보다는 현재 상태를 유지하는 게 좋다. 평생 수리라고 한다면 공직이나 직장생활에 잘 맞는 사람이다. 평생 수리에 369 수리가 세 번째 줄에 들어 있으면 부부가 해로 하기 힘들다. 따라서 서로 양보하고 이행하는 삶을 살아야 할 것이다. 그리고 평생 官의 도움을 받고 산다. 官이란 꼭 공직만을 의미하는 게 아니라 조직의 단위를 뜻한다. 이 수리는 사업에는 맞지 않는 수리이다.

文 9 金	官 6 水	官 6 水
寅	卯	辰
官 6 水	鬼 3 木	文 9 金
巳	午	未
官 6 水	鬼 3 木	文 9 金
申	酉	戌
鬼 3 木	鬼 3 木	官 6 水
亥	子	丑

• 9(문서), 6(官), 6(官).

문서와 명예가 동시에 따른다. 주도수 6자에 명예를 뜻하는 666 수리가 계속 이어지고 있다. 관록이 따르니 학생은 시험에 합격하고 직장인은 승진할 수 있다. 즉 가정, 직장, 사업, 등 모든 면에서 뜻을 이룰 수 있다.

그러나 두 번째 줄부터 관재구설 수리와 상문살의 수리가 뒤따라 들어오므로 관록이 그다지 크지 않다. 그리고 극이 되는 일주는 칠살의 작용으로 인해 질병이 발생할 수 있다.

- 6(관), 3(鬼), 9(문서).

관재구설의 수리다. 남의 일에 개입하게 되면 실리에 크나큰 손상을 입게 된다. 합이 되는 일주는 직장 운이 따르게 되지만 극이 되는 일주는 관재구설이 따른다. 다만 주도수 6자가 水生木으로 3자의 수리를 생하고 있으므로 鬼의 작용이 그다지 나쁘지 않다.

- 6(관), 3(鬼), 9(문서).

관재구설 수리다. 평생 수리라고 한다면 부부가 해로 하지 못하고 이혼하는 경우가 많다. 물론 합이 되는 일주는 명예와 문서가 따르기도 한다. 그러나 극이 되는 일주는 명예 손상, 직장 퇴사, 건강 약화, 사업 부도, 노인은 사망할 수도 있는 수리다.

- 3(鬼), 3(鬼), 6(官).

상문살이다. 즉 크게 아플 수 있는 수리다. 33 鬼의 작용으로 종교, 철학, 역학, 등과 같은 정신적인 면에 관심을 가지게 된다. 심리적인 불안이 따를 수 있다. 합이 되는 일주는 조상의 도움으로 관운이 따른다. 그러나 극이 되는 일주는 건강에 주의해야 한다. 특히 상문살의 운에는 노인과 환자가 사망할 수도 있다.

🌸 9, 7, 7(문서, 退食, 退食) ▸ 81포국도 평생기본수9, 주도수7

'**주도수 7**'은 질병과 퇴식을 뜻한다. 평생 기본수가 9자인 사람이 운에서 주도수 7자가 오면 退食의 운이므로 학생은 가출, 부부이혼, 직장 퇴사, 사업부도, 건강 악화, 등과 같은 불행한 일이 생길 수 있다. 따라서 9자의 수리에서 가장 힘든 수리다.

81 수리 중에서 977, 797 수리는 성격이 서로 다를 뿐이지 합과 극을 떠나서 모두 6개월 동안 불운이 이어진다는 점에서 서로 같다. 77 수리는 의욕 상실과 질병이 따른다. 만약 평생 수리라고 한다면 어린 시절이 불행의 연속이었다. 따라서 이 수리는 부모의 덕이 없고 38세까지 힘든 시기를 보내야 한다.

文 9 金	退 7 火	退 7 火
寅	卯	辰
退 7 火	驚 5 土	鬼 3 木
巳	午	未
貴 1 水	財 8 木	文 9 金
申	酉	戌
財 8 木	變 2 火	貴 1 水
亥	子	丑

• 9(문서), 7(退食), 7(退食).

문서의 퇴식이다. 어느 문서를 하나 버려야 한다. 의욕과 욕구가 저하되며 정신적으로 나약하게 되어 건강이 좋지 못하다. 학생은 공부에 집중하지 못하고 사업가는 망할 수 있다. 따라서 현재 상태를 유지하는 게 좋다.

특히 7자의 수리인 퇴식의 운에는 공부하거나 쉬는 게 좋다. 77의 수리가 겹쳤을 때는 그 효력이 더 강해지므로 봉사나 활인업을 하는 게 좋다. 이 수리 때는 우울증도 올 수 있다.

• 7(퇴식), 5(驚破), 3(鬼).

가장 큰 불행의 수리다. 977 수리부터 753 수리 때까지 6개월 동안 힘든 시기를 보내게 된다. 인간 자체가 무기력하다. 그리고 이 수리가 왔을 때는 미리 건강 검진을 받아 보는 게 좋다. 귀신 곡하게 깜짝 놀라는 일이 생겨서 퇴식을 맞이하게 된다는 수리다.

• 1(귀인), 8(財), 9(문서).

흉 운에서 벗어나 점진적으로 회복하는 시기이다. 귀인과 이성의 만남도 기대할 수 있고 재물과 명예도 따른다. 다만 극이 되는 일주는 사람 때문에 돈이 나갈 수 있다. 寅卯, 일주는 1자와 8자의 수리가 깨지므로 7, 8월 두 달을 피해서 9월에 추진하는 게 좋다.

• 8(재물), 2(변화), 1(귀인).

재물이 따르고 변화, 변동으로 귀인도 만나게 된다. 합이 되는 일주는 변화를 시도해도 되지만 극이 되는 일주는 새로운 일과 사업의 확장은 불리하게 작용한다. 따라서 극이 되는 달을 피하고 합이 되는 달에 일을 추진하게 된다면 새로운 국면의 전환이 가능하다.

❀ 9, 8, 8(문서, 財, 財) ▸ 81포국도 평생기본수9, 주도수8

'주도수 8'은 財와 관련이 있다. 평생 기본수가 9자인 사람이 운에서 주도수 8자가 오면 돈과 문서에 관련된 일이 생길 수 있다. 즉 888 수리가 계속 이어지므로 재물이 따르게 된다. 977 수리에서 힘들었다면 988 수리에서는 재물에 관한 욕구가 상승하면서 문서와 명예도 취할 수 있다.

따라서 수리가 좋아서 극이 되는 일주도 그다지 큰 문제 없이 지나갈 수 있다. 이 수리 때 적극적으로 목표를 추구하게 된다면 능력 이상으로 큰 효과를 얻을 수 있다. 평생 수리라고 한다면 사업하기 아주 좋은 수리다. 즉 9자와 8자의 조합은 문서와 재물이 같이 있는 형국이다. 그래서 큰 재물을 모을 수 있으므로 사업가에게 좋은 수리다.

文 9 金	財 8 木	財 8 木
寅	卯	辰
財 8 木	退 7 火	官 6 水
巳	午	未
驚 5 土	安 4 金	文 9 金
申	酉	戌
安 4 金	貴 1 水	驚 5 土
亥	子	丑

• 9(문서), 8(財), 8(財).

돈에 관련된 문서이다. 따라서 돈에 대한 욕구가 강해지며 실질적인 이익을 이룰 수 있다. 따라서 이 수리 때 돈을 벌어야 한다. 부동산 매매나 사업의 확장도 가능한 수리다. 다만 극이 되는 일주는 생각만큼 실익이 크지 않을 뿐이다. 그래도 한 해 동안 돈과 관련된 일들이 생긴다.

• 8(財), 7(退食), 6(官).

금전적인 욕구가 강해지며 관으로 인한 명예가 따른다. 寅巳申亥 일주는 주도수 8자에 8자의 수리가 극이 되므로 4월을 피해서 추구하는 게 좋다. 子午卯酉 일주는 7자의 수리가 퇴식이므로 건강에 문제가 생길 수 있다. 그래도 주도수가 木生火로 생을 하고 있어서 크게 당하지는 않는다.

• 5(驚破), 4(안정), 9(문서).
안정을 바탕으로 문서를 취할 수 있다. 합이 되는 일주는 마음의 여유를 가지고 과감한 투자로 문서를 취할 수 있다. 그러나 寅巳申亥 일주는 木剋土로 투기의 財가 극을 당하므로 많은 돈이 나갈 수 있다. 따라서 극이 되는 달을 피해서 합이 되는 달에 일을 추진하는 게 좋다. 합이 되는 일주는 과감하게 문서를 성취할 수 있다.

• 4(안정), 1(귀인), 5(驚破).
안정을 뜻하는 수리다. 합이 되는 일주는 새로운 사람이나 새로운 일과 관련해서 돈이 들어온다. 부동산에 투자하면 좋은 수리다. 그러나 극이 되는 일주는 귀인으로 인해 손실을 볼 수 있다. 따라서 합이 되는 달에 추진하는 게 좋고 극이 되는 달을 피해라. 그래도 수리가 좋아서 극이 되는 수리도 큰 화를 입지 않는다.

'**주도수 9**'는 문서를 뜻한다. 평생 기본수가 9자인 사람이 운에서 주도수 9자가 오면 문서나 명예와 관련된 일이 생길 수 있다. 그런데 이 수리는 극단적인 수리 다. 합이 되는 일주는 최고 좋은 운을 맞이할 수 있고, 극이 되는 일주는 모든 문서가 떠나게 된다. 따라서 합과 극을 잘 살펴서 간명해야 한다.

평생 수리라고 한다면 전문직을 가지는 게 좋다. 그리고 고향보다 타향에서 성공 할 수 있는 수리다. 직업으로는 외교관, 무역, 교육자, 공직자에게 잘 맞는 수리 다. 따라서 합이 되면 최고의 관이다. 그리고 수리가 모두 庚金으로 구성되어 있 으므로 부동산에 투자하는 것도 괜찮다. 모두 문서로 조합되어 있으므로 보증을 서는 건 좋지 않다.

文 9 金	文 9 金	文 9 金
寅	卯	辰
文 9 金	文 9 金	文 9 金
巳	午	未
文 9 金	文 9 金	文 9 金
申	酉	戌
文 9 金	文 9 金	文 9 金
亥	子	丑

ㆍ 9(문서), 9(문서), 9(문서).

모든 문서의 발동이다. 문서의 속에는 官과 명예도 들어 있으므로 최고의 문서이 다. 고향을 떠나서 타향으로 가는 게 성공의 열쇠가 된다. 해외로 나가는 것도 좋은 수리다.

문서의 역마이므로 어떤 변화, 변동이 생기게 된다. 따라서 합이 되는 일주는 긍 정적으로 작용하게 되고, 극이 되는 일주는 문서가 나가는 불운을 겪을 수 있다.

• 9(문서), 9(문서), 9(문서).

극단적인 수리로서 문서의 발동이다. 합이 되는 일주는 아주 좋게 풀리게 되고 극이 되는 일주는 문서가 날아간다. 해외로 나갈 기회도 되며 매우 활동적으로 움직이게 된다.

• 9(문서), 9(문서), 9(문서).

모든 수리가 문서로 구성되어 있다. 따라서 합이 되는 일주는 부동산 문서와 인연이 있을 수 있다. 그러나 극이 되는 일주는 문서 담보, 보증, 대출, 등 문서로 하는 일에 불리할 수 있으니 문서와 관련된 일에 주의가 필요하다. 문서가 떠나므로 노인과 환자는 죽을 수도 있다.

• 9(문서), 9(문서), 9(문서).

여행수라고 하는 999 수리는 합이 되는 일주는 문서나 명예가 더 크다, 그러나 극이 되는 일주는 반대로 화를 크게 입는다. 특히 일주와 해당 운을 대입해서 극이 되는 일주는 더욱 주의가 필요하다.

이 수리 때 해외 이민이나 지방 전출과 같은 일이 생기는 경우가 많다. 따라서 멀리 여행을 다녀오는 것도 방편이 될 수 있다. 주도수 9자의 운이 왔을 때는 반드시 합과 극을 살펴서 좋은 달과 나쁜 달을 구분해야 한다. 극단적인 수리이므로 좋은 달은 아주 좋고, 나쁜 달은 너무 불행하게 작용할 수 있다.

❀ '수리 9' 의 핵심 요약

9자 수리의 특성	문서 속에는 관, 명예, 승진, 행운 등이 포함되어 있다. 9자의 성격은 자존심이 매우 강하다. 특히 여자는 지는 것을 아주 싫어해서 가정불화가 많다. 그래서 혼자 사는 여자가 많다. 　운에서 9자가 올 때는 합이 되면 문서적으로 좋은 일이 생길 수도 있으나 극이 되는 일주는 문서가 떠나므로 크게 불운을 겪을 수 있다.
흉(凶) 운	• 911수리(귀인) 　전반기 때 이별, 헤어짐(123). • 933수리(鬼) 　전반기 때 상문(933), 후반기 때 관재구설(369)이다. • 977수리(退食) 　퇴식 운에 전반기 대흉수(753)이다. 특히 건강에 신경써야한다. 합과 극을 떠나서 모든 일주가 건강에 문제가 생긴다.
길(吉) 운	. 988수리(財) 財운에 안정수(549, 415)다. 따라서 투자에 좋은 시기이다. 특히 주도수 5자에 투자했던 부동산을 이 수리에 매매하게 되면 재물에 관한 결과도 얻을 수 있다.

3. 오늘의 운세(日辰) 보는 법

해당하는 날의 일진을 알아보기 위해서는 먼저 일진의 '**주도수**'를 구해야 한다. 그리고 포국도는 대운, 세운, 일진, 모두 같은 포국도를 사용한다. 포국도의 첫 번째 칸에는 평생 기본수가 고정적으로 들어가고, 두 번째 칸에는 해당하는 주도수가 고정적으로 들어간다. 따라서 평생 기본수는 누구나 자신의 평생 기본수를 사용하면 되기 때문에 따로 구할 필요가 없다.

왜냐하면 평생 기본수는 선천수이므로 수리에 변화가 없다. 그러나 주도수는 후천수이므로 변화를 하게 된다. 즉 대운의 주도수, 세운의 주도수, 일진의 주도수가 각각 다르다. 그래서 각각의 운을 알아보기 위해서는 해당하는 주도수를 먼저 구해야 한다. 결국 평생 기본수는 누구나 고정적인 수리를 사용하는 것이고, 주도수는 필요한 운을 알아보기 위해서 그때그때 마다 구해야 한다. 일진의 주도수를 구하는 공식은 다음과 같다.

일진(당일)의 운세(주도수) = 음력 달月 + 음력 날짜日

위 공식에 따라 대운과 세운의 주도수를 구하는 방법과 같은 방식으로 9진법을 사용하여 먼저 9를 만들어서 공제해 나간다. 그리고 9 이하의 단수가 나오면 그 수리가 일진의 주도수가 된다. 수리역학 매화역수의 수리는 모두 음력을 사용한다.

【예시 1】 2023. 4. 29.(음력) 丙午일,(양력 : 2023. 6. 17일)

  4월 + 29일 = 4 + 2 + 9 = 6

  주도수는 6이 된다.

【예시 2】 2023. 4. 28.(음력) 乙巳일

  4월 + 음력 28일 = 4 + 2 + 8 = 14-9 = 5

첫 번째 위와 같은 방식으로 일진의 주도수를 먼저 구한다.
두 번째 세운의 포국도를 작성하는 방법과 같이 포국도를 작성한다.

세 번째 작성된 포국포를 이용해서 오늘의 운세를 본다.

일진의 운세를 보는 방법은 세운을 보는 방식과 크게 다를 게 없다.

즉 대운, 세운, 일진, 모두 포국도를 이용해서 운세를 본다.

모든 포국도는 만드는 과정이 아래의 과정과 같다.

첫 번째 칸에 평생 기본수가 들어간다,

두 번째 칸에는 알고자 하는 운의 주도수(대운,세운,일진)가 들어간다.

세 번째 칸에는 평생 기본수+ 해당 주도수의 공제 수리가 들어간다.

【예시 3】丁卯 일주 음력4월 29일 / 평생기본수 2 / 일진 주도수 6

일진의 운세는 포국도의 '**2번째 칸**'을 중심으로 본다.

물론 대운, 세운, 일진, 모두 포국도의 두 번째 칸이 주도수이므로 중심이 되는데, 세운의 주도수는 일년을 관장하고 매월 운이 바뀐다. 그리고 일진의 경우에는 주도수를 중심으로 2시간씩 운이 바뀐다.

• 평생 기본수 2, 일진 주도수 6 ▸ **81포국도**(※ 평생기본수2 주도수6)

丁	丁	丁
變 2 火	**官 6** 水	**財 8** 木
04:00~06:00	06:00~08:00	08:00~10:00
寅卯	卯卯	辰卯
丁	丁	丁
貴 1 水	**驚 5** 土	**官 6** 水
10:00~12:00	12:00~14:00	14:00~16:00
巳卯	午卯	未卯
丁	丁	丁
退 7 火	**變 2** 火	**文 9** 金
16:00~18:00	18:00~20:00	20:00~22:00
申卯	酉卯	戌卯
丁	丁	丁
貴 1 水	**安 4** 金	**驚 5** 土
22:00~24:00	24:00~02:00	02:00~04:00
亥卯	子卯	丑卯

선천수 ▸ 1,6_水, 2,7_火, 3,8_木, 4,9_金, 5,10_土

주도수 ▸ 1_生,貴 2_變 3_鬼 4_安 5_驚破 6_官 7_退食 8_財 9_文

음력 4월 29일(丙午)의 일진의 주도수는 6이다. 따라서 주도수 6을 기준으로 시간이 진행한다. 즉 주도수가 6이면 그때 시간의 기준은 '6時(卯)'시가 된다. 그리고 두 시간씩 진행하므로 6시부터 8시까지이다. 조금 더 정확히
말한다면 6시부터 07시59분 59.00초 까지다.
또한, 주도수 6이 官이므로 명예, 승진, 행운과 관련된 일이 생길 수 있다. 물론 일주가 합이 돼서 좋은 쪽으로 풀리게 되면 명예, 승진과 관련된 일이 생기겠지만 극이 될 때는 사건, 사고를 당할 수 있다.
다만 어떠한 일을 해야 그와 관련해서 어떤 일이 발생할 수 있다. 아무런 일도 하지 않고 집에서 쉬었다면 그 시간의 일진의 운은 크게 의미가 없다. 그다음부터는 아래와 같이 순서에 따라 두 시간씩 진행한다.

官 6 水 : 06:00 ~ 08:00 이 시간에는 官과 관련된 일이 생길 수 있다.
財 8 木 : 08:00 ~ 10:00 이 시간에는 財와 관련된 일이 생길 수 있다.
貴 1 水 : 10:00 ~ 12:00 이 시간에는 貴와 관련된 일이 생길 수 있다.
驚 5 土 : 12:00 ~ 14:00 이 시간에는 驚과 관련된 일이 생길 수 있다.
官 6 水 : 14:00 ~ 16:00 이 시간에는 官과 관련된 일이 생길 수 있다.
退 7 火 : 16:00 ~ 18:00 이 시간에는 退와 관련된 일이 생길 수 있다.
變 2 火 : 18:00 ~ 20:00 이 시간에는 變과 관련된 일이 생길 수 있다.
文 9 金 : 20:00 ~ 22:00 이 시간에는 文과 관련된 일이 생길 수 있다.
貴 1 水 : 22:00 ~ 24:00 이 시간에는 貴와 관련된 일이 생길 수 있다.
安 4 金 : 24:00 ~ 02:00 이 시간에는 安과 관련된 일이 생길 수 있다.
驚 5 土 : 02:00 ~ 04:00 이 시간에는 驚과 관련된 일이 생길 수 있다.
變 2 火 : 04:00 ~ 06:00 이 시간에는 變과 관련된 일이 생길 수 있다.

만약 일진의 주도수가 8이라고 한다면 시간의 기준은 08:00~10:00이고,
그다음부터는 포국도의 순서에 따라 10:00~12:00, 12:00~14:00, 14:00~16:00,
16:00~18:00, 18:00~20:00, 20:00~22:00, 22:00~24:00, 24:00~02:00,
02:00~04:00, 04:00~06:00, 06:00-08:00, 시간으로 포국도가 만들어진다.

그리고 일진의 주도수가 3이면 시간이 03:00~04:00 속하므로 포국도의 순서에 따라 두 시간씩 진행한다. 일진을 보는 방법은 합과 극의 여부를 먼저 살펴본 후, 일주와 합이 되면 그 시간에는 모든 게 좋게 풀리고, 극이 되면 모든 게 나쁘다고 해석한다.

왜냐하면 일진은 세운이나 대운처럼 官과 관련된 수리라고 해서 반드시 관, 명예, 행운, 승진과 관련된 일이 생기는 게 아니다. 그래서 일진의 해석은 수리의 뜻보다 합과 극의 여부를 먼저 따져봐야 한다. 만약 6자이므로 官과 관련이 있다고 하더라도 사람마다 하는 일에 따라 합이 되면 그 일이 잘되고, 극이 되면 좋지 않다는 정도로 해석하면 된다.

【통변 요령】

위의 경우 丙午 일과 丁卯 일주의 천간이 丙丁으로서 같은 오행이므로 나의 편이다. 따라서 생각은 괜찮다. 그런데 지지에서 午卯, 破가 되었다.
그래서 丁卯 일주의 음력 4월 29일(丙午)은 일단 좋은 날이라고 할 수 없다. 하지만 시간에 따라 좋은 시간이 있고 나쁜 시간도 있으므로 어떤 일을 결정하고자 한다면 좋은 시간을 선택해야 한다. 아무리 좋은 날짜라고 하더라도 나쁜 시간을 선택하게 되면 결과가 좋을 수 없다.

06:00~08:00 卯卯 비견이므로 특별히 좋거나 나쁘지 않았다.
08:00~10:00 卯辰, 害가 되어 좋지 못하다.
10:00~12:00 貴와 관련된 일이 생길 수 있다.
12:00~14:00 卯午, 破가 되어 놀라는 일이 생긴다.
14:00~16:00 官과 관련된 일이 생길 수 있다.
16:00~18:00 卯申 원진으로 좋지 못하다.
18:00~20:00 卯酉 충으로 좋지 못하다.
20:00~22:00 卯戌 합으로 좋은 시간이다.
22:00~24:00 亥卯 합으로 좋은 시간이다.
24:00~02:00 子卯 형으로 좋지 못하다.
02:00~04:00 5자 驚破이므로 사건, 사고가 생길 수 있다.
04:00~06:00 寅卯 방합이므로 좋은 시간이다.
※ 일진 운은 잠을 자는 시간에는 특별한 의미가 없다.

일진은 사람이 활동하는 시간을 위주로 보는 관계로 잠을 자는 시간에는 의미가 없다. 그리고 수리와 관련된 일이 꼭 발생한다는 것보다는 합이 되면 어떤 일을 해도 좋고, 극이 되면 어떤 일이든 좋지 못하다는 정도로 해석하는 게 좋다. 물론 수리와 관련된 일이 생길 가능성도 있다.
결국 일진을 보는 방법은 먼저 날짜와 일주가 합이 되는지 살펴본 후 합이 되는 일주는 그날이 좋다고 본다. 그리고 합이 된다고 하더라도 좋은 시간이 있고 나쁜 시간이 있으므로 시간을 잘 구별해야 한다. 따라서 합이 되는 날의 좋은 시간을 선택하는 게 가장 좋은 방법이다.

그리고 어떤 일을 결정하고자 할 때는 날짜와 일주가 극이 되는 날은 피하는 게 좋다. 그러나 꼭 피하지 못할 사유가 있다면 시간을 잘 살펴서 합이 되는 시간을 선택하는 게 좋다. 비록 극이 되는 날이라고 할지라도 하루 중에 좋은 시간은 있게 마련이다. 따라서 일진 보는 법을 잘 숙지한다면 일상생활을 해 나가면서 凶은 피하고 吉을 택할 수 있는 추길피흉(趨吉避凶)의 삶을 살 수 있을 것이다.

4. 대운(大運) 보는 법

운세를 볼 때는 반드시 내담자의 사주를 먼저 살펴야 한다. 그 이후에 수리역학 매화역수를 이용해서 대운과 세운 그리고 달(月) 운을 같이 살펴보면서 상담을 해야 적중률을 높일 수 있다. 단순히 대운이나 세운만으로 운세를 보게 된다면 상대적으로 적중률이 낮을 수밖에 없다.

수리역학 매화역수로 운세를 볼 때 참고해야 할 사항은 다음과 같다. 포국도 **첫 번째 칸**은 대운과 세운을 구분함이 없이 모두 성격을 뜻하는 자리다. 그리고 포국도 **두 번째 칸**은 대운에서는 직업과 평생 운을 주도하는 자리이고, 세운일 때는 해당하는 해의 1년의 기간을 주도하는 자리가 된다. 그 외의 칸에는 각 달에 해당하는 운을 예측해 볼 수 있는 숫자가 들어 있다. 그래서 각 수리의 뜻을 정확히 이해할 수 있어야 한다.

특히 3, 5, 7의 수리에 해당하는 숫자들은 과격함의 뜻이 내포되어 있어서 생사(生死)와 관련된 일이 생길 수 있으므로 철저히 정리해 둘 필요가 있다. 그리고 대운은 짧게는 1년에서부터 길게는 9년 동안을 관장한다. 즉 명리학에서 대운의 기간은 10년이다. 그래서 10년을 주기로 대운이 바뀐다고 한다. 그러나 수리역학 매화역수에서 말하는 대운의 주기는 1년에서부터 9년까지의 기간으로 다양하다. 대운의 기간이 명리학처럼 10년으로 고정되어 있지 않다.

대운은 평생의 운을 보는 것이다. 따라서 운세가 좋고 나쁘고를 판단할 때의 기준은 대운을 기준으로 한다. 대운의 수리에 따라 초년에 나쁜 운이 있는가 하면 말년에 나쁜 운이 들어오는 때도 있다. 물론 일생이 평안한 운도 있다. 그래서 대운을 보는 법이 중요하다. 좋은 대운이 세운과 같이 똑같은 수리로 겹치게 되면 더 좋은 작용을 하게 되고, 나쁜 대운이 세운과 같이 겹치게 되면 더 나쁘게 작용할 수 있다. 대운도 세운과 마찬가지로 포국도를 이용하여 해석한다.

대운의 포국도는 **첫 번째 칸**에는 '**평생 기본수**' **두 번째 칸**에는 '**대운의 주도수**'가 들어간다. 그리고 포국도를 구성하는 방식은 세운의 방식과 같다. 즉 12칸의 포국도를 이용해서 평생의 운을 보는 것이다. 이미 평생 기본수를 구하는 방식은 수리역학 매화역수의 정의 편에서 설명하였으므로 생략하겠다. 다만 대운의 주도수를 구하는 방식을 설명하고자 한다. 대운의 주도수를 구하는 방식은 다음과 같다.

대운의 주도수 = 년간 + 년지 + 시지 + 생월 + 생일

년간의 숫자는 사주의 년 천간을 뜻하는데 사주의 천간이 가지는 숫자의 의미는 다음과 같다. 즉 천간은 10개이므로 다음과 같이 1부터 10까지의 숫자를 가지게 된다.

甲	乙	丙	丁	戊	己	庚	辛	壬	癸
1	2	3	4	5	6	7	8	9	10

다음은 년(年) 지와 시(時) 지의 숫자를 설명하겠다. 사주의 年 지가 뜻하는 숫자와 時 지가 뜻하는 숫자는 다음과 같다.

子	丑	寅	卯	辰	巳	午	未	辛	酉	戌	亥
1	2	3	4	5	6	7	8	9	10	11	12

이미 평생 기본수를 구하는 방식과 세운의 주도수 그리고 일진의 주도수를 구하는 방식을 공부하였다. 따라서 대운의 주도수를 구하는 방식도 어렵지 않을 것이다. 위에서 말한 공식을 그대로 적용하면 된다. 대운의 주도수를 구하기 위해서는 먼저 사주를 알아야 한다.

【예시 1】 1962. 7. 26.(음) 12:00 출생, 남자.

```
시  일  월  년
壬  乙  戊  壬
午  未  申  寅
```

위 사람의 대운의 주도수를 구하고자 할 때는 년간, 년지, 시지, 생월, 생일의 간지의 숫자를 대입하여 찾는다.

- 대운의 주도수 = 년간(9)+년지(3)+시지(7)+생월(7)+생일(26)

  9 + 3 + 7 + 7 + 2 + 6 = **대운 주도수 7**

  9+3+7+7+2+6 = 34 ÷ 9 = 3(몫) **7**(나머지_대운 주도수 7)

- **평생 기본 수** = 생월(7) + 생일(26) + 1

  7 + 2+ 6 + 1 = **평생 기본수 7**

  7+2+6+1 = 16÷9 = 1(몫) **7**(나머지_**평생기본 수 7**)

위와 같이 두 가지의 공식에 의해서 얻어진 이 사람의 평생 기본수는 7자가 되고, 대운의 주도수도 7자의 수리가 된다. 이를 81포국도(**평생기본수7, 주도수7**)에 적용하게 되면 '775'라는 대운의 수리가 만들어진다. 그런데 12칸의 포국도에서 이 사람의 일주가 들어가야 할 위치를 정해야 한다. 즉 12칸 모두에 일주가 들어가게 되나, 천간이 시작되는 위치는 일주에 따라 서로 다르다.

그래서 '**일주의 위치**'를 정할 때는 포국도 12칸 중에서 지지가 서로 같은 자리로 한다. 【예시 2】의 경우는 '**未 일주**'이므로 未 월에 '乙未' 일주가 들어가는 것이다. 그러면 乙未월에 乙未일주가 만들어진다. 그 다음부터 각각의 지지에 해당하는 자리에 천간을 순행시켜서 포국도를 완성하면 된다.
즉 未월 다음에 申, 酉, 戌, 亥, 子, 丑, 寅, 卯, 辰, 巳, 午, 순서에 따라 순행하므로 천간도 乙未월 다음부터 丙申, 丁酉, 戊戌, 己亥, 庚子, 辛丑, 壬辰, 癸巳, 甲午, 순으로 순행하는 방법을 이용하여 천간을 입력한다. 이와같이 대운에서 천간을 포국도에 입력하는 방법과 세운에서 천간을 포국도에 입력하는 방법이 서로 다르므로 주의가 필요하다.

세운에서 천간을 입력하는 방법은 월두법이나 시두법의 원리를 이용해서
양간(甲,丙,戊,庚,壬) 만을 포국도의 첫 번째 칸에 입력한다.
만약, 癸卯년 이라면 戊癸(합) 火가 된다. 따라서 火를 生해 주는 오행을
포국도의 첫 번째 칸에 입력하는 것이다. 즉 木生火가 되므로 甲木을 첫 번째
칸에 입력하고 그다음 칸부터는 乙, 丙, 丁, 戊, 己, 庚, 辛, 壬, 癸, 甲, 乙,
순으로 순행하면서 차례대로 입력한다.
그리고 대운은 주기가 1년부터 9년까지 다양하게 바뀐다. 사주 명리의 대운은

10년 주기로 바뀐다. 그러나 매화역수의 대운은 길어야 9년이다.

만약, 1자의 수리라고 한다면 대운의 기간이 1년에 불과하다. 또한 9자의 수리라고 한다면 대운의 기간이 9년인 것이다. 따라서 사주명리보다 수리역학 매화역수의 대운은 역동적이다. 그만큼 사람의 운명에 관한 변화, 변동에 대해서 수리역학 매화역수는 대운의 구분이 세분화 되어 있다.

다음 예시를 통해서 '대운'에 관련된 사항을 전체적으로 살펴보겠습니다.
【예시 2】1962. 7. 26.(음) 12:00, 남.

		시	일	월	년
평생 기본수 : 7		壬	乙	戊	壬
대운 주도수 : 7		午	未	申	寅

첫 번째: 일주가 '乙未'이므로 포국도 12칸 모두 오른쪽에 '乙未'를 입력한다.

두 번째: 포국도의 지지와 해당하는 일주의 지지가 같은 자리에 들어가도록 맞춘다. 즉 사례의 경우 포국도 '未'월의 자리에 乙未 일주의 지지 '未'가 들어가도록 한다. 그리고 포국도의 천간을 일주의 천간과 같게 만든다. 그러면 포국도 乙未월에 乙未 일주가 만들어진다.

세 번째: 다음 칸부터 천간 丙, 丁, 戊, 己, 庚, 辛, 壬, 癸, 甲, 乙, 丙, 순으로 12달을 모두 입력한다. 그러면 丙申, 丁酉, 戊戌, 己亥, 庚子, 辛丑, 壬寅, 癸卯, 甲辰, 乙巳, 丙午, 순으로 12칸이 모두 채워진다.

만약, 甲子 일주라고 한다면 포국도 子월의 자리에 甲子 일주가 들어가고, 포국도의 천간도 甲부터 순행하게 된다. 그래서 대운은 각각의 일주에 따라 천간이 달라지는 특징이 있다. 다음은 직접 포국도를 사례로 작성해서 설명하고자 한다.

壬		乙	癸		乙	甲		乙
	退 7 火			退 7 火			驚 5 土	
寅		未	卯		未	辰		未
乙		乙	丙		乙	乙		乙
	鬼 3 木			鬼 3 木			官 6 水	
巳		未	午		未	未 월		未
丙		乙	丁		乙	戊		乙
	文 9 金			文 9 金			文 9 金	
申		未	酉		未	戌		未
己		乙	庚		乙	辛		乙
	貴 1 水			貴 1 水			變 2 火	
亥		未	子		未	丑		未

선천수 〉1,6_水, 2,7_火, 3,8_木, 4,9_金, 5,10_土
주도수 〉1_生,貴 2_變 3_鬼 4_安 5_驚破 6_官 7_退食 8_財 9_文

첫 번째 칸은 壬寅대운으로 수리가 7자이므로 1세부터 7세까지 7년 동안의 운을 관장하는 기간이다. 만약 세운이라고 한다면 寅月 한 달의 운세이다
.

두 번째 칸은 癸卯대운으로 수리가 7자이므로 8세부터 14세까지 7년 동안의 운을 관장하는 기간이다. 만약 세운이라고 한다면 卯月 한 달의 운세이다.

세 번째 칸은 甲辰대운으로 수리가 5자이므로 15세부터 19세까지 5년 동안의 운을 관장하는 기간이다. 만약 세운이라고 한다면 辰月 한 달의 운세이다.

네 번째 칸은 乙巳대운으로 수리가 3자이므로 20세부터 22세까지 3년 동안의 운을 관장하는 기간이다. 만약 세운이라고 한다면 巳月 한 달의 운세이다.

다섯 번째 칸은 丙午대운으로 수리가 3자이므로 23세부터 25세까지 3년 동안의 운을 관장하는 기간이다. 만약 세운이라고 한다면 午月 한 달의 운세이다.

여섯 번째 칸은 乙未대운으로 수리가 6자이므로 26세부터 31세까지 6년 동안의

운을 관장하는 기간이다. 만약 세운이라고 한다면 未月 한 달의 운세이다.

일곱 번째 칸은 丙申대운으로 수리가 9자이므로 32세부터 40세까지 9년 동안의 운을 관장하는 기간이다. 만약 세운이라고 한다면 申月 한 달의 운세이다.

여덟 번째 칸은 丁酉대운으로 수리가 9자이므로 41세부터 49세까지 9년 동안의 운을 관장하는 기간이다. 만약 세운이라고 한다면 酉月 한 달의 운세이다.

아홉 번째 칸은 戊戌대운으로 수리가 9자이므로 50세부터 58세까지 9년 동안의 운을 관장하는 기간이다. 만약 세운이라고 한다면 戌月 한 달의 운세이다.

열 번째 칸은 己亥대운으로 수리가 1자이므로 59세부터 59세까지 1년 동안의 운을 관장하는 기간이다. 만약 세운이라고 한다면 亥月 한 달의 운세이다.

열한 번째 칸은 庚子대운으로 수리가 1자이므로 60세부터 60세까지 1년 동안의 운을 관장하는 기간이다. 만약 세운이라고 한다면 子月 한 달의 운세이다.

열두 번째 칸은 辛丑대운으로 수리가 2자이므로 61세부터 62세까지 2년 동안의 운을 관장하는 기간이다. 만약 세운이라고 한다면 丑月 한 달의 운세이다.

그리고 열두 번째 칸의 운이 모두 끝난 이후부터는 대운이 다시 역행으로 진행한다. 즉 열한 번째 칸의 庚子 수리가 1자이므로 63세부터 63세까지 1년의 운을 관장하게 되는 것이다. 즉, 같은 방법으로 거꾸로 역행하는 것이다.

수리역학 매화역수의 수리는 "생월 + 생일 + 1 = 평생 기본수"라는 공식이 성립한다. 그래서 실제 태어나는 수리와 잉태(孕胎) 월의 수리가 달라질 수 있다. 왜냐하면 태어나는 순간 더하기 1을 하기 때문이다. 그렇다면 이 수리의 잉태(孕胎) 월에서부터 62세까지의 성장 과정을 수리로 나열해 보겠다.

잉태(孕胎) 월을 알게 된다면 그 사람의 특성과 전체적인 운에 관해 어느 정도 예측이 가능하다. 따라서 대운을 뽑을 때는 반드시 임신(妊娠)을 언제 했는지 살펴봐야 한다. 즉 어떤 수리에서 임신하게 되었는지 살펴보는 것이다. 사람이 태어나는 기간은 280일이다. 약 10개월이다. 따라서 잉태(孕胎) 월의 수리는 1세 때의 수리가 되는 것이다. 그러나 실제 1세 때의 수리는 태어난 상태가 아니고 임신 기간에 있을 가능성이 크다. 그래서 실제 태어나는 수리는 2살 때의 수리가 되는 경우가 많다.

【예시 3】 1962. 7. 26.(음) 12:00, 남. / 평생 기본수 : 7

B 718	C 729	B 731	A 742	A 753	C 764	C 775	B 786	C 797
696	729	843	966	189	213	336	459	573
369	729	279	639	189	549	999	459	819
775	369	854	448	933	527	112	696	281

						1	2	3
4	5	6	7	8	9	10	11	12
13	14	15	16	17	18	19	20	21
22	23	24	25	26	27	28	29	30
31	32	33	34	35	36	37	38	39
40	41	42	43	44	45	46	47	48
49	50	51	52	53	54	55	56	57

예시 3은 잉태(孕胎)월에서부터 평생 수리다. 81포국도 평생기본수7,
주도수7에서 1세가 되고, 평생기본수 7자의 수리가 60갑자를 계속 순환하며,
대운의 수리는 9년마다 같은 수리가 돌아오는 원리로 작동된다.

7 7 5 ▸ 1, 10, 19, 28, 37, 46, 55세 ▸ 1세 잉태(孕胎)월의 수리이다.
3 3 6
9 9 9
1 1 2

7 8 6 ▸ 2, 11, 20, 29, 38, 47, 56세 ▸ 2세 실제 태어난 수리이다
4 5 9   20세 乙巳 대운으로 바뀐다.
4 5 9
6 9 6

7 9 7 ﹒ 3, 12, 21, 30, 39, 48, 57세
5 7 3
8 1 9
2 8 1

7 1 8 ﹒ 4, 13, 22, 31, 40, 49, 58세
6 9 6
3 6 9
7 7 5

7 2 9 ﹒ 5, 14, 23, 32, 41, 50, 59세 ﹒ 23세 丙午 대운으로 바뀐다.
7 2 9　　　　　　　　　　　﹒ 32세 丙申 대운으로 바뀐다.
7 2 9　　　　　　　　　　　﹒ 41세 丁酉 대운으로 바뀐다.
3 6 9　　　　　　　　　　　﹒ 50세 戊戌 대운으로 바뀐다.

7 3 1 ﹒ 6, 15, 24, 33, 42, 51, 60세 ﹒ 15세 甲辰 대운으로 바뀐다.
8 4 3　　　　　　　　　　　﹒ 60세 庚子 대운으로 바뀐다.
2 7 9
8 5 4

7 4 2 ﹒ 7, 16, 25, 34, 43, 52, ﹒ 61세 辛丑 운으로 바뀐다.
9 6 6
6 3 9
4 4 8

7 5 3 ﹒ 8, 17, 26, 35, 44, 53, ﹒ 62세 대운이 癸酉 대운으로 바뀐다.
1 8 9　　　　　　　　　　　﹒ 26세 乙未 대운으로 바뀐다.
1 8 9
9 3 3

```
7 6 4 ▸ 9, 18, 27, 36, 45, 54, 63세
2 1 3
5 4 9
5 2 7
```

포국도에 따라 12칸에 해당하는 대운의 기간이 모두 끝나게 되면 그 이후부터는 대운을 거꾸로 역행을 시킨다. 이 사례의 경우 63세의 대운은 庚子, 64세 대운은 己亥, 65세 대운은 戊戌 운으로 역행한다.

※ 본 저자의 사견인데 수리역학 매화역수의 근원은 그 어떤 문헌에서도 찾아볼 수 없었다. 다만 숫자의 근원은 하도(河圖)와 낙서(洛書)라는 사실에 관해서 부정하는 학자는 없다.

그리고 잉태(孕胎)월이 사주에 활용되었다는 사실에 관해서는 고법 사주를 대표하는 『이허중명서(李虛中命書)』에서 찾아볼 수 있었다. "『이허중명서』에서는 잉태월을 포함하여 태어난 월일시(月日時)를 사주(四柱)로 정의하였다.(김만태,2016:244)"

그리고 서자평 이후부터 사주의 정의가 태어난 연월시의 신법 사주체계로 변경되어 현재까지 활용되고 있다. 이러한 사실을 근거로 추정해 본다면 수리역학 매화역수의 근원은 이미 고법 사주의 시대부터 이어져 왔거나 그 영향을 받았을 것으로 추정해 본다.

5. 종합 실증분석

수리역학 매화역수의 공부 과정은 기초과정과 실전 과정으로 분류되어 있다. 물론 기초과정을 완벽하게 학습한다면 실전 과정은 스스로 풀이하는 과정이므로 어려울 게 없다.

다음은 사주와 수리역학 매화역수를 활용하여 종합 풀이를 해보겠다. 아래의 예시는 본 저자의 실제 사주이다. 따라서 실제 경험한 사실을 바탕으로 사례 분석을 하고자 한다.

【예 1】1962. 7. 26.(음력), 12:00 생, 남자 / 평생기본수 7 대운주도수 1

時	日	月	年
정인		정재	정인
壬	乙	戊	壬
午	未	申	寅
식신	편재	정관	겁재
丙己丁	丁乙己	戊壬庚	戊丙甲

75	65	55	45	35	25	15	5
丙	乙	甲	癸	壬	辛	庚	己
辰	卯	寅	丑	子	亥	戌	酉

<대운의 포국도>

壬		乙	癸		乙	甲		乙
退 7 火			退 7 火			驚 5 土		
寅		未	卯		未	辰		未
乙		乙	丙		乙	乙		乙
鬼 3 木			鬼 3 木			官 6 水		
巳		未	午		未	未		未
丙		乙	丁		乙	戊		乙
文 9 金			文 9 金			文 9 金		
申		未	酉		未	戌		未
己		乙	庚		乙	辛		乙
貴 1 水			貴 1 水			變 2 火		
亥		未	子		未	丑		未

•壬寅 7 대운(1세-7세)

 포국도 첫 번째 자리이므로 성격을 뜻하고, 퇴식(退食) 운이다.

 따라서 질병을 앓았고, 조부 사망하였다.

 壬寅 대운에는 乙未 일주가 7자 수리로써 퇴식의 운명이었다.

•癸卯 7 대운(8세-14세)

 직업과 관련된 자리로써 관운이 없으며 활인업에 맞다.

 질병으로 공부에 어려움을 겪었고, 조모 사망하였다.

 癸卯 대운에는 乙未 일주가 7자 수리로써 퇴식의 운명이었다.

•甲辰 5 대운(15세-19세)

 辰未충으로써 乙未 일주와 극이 된다.

 어머니가 갑자기 아파서 병원에 입원하는 일이 생겼고, 그 일로 인해 약 한 달 동안 부모와 떨어져 살아야 했다.

 甲辰 대운에 乙未 일주가 5자 수리로써 놀라는 사건이 발생하였다.

 乙巳 3 대운(20세-22세), 삼삼하게 풀렸다. 대학 생활 도중 입대하였다.

 丙午 3 대운(23세-25세), 삼삼하게 풀렸다. 군 복무를 무사히 마쳤다.

 乙未 6 대운(26세-31세), 삼삼하게 풀렸다. 공무원 시험에 합격하였다.

 丙申 9 대운(32세-40세), 승진 후 지방으로 발령받아 근무하였다.

 丁酉 9 대운(41세-49세), 직장변동 없었고, 해외여행을 몇 차례 다녀왔다.

 戊戌 9 대운(50세-58세), 乙未 일주가 문서의 형살이다. 부친 사망,

 己亥 1 대운(59세-59세), 직장에서 보직의 변경이 있었다.

 庚子 1 대운(60세-60세), 직장에서 보직의 변경이 있었다.

 辛丑 2 대운(61세-62세), 직장과 가정에서 변화, 변동이 심하다.

이 수리는 평생 기본수가 7자이므로 집념과 끈기 그리고 친화력이 강해 어디든 잘 어울리며 인생을 즐기려고 하는 성격이다. 그리고 乙木, 일간이므로 부드럽고 인자하며 생활력이 강하다.

두 번째 칸에 7자의 수리가 있으므로 전문직이나 활인업에 종사하면 좋은 수리이다. 왜냐하면 7자의 수리는 기본적으로 관운이 없다고 본다. 그러나 이 사례는

월지에 정관이 있으므로 관인상생(官印相生)할 수 있는 구조이다. 따라서 관운이 있는 사주이다.

그래서 사주를 우선으로 살피고 수리역학 매화역수의 수리는 보충적인 수단으로 활용하면 된다. 대부분 포국도 두 번째 칸에 7자의 수리가 있으면 관운이 없는 게 사실이다. 즉 공직에서 높은 위치까지 올라갈 수는 있다. 그러나 오랫동안 지속해서 자리를 유지하기 힘들다고 본다. 물론 낮은 직급에서 오랫동안 근무를 할 수도 있을 것이다. 그러함에도 만족할 만큼의 행복을 누리지 못하고 자리가 힘들게 느껴질 수 있다는 뜻이다.

그리고 7자의 수리는 질병과 퇴식을 의미하므로 포국도 첫 번째 칸이나 두 번째 칸에 7자의 수리가 있다면 몸의 상태를 좋지 않게 본다. 즉 잘 치료되지 않는 질병이나 지병이 있다고 본다. 그렇다고 해석 죽을 수 있는 병에 걸린다는 뜻이 아니라 오래가는 질병이나 자주 아플 수 있다는 뜻이다. 따라서 몸 관리에 신경을 써야 한다.

운에서 7자의 수리가 오면 사업이 잘 안되고 의욕이 저하된다. 물론 7자 수리 자체가 사업에 소질이 없다. 그래서 전문직이나 활인업이 잘 맞는데 운에서까지 7자의 수리가 오게 되면 자신이나 가족 중에 아픈 사람이 생길 수 있다. 따라서 건강 검진을 받아 보는 게 좋다.

대운뿐만 아니라 세운도 합과 극의 관계를 정확히 하여 상담을 해야 하는데 두 달이 연속해서 극이 되는 달은 특별히 운이 좋지 못한 것으로 본다. 이 사례의 경우 乙未 일주이므로 11월과 12월이 깨진다. 따라서 대운이라고 한다면 60, 61, 62세까지 극이 되므로 운이 좋지 못한 것으로 본다.

그런데 이 사례는 775 수리에 해당하는 초년 때의 운이 좋지 않아서 고생했을 가능성이 크다. 그러나 336 수리와 999 수리 때는 잘 나갈 수 있는 일주이다. 왜냐하면 336 수리와 합이 되므로 조상의 도움을 받을 수 있다. 만약 鬼가 부정적으로 작용한다면 큰 화를 입을 수 있겠지만 이 사례는 합을 이루고 있다.

그리고 두 칸이 연속해서 깨지게 되는 11번째 칸과 12번째 칸의 경우는 수리 자체가 나쁘지 않다. 왜냐하면 1자의 수리는 귀인을 뜻하고 2자의 수리는 변화, 변동을 의미한다. 만약 3, 5, 7, 수리에 해당하는 과격한 숫자가 있다면 그 화를 입을 수밖에 없다. 그리고 극이 되는 대운의 기간이 불과 3년에 불과하므로 짧다.

결국 이 수리를 좋다고 볼 수는 없으나 乙未 일주에게는 나쁘지 않다. 왜냐하면 초년의 775 수리 때는 극을 피할 수 있어서 그 화가 크지 않았다. 그리고 두 칸이 연속해서 깨지는 11번째와 12번째 칸의 경우 수리 자체가 나쁘지 않고 기간이 짧기 때문이다. 따라서 이 수리는 초년에 조금 고생한다고 하더라도 노후에 편안할 수 있는 수리이다. 아무리 좋은 수리일지라도 결국 일주별로 대입해서 살펴봐야 길흉의 판단을 할 수 있는 것이다.

결국 대운이 좋다고 하더라도 세운이 나쁘면 그 화를 입을 수밖에 없고, 또한 세운이 좋다고 하더라도 월月 운이 나쁘면 그달에는 좋지 못한 일이 생길 수도 있는 게 운이다. 따라서 사주와 대운을 먼저 살펴본 후 세운과 월 운을 살펴서 상담해야 적중률을 높일 수 있는 것이다. 이 사례의 경우 62세 현재의 대운은 2자의 수리이고 乙未 일주와 상극이 되므로 좋다고 볼 수는 없다.

다음은 '乙未 일주와 癸卯 년의 세운'을 살펴보겠다.

癸卯 년에 乙未 일주는 천간에서 인성이 일간을 生해 주고 있고, 지지에서 卯未 합을 이루고 있다. 그뿐만 아니라 년지의 卯木에게 乙木, 일간이 뿌리를 내리고 있어서 힘이 있다.

따라서 인성과 관련된 일로 좋은 일이 생길 수 있고, 부부궁 즉 배우자의 자리와 합이 되어 있으므로 가정생활도 원만할 수 있다는 뜻으로 해석할 수도 있겠다.

그러나 구체적인 분석은 세운의 포국도를 만들어서 각각의 달을 일주와 대입시켜서 분석해야 한다. 다만 대운은 좋지 않으나 다행히 세운이 좋아서 癸卯 년의 한 해는 무난하게 보낼 수 있다는 정도의 해석이 가능하다. 다음은 이 사례의 癸卯 년에 해당하는 세운의 포국도를 살펴보겠다.

<세운의 포국도>

退 7 火	驚 5 土	鬼 3 木
寅	卯	辰
貴 1 水	財 8 木	文 9 金
巳	午	未
貴 1 水	財 8 木	文 9 金
申	酉	戌
文 9 金	鬼 3 木	鬼 3 木
亥	子	丑

평생 기본수 7자의 수리에서 753 수리는 극단적인 수리이지만, 乙未 일주에게는 최고의 좋은 해가 된다. 너무 좋아서 놀랄 수 있는 일이 생기는 해이다. 鬼의 작용이 긍정적이므로 조상이 돕는다고 해석하면 되겠다.

두 번째 줄의 189 수리는 최고의 대길수(大吉數)이다.

세 번째 줄의 189 수리도 최고의 대길수(大吉數)이다.

네 번째 줄의 **933** 수리는 주도수 5자에 상문살이므로 갑작스러운 사건이나 사고에 대비하는 게 좋다.

각각의 달을 乙未 일주와 대입해 보면 좋은 달은 2월, 5월, 6월, 10월이 특별히 좋은 달에 해당한다. 그리고 나쁜 달은 9월, 11월, 12월이다. 그러나 9월은 주도수의 오행과 상생의 관계이므로 크게 나쁘지 않다.

결국 이 사례는 대운이 좋지 못하다고 하더라도 癸卯 년의 운은 아주 좋은 편이고, 나쁜 달에 해당하는 11월과 12월만 조심하면 되는 수리이다. 또한 한 해의 수리가 너무 좋아서 극이 되는 달도 큰 화를 입지 않고 지나갈 수 있다. 그래서 인성과 관련하여 뜻하는 바를 이룰 수 있을 것이다. 즉 문서의 운이 따른다는 뜻이다.

여기서 문서라고 함은 주도수가 5자이므로 부동산과 관련된 문서일 수도 있고, 癸卯 년에 편인의 도움을 받고 있으므로 관, 명예, 행운, 승진, 등과 관련된 문서로 볼 수도 있다. 또한 포국도 안에 문서와 명예를 뜻하는 9자의 수리도 많이 들어와 있다. 그래서 내담자의 상황에 맞게 상담해야 한다. 내담자가 어떤 일을 하는지, 그리고 나이에 맞는 상담을 하는 게 좋다.

맺음말

본 저자(著者)가 수리역학 매화역수를 처음 접하게 된 게 벌써 5년이 되었다. 물론 사주 명리를 공부하게 된 세월에 비하면 너무 짧고 아직 경험도 쌓이지 않은 상태이다.

대학원에서 어느 선배가 수리를 이용해서 간명(看命)하는 것을 보고 궁금하기도 하고 또 다른 한편으로는 경이롭게 여겨져서 어떤 원리로 만들어진 것일까? 라는 의문을 시작으로 배우기 시작했던 것이 이렇게 책까지 쓰게 되었다.

"수리역학 매화역수는 쉬운 학문이다, 그래서 누구나 쉽게 배울 수 있다."라는 말을 수없이 들었었다. 사실 쉬운 학문임에는 분명하다. 그러나 명(命)을 논하는 학문이 모두 그렇듯이 한 번 읽을 때와 두 번 읽을 때가 다르다.

원래 학문이란 게 처음 읽을 때와 두 번 세 번 자주 읽어 볼 때마다 새로운 게 보이는 법이다. 모두 다 아는 것처럼 느껴져도 다시 읽어 보면 모르는 게 보이고 전혀 새로운 것처럼 느껴지는 부분이 있게 마련이다.

저자(著者) 또한 선배에게 이 학문을 배운 후 유튜버들의 강의를 수없이 들어 보았으나 그때마다 새롭다는 생각이 들었었다. 그래서 학문을 정립하지 못하고 강사들이 이끄는 대로 끌려다니다가 결국 동방문화대학원대학교 평생교육원에서 1년 과정을 다시 수료하게 되었다.

그러나 저자의 수리역학 매화역수에 관한 공부는 여기서 완성하지 못했다. 수많은 시간을 투자하여 공부하였음에도 불구하고 그래도 무엇인가 부족함을 느끼게 되었다. 그래서 선배에게 소개를 받았던 원로 유명 유튜버를 찾아가기에 이르렀다. 먼저 부족한 부분을 채워서 성학(成學)을 하고 싶다는 마음이 급해서이다.

물론 저자가 이런 과정을 통해서 수리역학 매화역수에 관한 학문을 완벽하게 터득했다고 말할 수는 없다. 그리고 세상에는 완벽한 학문이 존재하지 않는다. 따라서 완벽한 학자도 존재할 수 없다. 다만 학자들은 자기만의 학문을 이루기 위해 노력할 뿐이다. 저자 역시 나의 학문을 이루기 위해 노력하는 중이다.

저자(著者)의 변명이 너무 길어진 느낌이다. 지금부터는 책의 내용에서 다루지 못했거나 다루어졌다고 해도 미흡한 부분 그리고 공부에 조금이라도 도움이 될 수 있는 것을 요약하고자 한다.

먼저 수리역학 매화역수의 공부하는 방법이다. 첫째 수리의 뜻을 정확히 암기해야 한다. 즉 1, 2, 3, 4, 5, 6, 7, 8, 9. 수리에 해당하는 숫자의 의미를 알아야 한다는 것이다. 특히 3자의 수리는 심리적 갈등과 관련이 있고, 5자의 수리는 놀라는 사건, 사고와 관련이 있다. 그리고 7자의 수리는 질병이나 퇴식과 관련이 깊다. 이들 수리의 공통점은 모두 생사의 문제가 달려있다는 점이다. 그래서 이들 과격한 숫자들이 부정적으로 작용하게 되는 때와 긍정적으로 작용하게 되는 때를 잘 구별해야 간명하기 쉽다.

두 번째 특별 수리를 암기하는 것이다. 특별 수리를 익혀두면 포국도를 보는 순간 좋은 운과 나쁜 운의 구별이 쉽다. 즉 933 수리가 들어 있다면 상문살이므로 좋지 못한 일이 생길 것을 예측할 수 있는 것이다.

셋째 일주와 해당하는 년의 간지를 비교해서 세운의 상태를 살피는 것이다. 그리고 일지를 각각 12달에 대입시켜서 합이 되는지 극이 되는지 살펴서 길흉을 판단하는 것이다. 일지별 길흉의 대조표를 본 저서의 마지막 부분에 첨부하였다. 공부에 참고하시길 바란다.

넷째 주도수의 오행과 12달의 수리를 비교해서 각각의 오행이 서로 합을 하는지 극을 하는지 살펴서 길흉의 강도를 판단하는 것이다. 예를 들어 7자의 수리에 해당하는 퇴식 운에서 일주와 상극의 상태인데 또 주도수의 오행에서까지 상극의 상태가 된다면 질병의 정도나 퇴식의 정도가 더 강하다는 것이다.

다섯째 마지막으로 사주팔자와 수리역학 매화역수의 관계이다. 당연히 사주팔자를 우선으로 봐야 한다. 수리역학 매화역수는 대운과 세운 그리고 일진을 보기 위해 특별히 만들어진 학문이다. 따라서 행운에 관해서는 당연히 사주명리학보다 명확하고 세밀한 학문이 분명하다.

이상의 내용을 철저히 숙지한 후 실제 상담에 활용할 때는 다음과 같은 순서에 따라 통변하는 게 좋다.

첫째, 평생기본수의 기본성격을 말한다.

둘째, 주도수를 보고 직업이나 해당하는 운을 풀어준다.

셋째, 특별수리를 찾아 길흉을 판단한다.

넷째, 두 달이 연속 깨지는 달을 잘 살펴서 통변한다.

다섯째, 주도수 오행과 각각의 달을 살펴서 합과 극의 관계를 살핀다.

여섯째, 사주, 대운, 세운, 월운, 등을 종합해서 판단해야 한다.

사람의 전체적인 성향, 적성, 육친관계, 그릇의 크기 정도를 분간하기 위해서는 사주 명리를 먼저 살펴야 한다. 왜냐하면 사주팔자를 활용해서 초년, 중년, 장년, 노년기 등에 관해 근묘화실의 관법이나 12운성으로 쉽게 해석할 수 있기 때문이다.

결국 수리역학 매화역수는 사주명리학에서 대운과 세운 그리고 일진에 관한 부분을 보충하기 위한 수단으로 연구한 학문이 아닌가 생각한다. 따라서 사주 명리의 보충적인 수단으로 생각하면 되겠다.

그리고 수수리수인작법은 숫자를 활용한다는 점에서 수리역학 매화역수와 매우 유사하다. 그러나 개괄적으로 한번 살펴볼 수 있는 학문에 불과하다. 물론 궁합이나 시운법 같은 것은 충분히 상담에 활용할 수 있다. 그러함에도 수수리수인작법은 수리역학 매화역수를 공부하기 위한 준비과정 정도로 생각하면 된다고 본다. 따라서 수리역학 매화역수에 관해 집중적으로 공부할 필요가 있다고 주장한다.

학문에는 비법이 없다. 자주 읽어서 이해하고 필요한 부분을 반드시 암기하는 게 비법이라고 할 수 있겠다. 그러면 어느 순간 입이 열리는 게 느껴질 것이다. 그것을 통변이라고 하는데 수많은 시간을 투자했음에도 불구하고 통변이 안된다는 분들이 많다. 그렇다면 마지막이라는 생각으로 이 수리 수비학(數秘學)을 한 번 공부해 보시길 바랍니다. 끝.

【참고문헌】

萬民英 『三命通會』(臺北: 武陵出版有限公司)

徐樂吾 『窮通寶鑑』(臺北: 武陵出版有限公司)

劉伯溫 원저, 任鐵樵 증주, 袁樹珊 찬집, 『滴天髓闡微』(臺北: 武陵出版有限公司)

袁樹珊, 『命理探原』(臺北: 武陵出版有限公司)

陳之潾, 『精選命理約言』(香港: 心一堂)

沈孝瞻 원저, 徐樂吾 評註, 『子平眞詮評註』(台北: 進源書局)

김만태 『정선명리학강론』, 동방문화대학원대학교, 2020.

이승재 『하도낙서의 과학적 탐구』

김성욱 『소강절의 매화역수』

해광스님 『대한민국 운명록』

하심 『수수리수인작법』

이동현 『수리역학매화역수』

저자 소개

이흥신 1962년 광주출생

약 37년 동안 경찰공무원 생활하였고, 가정폭력, 학교폭력 등 여러 가지 어려움을 겪는 사람들을 상담하던 과정에서 명리학의 필요성을 인식하게 되어 이들을 바른 삶으로 인도하고자 이론과 실전을 겸비한 자신만의 명리학적 체계를 수립하였다.

2023년 동방문화대학원 미래예측콘텐츠학과 철학박사

現 경기 광주 이배재로 388 영산선원 운영.

전화번호 010-3959-8746

장윤영 53년 충북 음성 출생

수십 년 동안 전문 경영인으로 활동하였고, 젊은 시절부터 불교 신자로 활동하던 중 명리학이 인간의 운명과 관련이 깊다는 사실을 깨닫게 되어 2009년부터 성명학과 사주명리학를 집중적으로 연구하게 되었다.

2008년 경원대학교 대학원 세무회계학과 경영학 박사

2023년 동방문화대학원 대학교 미래예측콘텐츠학과 박사수료

現 경기 광주 이배재로 388 영산선원 원장

.